MAIGRET EN NORMANDIE

Le Port des brumes

Maigret et la vieille dame

Georges Simenon (1903-1989) est le quatrième auteur francophone le plus traduit dans le monde. Né à Liège, il débute très jeune dans le journalisme et, sous divers pseudonymes, fait ses armes en publiant un nombre incroyable de romans « populaires ». Dès 1931, il crée sous son nom le personnage du commissaire Maigret, devenu mondialement connu, et toujours au premier rang de la mythologie du roman policier. Simenon rencontre immédiatement le succès, et le cinéma s'intéresse dès le début à son œuvre. Ses romans ont été adaptés à travers le monde en plus de 70 films, pour le cinéma, et plus de 350 films de télévision. Il écrivit sous son propre nom 192 romans, dont 75 Maigret et 117 romans qu'il appelait ses « Romans durs », 158 nouvelles, plusieurs œuvres autobiographiques et de nombreux articles et reportages. Insatiable voyageur, il fut élu membre de l'Académie royale de Belgique.

Paru au Livre de Poche :

LES GRANDES ENQUÊTES DE MAIGRET
MAIGRET À PARIS
MAIGRET À PIGALLE
MAIGRET AUX ÉTATS-UNIS
MAIGRET DANS LES ENVIRONS DE PARIS
MAIGRET EN AUVERGNE
MAIGRET EN BRETAGNE
MAIGRET EN MER DU NORD
MAIGRET EN VENDÉE
MAIGRET ET L'AMITIÉ
MAIGRET ET L'AU-DELÀ
MAIGRET ET LA NUIT
MAIGRET ET LES CAÏDS
MAIGRET ET COMPAGNIE
MAIGRET ET LES FILLES DE JOIE
MAIGRET SUR LA RIVIERA
MAIGRET, PREMIÈRES ENQUETES

GEORGES SIMENON

Maigret en Normandie

Le Port des brumes

Maigret et la vieille dame

PRESSES DE LA CITÉ

ISBN : 978-2-253-16642-9 – 1re publication LGF

Le Port des brumes

1

Le chat dans la maison

Quand on avait quitté Paris, vers trois heures, la foule s'agitait encore dans un frileux soleil d'arrière-saison. Puis, vers Mantes, les lampes du compartiment s'étaient allumées. Dès Évreux, tout était noir dehors. Et maintenant, à travers les vitres où ruisselaient des gouttes de buée, on voyait un épais brouillard qui feutrait d'un halo les lumières de la voie.

Bien calé dans son coin, la nuque sur le rebord de la banquette, Maigret, les yeux mi-clos, observait toujours, machinalement, les deux personnages, si différents l'un de l'autre, qu'il avait devant lui.

Le capitaine Joris dormait, la perruque de travers sur son fameux crâne, le complet fripé.

Et Julie, les deux mains sur son sac en imitation de crocodile, fixait un point quelconque de l'espace, en essayant de garder, malgré sa fatigue, une attitude réfléchie.

Joris ! Julie !

Le commissaire Maigret, de la Police Judiciaire, avait l'habitude de voir ainsi des gens pénétrer en coup de vent dans sa vie, s'imposer à lui pendant des jours, des semaines ou des mois, puis sombrer à nouveau dans la foule anonyme.

Le bruit des bogies scandait ses réflexions, les mêmes au début de chaque enquête. Est-ce que celle-ci serait passionnante, banale, écœurante ou tragique ?

Maigret regardait Joris, et un vague sourire errait sur ses lèvres. Drôle d'homme ! Car pendant cinq jours, Quai des Orfèvres, on l'avait appelé « l'Homme », faute de pouvoir lui donner un nom.

Un personnage qu'on avait ramassé sur les Grands Boulevards, à cause de ses allées et venues affolées au milieu des autobus et des autos. On le questionne en français. Pas de réponse. On essaie sept ou huit langues. Rien. Et le langage des sourds-muets n'a pas plus d'effet sur lui.

Un fou ? Dans le bureau de Maigret, on le fouille. Son complet est neuf, son linge neuf, ses chaussures neuves. Toutes les marques de tailleur ou de chemisier sont arrachées. Pas de papiers. Pas de portefeuille. Cinq beaux billets de mille francs glissés dans une des poches.

Une enquête aussi crispante que possible ! Recherches dans les sommiers, dans les fiches anthropométriques. Télégrammes en France et à l'étranger. Et l'Homme souriant avec affabilité du matin au soir, en dépit d'interrogatoires éreintants !

Un personnage d'une cinquantaine d'années, court sur pattes, large d'épaules, qui ne proteste pas, ne s'agite pas, sourit, paraît parfois faire un effort de mémoire, mais se décourage aussitôt…

Amnésie ? Une perruque glisse de sa tête et l'on constate que son crâne a été fendu par une balle, deux mois auparavant tout au plus. Les médecins admirent : rarement on a vu opération si bien faite !

Nouveaux télégrammes dans les hôpitaux, les cliniques, en France, en Belgique, en Allemagne, en Hollande…

Cinq jours entiers de ces recherches méticuleuses. Des résultats saugrenus, obtenus en analysant les taches des vêtements, la poussière des poches.

On a trouvé des débris de rogue de morue, c'est-à-dire d'œufs séchés et pulvérisés de ce poisson, qu'on prépare dans le nord de la Norvège et qui sert à appâter la sardine.

Est-ce que l'Homme vient de là-bas ? Est-ce un Scandinave ? Des indices prouvent qu'il a accompli un long voyage par chemin de fer. Mais comment a-t-il pu voyager seul, sans parler, avec cet air ahuri qui le fait remarquer aussitôt ?

Son portrait paraît dans les journaux. Un télégramme arrive de Ouistreham : *Inconnu identifié !*

Une femme suit le télégramme, une jeune fille plutôt, et la voilà dans le bureau de Maigret, avec un visage chiffonné, mal barbouillé de rouge et de poudre : Julie Legrand, la servante de l'Homme !

Celui-ci n'est plus l'Homme ! Il a un nom, un état civil ! C'est Yves Joris, ancien capitaine de la marine marchande, chef du port de Ouistreham.

Julie pleure ! Julie ne comprend pas ! Julie le supplie de lui parler ! Et il la regarde doucement, gentiment, comme il regarde tout le monde.

Le capitaine Joris a disparu de Ouistreham, un petit port, là-bas, entre Trouville et Cherbourg, le 16 septembre. On est fin octobre.

Qu'est-il devenu pendant ces six semaines d'absence ?

— Il est allé faire sa marée à l'écluse, comme d'habitude. Une marée du soir. Je me suis couchée. Le lendemain, je ne l'ai pas trouvé dans sa chambre…

Alors, à cause du brouillard on a cru que Joris avait fait un faux pas et était tombé dans l'eau. On l'a cherché avec des grappins. Puis on a supposé qu'il s'agissait d'une fugue.

— Lisieux : trois minutes d'arrêt !…

Maigret va se dégourdir les jambes sur le quai, bourre une nouvelle pipe. Il en a tellement fumé depuis Paris que l'atmosphère du compartiment est tout opaque.

— En voiture !…

Julie en a profité pour tapoter le bout de son nez de sa houppette. Elle a encore les yeux un peu rouges d'avoir pleuré.

C'est drôle ! Il y a des moments où elle est jolie, où elle paraît très fine. Puis d'autres où, sans qu'on sache pourquoi, on sent la petite paysanne restée fruste.

Elle remet la perruque d'aplomb sur la tête du capitaine, de *son monsieur*, comme elle dit, et elle regarde Maigret avec l'air de lui signifier : « N'est-ce pas mon droit de le soigner ? »

Car Joris n'a pas de famille. Il vit seul, depuis des années, avec Julie, qu'il appelle sa gouvernante.

— Il me traitait comme sa fille…

Et on ne lui connaît pas d'ennemis ! Pas d'aventures ! Pas de passions !

Un homme qui, après avoir bourlingué pendant trente ans, n'a pu se résigner à l'inaction. Alors, malgré sa retraite, il a demandé ce poste de chef de port à Ouistreham. Il a fait construire une petite maison…

Et un beau soir, le 16 septembre, il a disparu de la circulation pour reparaître à Paris six semaines plus tard dans cet état !

Julie a été vexée de le trouver vêtu d'un complet gris de confection ! Elle ne l'a jamais vu qu'en vêtements d'officier de marine.

Elle est nerveuse, mal à l'aise. Chaque fois qu'elle regarde le capitaine, son visage exprime à la fois de l'attendrissement et une crainte vague, une angoisse insurmontable. C'est bien lui, évidemment ! C'est bien *son monsieur*. Mais, en même temps, ce n'est plus tout à fait lui.

— Il guérira, n'est-ce pas ?… Je le soignerai…

Et la buée se transforme en grosses gouttes troubles sur les vitres. L'épais visage de Maigret se balance un peu de droite à gauche et de gauche à droite à cause des cahots. Placide, il ne cesse d'observer les deux personnages : Julie, qui lui a fait remarquer qu'on aurait pu aussi bien voyager en troisième classe, comme elle en a l'habitude, et Joris, qui s'éveille, mais ne promène autour de lui qu'un regard vague.

Encore un arrêt à Caen. Puis ce sera Ouistreham.

— Un village d'un millier d'habitants ! a dit à Maigret un collègue né dans la région. Le port est petit, mais important, à cause du canal qui relie la rade à la ville de Caen et où passent des bateaux de cinq mille tonnes et plus…

Maigret n'essaie pas d'imaginer les lieux. Il sait qu'à ce jeu-là on se trompe à tout coup. Il attend, et son regard se dirige sans cesse vers la perruque, qui cache la cicatrice encore rose.

Quand il a disparu, le capitaine Joris avait des cheveux drus, très bruns, à peine mêlés d'argent aux tempes. Encore un motif de désespoir pour Julie ! Elle ne veut pas voir ce crâne nu ! Et, chaque fois que la perruque glisse, elle se hâte de la remettre en place.

— En somme, on a voulu le tuer…

On a tiré sur lui, c'est un fait ! Mais aussi on l'a soigné d'une façon remarquable !

Il est parti sans argent sur lui et on l'a retrouvé avec cinq mille francs en poche.

Il y a mieux ! Julie ouvre soudain son sac.

— J'oubliais que j'ai apporté le courrier de monsieur…

Presque rien. Des prospectus de maisons d'articles pour la marine. Un reçu de cotisation du Syndicat des capitaines de la marine marchande… Des cartes postales d'amis encore en service, dont une de Punta Arenas…

Une lettre de la Banque de Normandie, de Caen. Une formule imprimée, dont les blancs sont remplis à la machine.

… avons l'honneur de vous confirmer que nous avons crédité votre compte 14 173 de la somme de trois cent mille francs que vous avez fait virer par la Banque Néerlandaise de Hambourg…

Et Julie qui a déjà répété dix fois que le capitaine n'est pas riche ! Maigret regarde tour à tour ces deux êtres assis en face de lui.

La rogue de morue... Hambourg... Les souliers qui sont de fabrication allemande...

Et Joris seul qui pourrait tout éclaircir ! Joris, qui esquisse un sourire gentil tout plein parce qu'il s'aperçoit que Maigret le regarde !

— Caen !... Les voyageurs pour Cherbourg continuent... Les voyageurs pour Ouistreham, Lion-sur-Mer, Luc...

Il est sept heures. L'humidité de l'air est telle que la lumière des lampes, sur le quai, perce à peine la couche laiteuse.

— Quel moyen de transport avons-nous, maintenant ? demande Maigret à Julie, tandis que la foule les bouscule.

— Il n'y en a plus. L'hiver, le petit train ne fait la route que deux fois par jour...

Il y a des taxis devant la gare. Maigret a faim. Il ne sait pas ce qu'il trouvera là-bas et il préfère dîner au buffet.

Le capitaine Joris est toujours aussi sage. Il mange ce qu'on lui sert, comme un enfant qui a confiance en ceux qui le guident. Un employé du chemin de fer tourne un instant autour de la table, l'observe, s'approche de Maigret.

— Ce n'est pas le chef de port de Ouistreham ?

Et il fait tourner son index sur son front. Quand il a obtenu confirmation, il s'éloigne, impressionné. Julie, elle, se raccroche à des détails matériels.

— Douze francs pour un dîner pareil, qui n'est même pas préparé au beurre ! Comme si nous n'aurions pas pu manger en arrivant à la maison…

Au même moment, Maigret pense :

— Une balle dans la tête… Trois cent mille francs…

Et son regard aigu fouille les yeux innocents de Joris, tandis que sa bouche a un pli menaçant.

Le taxi qui s'avance est une ancienne voiture de maître, aux coussins défoncés, aux jointures qui craquent. Les trois occupants sont serrés dans le fond, car les strapontins sont démantibulés. Julie est coincée entre les deux hommes, qui l'écrasent tour à tour.

— Je suis en train de me demander si j'ai fermé la porte du jardin à clef ! murmure-t-elle, reprise par ses soucis de ménagère à mesure qu'on approche.

Et, au sortir de la ville, on fonce littéralement dans un mur de brouillard. Un cheval et une charrette naissent à deux mètres à peine, cheval fantôme, charrette fantôme ! Et ce sont des arbres fantômes, des maisons fantômes qui passent aux deux côtés du chemin.

Le chauffeur ralentit l'allure. On roule à dix kilomètres à l'heure à peine, ce qui n'empêche pas un cycliste de jaillir de la brume et de heurter une aile. On s'arrête. Il ne s'est fait aucun mal.

On traverse le village de Ouistreham. Julie baisse la vitre.

— Vous irez jusqu'au port et vous franchirez le pont tournant… Arrêtez-vous à la maison qui est juste à côté du phare !

Entre le village et le port, un ruban de route d'un kilomètre environ, désert, dessiné par les lucioles pâles des becs de gaz. À l'angle du pont, une fenêtre éclairée et du bruit.

— La *Buvette de la Marine* ! dit Julie. C'est là que tous ceux du port se tiennent la plupart du temps.

Au-delà du pont, la route est presque inexistante. Le chemin va se perdre dans les marécages formant les rives de l'Orne.

Il n'y a que le phare et une maison à un étage, entourée d'un jardin. L'auto s'arrête. Maigret observe son compagnon, qui descend le plus naturellement du monde et se dirige vers la grille.

— Vous avez vu, monsieur le commissaire ! s'écrie Julie, pantelante de joie. Il a reconnu la maison ! Je suis sûre qu'il finira par revenir à lui tout à fait.

Et elle introduit la clef dans la serrure, pousse la grille qui grince, suit l'allée semée de gravier. Maigret paie le chauffeur, la rejoint rapidement. L'auto partie, on ne voit plus rien.

— Vous ne voulez pas frotter une allumette ? Je ne trouve pas la serrure.

Une petite flamme. La porte est poussée. Une forme sombre passe, frôle les jambes de Maigret. Déjà Julie, dans le corridor, tourne le commutateur électrique, regarde curieusement par terre, murmure :

— C'est bien le chat qui vient de sortir, n'est-ce pas ?

Tout en parlant, elle retire son chapeau et son manteau d'un geste familier, accroche le tout à la patère, pousse la porte de la cuisine, où elle fait de la lumière, indiquant ainsi sans le vouloir que c'est dans cette pièce que les hôtes de la maison ont coutume de se tenir.

Une cuisine claire, avec des pavés de faïence sur les murs, une grande table de bois blanc frotté au sable, des cuivres qui étincellent. Et le capitaine va s'asseoir machinalement dans son fauteuil d'osier, près du poêle.

— Je suis pourtant sûre d'avoir mis le chat dehors en partant, comme toujours.

Elle parle pour elle-même. Elle s'inquiète.

— Oui, c'est bien certain. Toutes les portes sont bien fermées. Dites ! monsieur le commissaire, vous ne voulez pas faire le tour de la maison avec moi ? J'ai peur.

Au point qu'elle ose à peine marcher la première. Elle ouvre la salle à manger, dont l'ordre parfait, le parquet et les meubles trop bien cirés proclament qu'elle ne sert jamais.

— Regardez derrière les rideaux, voulez-vous ?

Il y a un piano droit, des laques de Chine et des porcelaines que le capitaine a dû rapporter d'Extrême-Orient.

Puis le salon, dans le même ordre, dans le même état qu'à la vitrine du magasin où il a été acheté. Le capitaine suit, satisfait, presque béat. On monte l'escalier aux marches couvertes d'un tapis rouge. Il y a trois chambres, dont une non utilisée.

Et toujours cette propreté, cet ordre méticuleux, une tiède odeur de campagne et de cuisine.

Personne n'est caché. Les fenêtres sont bien fermées. La porte du jardin est close, mais la clef est restée à l'extérieur.

— Le chat sera entré par un soupirail, dit Maigret.

— Il n'y en a pas.

Ils sont revenus à la cuisine. Elle ouvre un placard.

— Je peux vous offrir un petit verre de quelque chose ?

Et c'est alors, au milieu de ces allées et venues rituelles, en versant de l'alcool dans de tout petits verres ornés de fleurs peintes, qu'elle sent le plus intensément sa détresse et qu'elle fond en larmes.

Elle regarde à la dérobée le capitaine, qui s'est rassis dans son fauteuil. Ce spectacle lui fait si mal qu'elle détourne la tête, bégaie pour changer le cours de ses pensées :

— Je vais vous préparer la chambre d'ami.

Et c'est entrecoupé de sanglots. Elle décroche un tablier blanc, au mur, pour s'essuyer les yeux.

— Je préfère m'installer à l'hôtel. Je suppose qu'il y en a un…

Elle regarde une petite pendule de faïence comme celles que l'on gagne dans les foires et dont le tic-tac fait partie des dieux lares de la maison.

— Oui ! À cette heure-ci, vous trouverez encore quelqu'un. C'est de l'autre côté de l'écluse, juste derrière l'estaminet que vous avez aperçu…

Pourtant, elle est sur le point de le retenir. Elle paraît avoir peur de se trouver seule avec le capitaine, qu'elle n'ose plus regarder.

— Vous croyez qu'il n'y a personne dans la maison ?

— Vous avez pu vous en rendre compte vous-même.

— Vous reviendrez demain matin ?

Elle le reconduit jusqu'à la porte, qu'elle referme vivement. Et Maigret, lui, plonge dans une brume tellement dense qu'il ne voit pas où il pose les pieds. Il trouve néanmoins la grille. Il sent qu'il marche dans l'herbe, puis sur les cailloux du chemin. En même temps il perçoit une clameur lointaine qu'il est longtemps avant d'identifier.

Cela ressemble au beuglement d'une vache, mais en plus désolé, en plus tragique.

— Imbécile ! grommelle-t-il entre ses dents. C'est tout bonnement la corne de brume…

Il se repère mal. Il voit, à pic sous ses pieds, de l'eau qui paraît fumer. Il est sur le mur de l'écluse. Il entend quelque part grincer des manivelles. Il ne se souvient plus de l'endroit où il a traversé l'eau avec l'auto et, avisant une étroite passerelle, il va s'y engager.

— Attention !…

C'est stupéfiant ! Parce que la voix est toute proche ! Alors que la sensation de solitude est complète, il y a un homme à moins de trois mètres de lui, et c'est à peine si, en cherchant bien, il devine sa silhouette.

Il comprend tout de suite l'avertissement. La passerelle sur laquelle il allait s'engager bouge. C'est la porte même de l'écluse qu'on ouvre et le spectacle devient plus hallucinant encore parce que, tout près, à quelques mètres, ce n'est plus un homme qui surgit, mais un véritable mur, haut comme une maison. Au-dessus de ce mur, des lumières que tamise le brouillard.

Un navire qui passe à portée de la main du commissaire ! Une aussière tombe près de lui et quelqu'un la ramasse, la porte jusqu'à une bitte où il la capelle.

— En arrière !... Attention !... crie une voix là-haut, sur la passerelle du vapeur.

Quelques secondes auparavant tout semblait mort, désert. Et maintenant Maigret, qui marche le long de l'écluse, s'aperçoit que le brouillard est plein de formes humaines. Quelqu'un tourne une manivelle. Un autre court avec une seconde amarre. Des douaniers attendent que la passerelle soit jetée pour monter à bord.

Tout cela sans rien voir, dans le nuage humide qui accroche des perles aux poils des moustaches.

— Vous voulez passer ?

C'est tout près de Maigret. Une autre porte d'écluse.

— Faites vite, parce qu'après vous en avez pour un quart d'heure...

Il traverse en se tenant à la main courante, entend l'eau bouillonner sous ses pieds et, toujours au loin, les hurlements de la sirène. Plus il avance et plus cet univers de brume se remplit, grouille intensément d'une vie mystérieuse. Un point lumineux l'attire. Il s'approche et il voit alors un pêcheur, dans une barque amarrée au quai, qui abaisse et relève un grand filet retenu par des perches.

Le pêcheur le regarde sans curiosité, se met à trier dans un panier du menu poisson.

Autour du navire, le brouillard, plus lumineux, permet de distinguer les allées et venues. Sur le pont, on parle anglais. Un homme en casquette galonnée, au bord du quai, vise des papiers.

Le chef du port ! Celui qui remplace maintenant le capitaine Joris !

Un petit homme aussi, mais plus maigre, plus sautillant, qui plaisante avec les officiers du navire.

En somme, l'univers se réduit à quelques mètres carrés de clarté relative et à un grand trou noir où l'on devine de la terre ferme et de l'eau. La mer est là-bas, à gauche, à peine bruissante.

N'est-ce pas un soir tout pareil que Joris a soudain disparu de la circulation ? Il visait des papiers, comme son collègue. Il plaisantait sans doute. Il surveillait l'éclusée, les manœuvres. Il n'avait pas besoin de voir. Quelques bruits familiers lui suffisaient. De même que nul ici ne regarde où il marche !

Maigret, qui vient d'allumer une pipe, se renfrogne, parce qu'il n'aime pas se sentir gauche. Il s'en veut de sa lourdeur de terrien qu'effraie ou émerveille tout ce qui touche à la mer.

Les portes de l'écluse s'ouvrent. Le bateau s'engage dans un canal un peu moins large que la Seine à Paris.

— Pardon ! Vous êtes le capitaine du port ?… Commissaire Maigret, de la Police Judiciaire… Je viens de ramener votre collègue.

— Joris est ici ?… C'est donc bien lui ?… On m'en a parlé ce matin… Mais c'est vrai qu'il est… ?

Un petit geste du doigt, qui touche le front.

— Pour l'instant, oui ! Vous passez toute la nuit au port ?

— Jamais plus de cinq heures à la fois… Une marée, quoi ! Il y a cinq heures par marée pendant lesquelles les bateaux ont assez d'eau pour pénétrer dans le canal ou pour prendre la mer… L'heure varie tous les jours… Aujourd'hui, nous venons de commencer et nous en avons jusqu'à trois heures du matin…

L'homme est très simple. Il traite Maigret en collègue, étant en définitive un fonctionnaire comme lui.

— Vous permettez ?…

Il regarde du côté du large où on ne voit rien. Et pourtant il prononce :

— Un voilier de Boulogne qui s'est amarré aux pilotis en attendant l'ouverture des portes…

— Les bateaux vous sont annoncés ?

— La plupart du temps. Surtout les vapeurs. Ils font presque tous un trafic régulier, amenant du charbon d'Angleterre, repartant de Caen avec du minerai…

— Vous venez boire quelque chose ? propose Maigret.

— Pas avant la fin de la marée… Il faut que je reste ici…

Et il crie des ordres à des hommes invisibles, dont il connaît la place exacte.

— Vous êtes chargé de faire une enquête ?

Des bruits de pas viennent du village. Un homme passe sur une porte de l'écluse et, au moment où il est éclairé par une des lampes, on reconnaît le canon d'un fusil.

— Qui est-ce ?

— Le maire, qui va à la chasse aux canards… Il a un gabion sur l'Orne… Son aide doit déjà être là-bas à tout préparer pour la nuit…

— Vous croyez que je trouverai l'hôtel ouvert ?

— *L'Univers*, oui ! Mais dépêchez-vous… Le patron aura bientôt fini sa partie de cartes et ira se coucher… Dès lors, il ne se lèverait pas pour un empire…

— À demain… dit Maigret.

— Oui ! Je serai au port dès dix heures, pour la marée.

Ils se serrent la main, sans se connaître. Et la vie continue dans le brouillard, où on heurte soudain un homme qu'on n'a pas vu.

Ce n'est pas sinistre, à proprement parler, c'est autre chose, une inquiétude vague, une angoisse, une oppression, la sensation d'un monde inconnu auquel on est étranger et qui poursuit sa vie propre autour de vous.

Cette obscurité peuplée de gens invisibles. Ce voilier, par exemple, qui attend son tour, tout près, et qu'on ne devine même pas…

Maigret repasse près du pêcheur immobile sous sa lanterne. Il veut lui dire quelque chose.

— Ça mord ?…

Et l'autre se contente de cracher dans l'eau tandis que Maigret s'éloigne, furieux d'avoir dit une telle stupidité.

La dernière chose qu'il entend avant d'entrer à l'hôtel est le bruit des volets qui se ferment au premier étage de la maison du capitaine Joris.

Julie qui a peur !… Le chat qui s'est échappé au moment où on entrait dans la maison !…

— Cette corne de brume va gueuler toute la nuit ? gronde Maigret avec impatience, en apercevant le patron de l'hôtel.

— Tant qu'il y aura du brouillard... On s'habitue...

Il eut un sommeil agité, comme quand on fait une mauvaise digestion ou encore comme quand, étant enfant, on attend un grand événement. Deux fois il se leva, colla son visage aux vitres froides et ne vit rien que la route déserte et le pinceau mouvant du phare, qui semblait vouloir percer un nuage. Toujours la corne de brume, plus violente, plus agressive.

La dernière fois, il regarda sa montre. Il était quatre heures, et des pêcheurs, panier au dos, s'en allaient vers le port au rythme bruyant de leurs sabots.

Presque sans transition des coups précipités frappés à sa porte et celle-ci qu'on ouvrait sans attendre sa réponse, le visage bouleversé du patron.

Mais du temps s'était écoulé. Il y avait du soleil sur les vitres. Pourtant la corne de brume sévissait toujours.

— Vite !... Le capitaine est en train de mourir...

— Quel capitaine ?

— Le capitaine Joris... C'est Julie qui vient d'accourir au port pour qu'on vous prévienne en même temps qu'un médecin...

Maigret, les cheveux en broussaille, passait déjà son pantalon, enfilait ses chaussures sans les lacer, endossait son veston en oubliant son faux col.

— Vous ne prenez rien avant de partir ?... Une tasse de café ?... Un verre de rhum ?...

Mais non ! Il n'en avait pas le temps. Dehors, en dépit du soleil, il faisait très frais. La route était encore humide de rosée.

En franchissant l'écluse, le commissaire aperçut la mer, toute plate, d'un bleu pâle, mais on n'en voyait qu'une toute petite bande, car à faible distance une longue écharpe de brouillard voilait l'horizon.

Sur le pont, quelqu'un l'avait interpellé.

— Vous êtes le commissaire de Paris ?... Je suis le garde champêtre... Je suis heureux... On vous a déjà dit ?...

— Quoi ?...

— Il paraît que c'est affreux !... Tenez ! Voici la voiture du docteur.

Et les barques de pêche, dans l'avant-port, se balançaient mollement, étirant sur l'eau des reflets rouges et verts. Des voiles étaient hissées, sans doute pour sécher, montrant leur numéro peint en noir.

Deux ou trois femmes, devant la maisonnette du capitaine, là-bas, près du phare. La porte ouverte. L'auto du docteur dépassa Maigret et le garde champêtre, qui s'accrochait à lui.

— On parle d'empoisonnement... Il paraît qu'il est verdâtre...

Maigret entra dans la maison au moment précis où Julie, en larmes, les yeux gonflés, les joues pourpres, descendait lentement l'escalier. On venait de la mettre à la porte de la chambre où le docteur examinait le moribond.

Elle portait encore, sous un manteau passé en hâte, une longue chemise de nuit blanche et elle avait les pieds nus dans ses pantoufles.

— C'est affreux, monsieur le commissaire !… Vous ne pouvez pas vous faire une idée… Montez vite !… Peut-être que…

Maigret entra dans la chambre alors que le docteur, après s'être penché sur le lit, se redressait. Son visage disait clairement qu'il n'y avait rien à faire.

— Police…

— Ah ! bien… C'est fini… Peut-être deux ou trois minutes… Ou je me trompe fort, ou c'est de la strychnine…

Il alla ouvrir la fenêtre, parce que la bouche ouverte du moribond semblait avoir peine à aspirer l'air. Et on revit, tableau irréel, le soleil, le port, les barques et leurs voiles larguées, et des pêcheurs qui versaient dans des caisses de pleins paniers de poissons brillants.

Par contraste, le visage de Joris paraissait plus jaune, ou plus vert. C'était indéfinissable. Un ton neutre, incompatible avec l'idée qu'on se fait de la chair.

Ses membres se tordaient, étaient animés de soubresauts mécaniques. Et néanmoins son visage restait calme, ses traits immobiles, son regard fixé sur le mur, droit devant lui.

Le docteur tenait un des poignets, afin de suivre l'affaiblissement du pouls. À un certain moment, sa physionomie indiqua à Maigret : « Attention !… C'est la fin… »

Alors il se passa une chose inattendue, émouvante. On ne pouvait pas savoir si le malheureux avait recouvré la raison. On ne voyait qu'un visage inerte.

Or, ce visage s'anima. Les traits se tendirent, comme sur le visage d'un gosse qui va pleurer. Une lamentable moue d'être très malheureux, qui n'en peut plus…

Et deux grosses larmes qui jaillissaient, cherchaient leur voie…

Presque au même instant la voix mate du médecin :

— C'est fini !

Était-ce croyable ? C'était fini au moment même où Joris versait deux larmes !

Et tandis que ces larmes vivaient encore, qu'elles roulaient vers l'oreille qui les buvait, le capitaine, lui, était mort.

On entendait des pas dans l'escalier. En bas, au milieu des femmes, Julie hoquetait. Maigret s'avança sur le palier et prononça lentement :

— Que personne n'entre dans la chambre !

— Il est…

— Oui ! laissa-t-il tomber.

Et il revint dans la pièce ensoleillée où le médecin, par acquit de conscience, préparait une seringue pour faire une piqûre au cœur.

Sur le mur du jardin, il y avait un chat tout blanc.

2

L'héritage

On entendait quelque part en bas, sans doute dans la cuisine, les cris aigus de Julie qui se débattait au milieu des voisines.

Et, par la fenêtre restée grande ouverte, Maigret vit des gens qui arrivaient du village, moitié marchant, moitié courant, des gamins à vélo, des femmes portant leur enfant sur le bras, des hommes en sabots. C'était un petit cortège désordonné, gesticulant, qui atteignait le pont, le franchissait, se dirigeait vers la maison du capitaine, exactement de la même manière que s'il eût été attiré par le tour de ville d'un cirque ambulant ou par un accident d'automobile.

Bientôt le murmure du dehors fut tel que Maigret referma la fenêtre dont les rideaux de mousseline tamisèrent le soleil. Et l'atmosphère devint douce, discrète. Le papier des murs était rose. Les meubles clairs étaient bien polis. Un vase plein de fleurs trônait sur la cheminée.

Le commissaire regarda le docteur, qui observait en transparence un verre et une carafe posés sur la table de nuit. Il trempa même son doigt dans un reste d'eau, se toucha le bout de la langue.

— C'est cela ?

— Oui. Le capitaine doit avoir l'habitude de boire la nuit. Autant que j'en puisse juger, il l'a fait cette fois vers trois heures du matin, mais je ne comprends pas pourquoi il n'a pas appelé.

— Pour la bonne raison qu'il était incapable de parler et même d'émettre le moindre son, grommela Maigret.

Il appela le garde champêtre, qu'il chargea d'avertir le maire et le Parquet de Caen. On entendait toujours des allées et venues, en bas. Dehors, sur le bout de route ne conduisant nulle part, les gens du pays stationnaient, par groupes. Quelques-uns, pour attendre plus confortablement, s'étaient assis dans l'herbe.

La mer montait, envahissait déjà les bancs de sable s'étirant à l'entrée du port. Une fumée, à l'horizon, un bateau qui attendait l'heure de se diriger vers l'écluse.

— Vous avez une idée de… commença le docteur.

Mais il se tut en voyant que Maigret était occupé. Juste entre les deux fenêtres, il y avait un secrétaire d'acajou que le commissaire avait ouvert. Et, l'air buté, comme il l'avait d'habitude dans ces occasions-là, il faisait un inventaire du contenu des tiroirs. Tel quel, il ressemblait à une brute. Il avait allumé sa grosse pipe qu'il fumait à lentes bouffées. Et ses doigts énormes maniaient sans le moindre respect apparent les choses qu'ils trouvaient.

Des photographies, par exemple. Il y en avait des douzaines. Beaucoup de photographies d'amis, presque tous en uniforme de marin, presque tous du même âge que Joris. On comprenait que celui-ci avait gardé des relations avec ses camarades de l'école de Brest, qui lui écrivaient de tous les coins du monde. Photographies format carte postale, ingénues, d'une banalité universelle, qu'elles arrivassent de Saigon ou de Santiago.

Un bonjour d'Henry.

Ou bien :

Enfin ! le troisième galon ! Salut ! Eugène.

La plupart de ces cartes étaient adressées au *Capitaine Joris, à bord du Diana, Compagnie Anglo-Normande, à Caen.*

— Il y a longtemps que vous connaissez le capitaine ? demanda Maigret au médecin.

— Quelques mois. Depuis qu'il est au port. Avant, il naviguait sur un des bateaux du maire, qu'il a commandé pendant vingt-huit ans.

— Un bateau du maire ?

— M. Ernest Grandmaison, oui ! Le directeur de la Compagnie Anglo-Normande. Autant dire le seul propriétaire des onze vapeurs de la société…

Encore une photographie : Joris lui-même, cette fois, à vingt-cinq ans, déjà court sur pattes, large de visage, souriant, mais un peu buté. Un vrai Breton !

Enfin, dans une enveloppe de toile, des diplômes, depuis le certificat d'études jusqu'au brevet de capitaine de la marine marchande, des papiers officiels, extrait d'acte de naissance, livret militaire, passeports…

Une enveloppe tomba à terre, que Maigret ramassa. Le papier en était déjà jauni.

— Un testament ? questionna le docteur, qui n'avait plus rien à faire avant l'arrivée du Parquet.

La confiance devait régner dans la maison du capitaine Joris, car l'enveloppe n'était même pas fermée. À l'intérieur, un papier couvert d'une belle écriture de sergent-major :

Je soussigné Yves-Antoine Joris, né à Paimpol, exerçant la profession de navigateur, lègue mes biens meubles et immeubles à Julie Legrand, à mon service, en récompense de plusieurs années de dévouement,

À charge pour elle de faire les legs suivants :

Mon canot au capitaine Delcourt ; le service en porcelaine de Chine à sa femme ; ma canne en ivoire sculpté à...

Peu de gens, parmi ceux qui constituaient le petit monde du port, que Maigret avait vu grouiller dans le brouillard de la nuit, étaient oubliés. Jusqu'à l'éclusier qui recevait un filet de pêche, *le tramail qui se trouve sous le hangar*, comme disait le testament !

À ce moment, il y eut un bruit insolite. Julie, profitant d'un moment d'inattention des femmes qui lui préparaient un grog « pour la remonter », s'était élancée dans l'escalier. Elle ouvrait la porte de la chambre et jetait autour d'elle des regards fous, se précipitait vers le lit puis reculait, interdite, impressionnée au dernier moment par la mort.

— Est-ce que... ?

Elle s'écroula par terre, sur la carpette, en criant des choses à peine distinctes, où l'on devinait :

— … pas possible… *Mon* pauvre monsieur… *mon… mon…*

Maigret, très grave, les épaules rondes, l'aida à se relever, l'entraîna, gigotante, dans la chambre voisine, qui était celle de la jeune fille. La chambre n'était pas faite. Il y avait des vêtements en travers du lit, de l'eau savonneuse dans la cuvette.

— Qui est-ce qui a rempli la carafe d'eau qui se trouve sur la table de nuit ?

— C'est moi… Hier matin… En même temps que je mettais des fleurs chez le capitaine.

— Vous étiez seule dans la maison ?

Julie haletait, reprenait peu à peu son sang-froid, mais en même temps s'étonnait des questions de Maigret.

— Qu'est-ce que vous croyez ? s'écria-t-elle soudain.

— Je ne crois rien. Calmez-vous. Je viens de lire le testament de Joris.

— Eh bien ?

— Vous héritez de tous ses biens. Vous êtes riche…

Le seul effet de ces paroles fut de provoquer de nouvelles larmes.

— Le capitaine a été empoisonné par l'eau qui se trouvait dans la carafe.

Elle le regarda avec des yeux brillants de mépris, hurla :

— Qu'est-ce que vous voulez dire ? Hein ! Qu'est-ce que vous voulez dire ?

Et elle était dans un tel état qu'elle lui saisit l'avant-bras et le secoua avec fièvre. Pour un peu, elle eût griffé, frappé.

— Doucement. Calmez-vous. L'enquête ne fait que commencer. Je n'insinue rien. Je m'informe.

On heurtait la porte. C'était le garde champêtre.

— Le Parquet ne pourra pas venir avant le début de l'après-midi. M. le maire, qui est rentré ce matin de la chasse, était au lit. Il viendra dès qu'il sera prêt.

Tout le monde était sous pression. Tout, dans la maison, sentait la fièvre. Et cette foule, dehors, qui attendait sans savoir elle-même ce qu'elle attendait, accroissait l'impression de nervosité, de désordre.

— Vous comptez rester ici ? demanda Maigret à la jeune fille.

— Pourquoi pas ? Où irais-je ?

Maigret pria le médecin de sortir de la chambre du mort, ferma celle-ci à clef. Il ne laissa auprès de Julie que deux personnes, la femme du gardien de phare et celle d'un des éclusiers.

— Vous empêcherez les autres d'entrer, dit-il au garde champêtre. Au besoin, essayez de disperser adroitement les curieux.

Lui-même sortit, traversa les groupes et se dirigea vers le pont. La corne de brume criait toujours dans le lointain, mais, les vents venant de terre, on l'entendait à peine. La température était très douce. Le soleil devenait plus brillant d'heure en heure. La mer montait.

Déjà deux éclusiers arrivaient du village et prenaient leurs fonctions. Sur le pont, Maigret rencontra le capitaine Delcourt, à qui il avait parlé la veille au soir, et qui s'avança vers lui.

— Alors ! C'est vrai ?

— Joris a été empoisonné, oui.

— Par qui ?

La foule commençait à s'éloigner de la maison du capitaine. Il est vrai que le garde champêtre, gesticulant, allait de groupe en groupe raconter Dieu sait quoi. Par contre, on suivait des yeux le commissaire. Tout l'intérêt se reportait sur lui.

— C'est déjà votre marée qui commence ?

— Pas encore. Il s'en faut encore de trois pieds d'eau. Tenez ! Ce vapeur que vous voyez ancré dans la rade attend depuis six heures du matin.

D'autres personnes hésitaient à s'approcher des deux hommes : les douaniers, le chef éclusier, le garde-pêche et le patron du bateau garde-côte. Les simples aides, eux, se préparaient au travail de la journée.

En somme, c'était toute la population que Maigret n'avait fait que deviner dans le brouillard et qu'il voyait maintenant au grand jour. La *Buvette de la Marine* était à deux pas. De ses fenêtres, de sa porte vitrée, on pouvait voir l'écluse, le pont, les jetées, le phare et la maison de Joris.

— Vous venez prendre un verre ? proposa le commissaire.

Il devinait d'ailleurs que cela devait être l'habitude, qu'à chaque marée ce petit monde se retrouvait à la buvette. Le capitaine s'assura d'abord de l'état de la marée.

— J'ai une demi-heure, dit-il.

Ils entrèrent tous les deux dans la buvette en planches, puis les autres, indécis, suivirent peu à peu et Maigret leur fit signe de s'asseoir à la même table.

Il fallait rompre la glace, se présenter à tous, donner confiance et même pénétrer en quelque sorte dans le groupe.

— Qu'est-ce que vous buvez ?

Ils se regardèrent. Il y avait encore de la gêne.

— D'habitude, à cette heure-ci, c'est un café arrosé…

Une femme les servit. La foule repassait le pont, essayait de voir dans le café, hésitait à regagner le village, se dispersait dans le port pour attendre les événements.

Maigret, après avoir bourré sa pipe, tendit sa blague à la ronde. Le capitaine Delcourt préféra une cigarette. Mais le chef éclusier, en rougissant, mit une pincée de tabac dans sa bouche et balbutia :

— Vous permettez ?

— Un drame étrange, n'est-ce pas ? risqua enfin Maigret.

Tous savaient que la phrase allait arriver, mais néanmoins il y eut un silence compassé.

— Le capitaine Joris semblait être un bien brave homme…

Et il attendit, en observant les visages à la dérobée.

— Trop ! répliqua Delcourt, qui était un peu plus vieux que son collègue, moins soigné de sa personne, et qui paraissait ne pas détester l'alcool.

Néanmoins, tout en parlant, il n'oubliait pas d'observer à travers les rideaux le niveau de l'eau ni le navire qui virait son ancre.

— Il s'y prend un peu tôt ! Tout à l'heure, le courant de l'Orne va le drosser sur les bancs…

— À votre santé… En somme, personne ne sait ce qui s'est passé la nuit du 16 septembre…

— Personne… C'était une nuit de brouillard, dans le genre de la nuit dernière… Moi, je n'étais pas de garde… N'empêche que, jusqu'à neuf heures, je suis resté ici, à faire une partie de cartes avec Joris et les amis que vous voyez…

— Vous vous rencontriez tous les soirs ?

— À peu près… À Ouistreham, il n'y a guère de distractions… Trois ou quatre fois, ce soir-là, Joris s'est fait remplacer pour aller assister au passage d'un bateau… À neuf heures trente, la marée était finie… Il est parti dans le brouillard, comme s'il rentrait chez lui…

— Quand a-t-on constaté sa disparition ?

— Le lendemain… C'est Julie qui est venue s'informer… Elle s'était endormie avant le retour du capitaine et le matin elle s'étonnait de ne pas le trouver dans sa chambre…

— Joris avait bu quelques verres ?

— Jamais plus d'un ! affirma le douanier qui commençait à avoir envie de se mêler à l'entretien. Et pas de tabac !

— Et… dites donc… Julie et lui ?…

Les autres se regardèrent. Il y eut de l'hésitation, des sourires.

— On ne peut pas savoir… Joris jurait que non… Seulement…

Ce fut encore le douanier qui intervint.

— Ce n'est pas dire du mal de lui que dire qu'il n'était pas tout à fait comme nous... Il n'était pas fier, non, ce n'est pas le mot !... Mais il tenait à lui, vous comprenez ?... Il ne serait jamais venu faire sa marée en sabots, comme ça arrive à Delcourt... Il jouait aux cartes, ici, le soir, mais il n'y venait pas de la journée... Il ne tutoyait pas les aides-éclusiers... Je ne sais pas si vous sentez ce que je veux dire...

Maigret le sentait très bien. Il avait passé quelques heures dans la maison de Joris, proprette, bourgeoise, bien ordonnée. Et il voyait maintenant le groupe de la buvette, plus simple, plus débraillé. Ici, on devait boire apéritif sur apéritif. Les voix devaient devenir bruyantes, l'atmosphère épaisse, un tantinet canaille.

Joris n'y venait que pour jouer aux cartes, ne racontait pas ses affaires personnelles, s'en allait après avoir pris un seul verre.

— Il y a à peu près huit ans qu'elle est avec lui... Elle en avait seize, alors... C'était une petite fille de campagne mal mouchée, mal fagotée...

— Et maintenant...

Sans être appelée, la serveuse arrivait avec une bouteille d'alcool et en versait une nouvelle « bistouille » dans les verres où il ne restait qu'un fond de café. Cela devait être un rite aussi.

— Maintenant, elle est ce qu'elle est... Enfin... Au bal, par exemple, elle ne danse pas avec n'importe qui... Et quand, dans les boutiques, on la traite familièrement, comme une boniche, elle se fâche... C'est difficile à expliquer. N'empêche que son frère...

Le chef éclusier regarda le douanier dans les yeux. Mais Maigret avait surpris ce regard.

— Son frère… ?

— Le commissaire l'apprendra quand même ! fit l'homme, qui ne devait pas en être à son premier café arrosé. Son frère a fait huit ans de bagne… Il était ivre, un soir, à Honfleur… Ils étaient plusieurs à faire du bruit dans les rues… La police est intervenue et le gars a donné un si sale coup à un agent que celui-ci en est mort le mois suivant…

— C'est un marin ?

— Il a fait le long cours avant de revenir au pays. Maintenant, il navigue à bord d'une goélette de Paimpol, le *Saint-Michel*.

Le capitaine Delcourt donnait des signes de nervosité.

— En route ! dit-il en se levant. C'est l'heure…

— Avant que le vapeur soit dans le sas !… soupira le douanier, moins pressé.

Ils ne restèrent qu'à trois. Maigret fit signe à la serveuse, qui revint avec sa bouteille.

— Le *Saint-Michel* passe parfois par ici ?

— Parfois, oui…

— Il est passé le 16 septembre ?

Le douanier prit son voisin à témoin :

— Il l'aurait quand même appris en consultant le livre des passages !… Oui, il y était… Même qu'ils ont couché dans l'avant-port, à cause du brouillard, et qu'ils ne sont partis qu'au petit matin…

— Dans quelle direction ?

— Southampton… C'est moi qui ai visé les papiers… Ils avaient chargé de la pierre meulière à Caen.

— Et on n'a plus revu le frère de Julie dans le pays ?

Cette fois, le douanier renifla, hésita, vida son verre.

— Faut demander ça à ceux qui prétendent l'avoir aperçu hier… Moi, je n'ai rien vu…

— Hier ?

Haussement d'épaules. On voyait un vapeur énorme se glisser entre les murs de pierre de l'écluse, dominant le paysage de sa masse noire, la cheminée plus haute que les arbres du canal.

— Faut que j'y aille…

— Moi aussi…

— Ça nous fait combien, mademoiselle ? demanda Maigret.

— Vous aurez bien l'occasion de revenir. La patronne n'est pas ici…

Les gens qui attendaient toujours qu'il se passât quelque chose autour de la maison du capitaine trouvaient une contenance à regarder le vapeur anglais qui éclusait. Maigret sortit du bistrot. Au même instant, un homme arrivait au village et le commissaire devina que c'était le maire, qu'il n'avait aperçu la veille que dans la nuit.

Un homme très grand, de quarante-cinq à cinquante ans, empâté, le visage rose. Il était vêtu d'un complet de chasse gris, les jambes prises par des guêtres d'aviateur. Maigret s'avança.

— Monsieur Grandmaison ?… Commissaire Maigret, de la P. J.…

— Enchanté… prononça machinalement son interlocuteur.

Et il regarda la buvette, puis Maigret, puis encore la buvette, avec l'air de dire : « Drôles de fréquentations pour un haut fonctionnaire ! »

Il continuait à marcher vers l'écluse qu'il fallait franchir pour atteindre la maison.

— Il paraît que Joris est mort ?

— Il paraît ! répliqua Maigret, qui n'aimait pas beaucoup cette attitude.

Une attitude aussi traditionnelle que possible : celle du gros personnage de petit patelin qui se croit le centre du monde, s'habille en gentilhomme campagnard et sacrifie à la démocratie en serrant distraitement des mains, en adressant de vagues bonjours aux gens du pays et en leur demandant à l'occasion des nouvelles de leurs enfants.

— Et vous tenez l'assassin ?… En somme, c'est vous qui avez amené Joris et qui… Vous permettez ?…

Et il se dirigea vers le garde-pêche, qui devait lui servir de valet quand il allait à la chasse au canard car il lui dit :

— Tous les roseaux de gauche sont à redresser… Un des « appelants » ne vaut rien du tout… Ce matin, il était à demi mort…

— Bien ! monsieur le maire.

Il revint vers Maigret, non sans serrer la main du capitaine du port en murmurant :

— Ça va ?

— Ça va, monsieur le maire.

— Nous disions, commissaire ?... Qu'est-ce qu'il y a de vrai dans toutes ces histoires de crâne fendu, réparé, de folie et de je ne sais quoi ?...

— Vous aimiez beaucoup le capitaine Joris ?

— Il a été à mon service pendant vingt-huit ans ; c'était un brave homme, méticuleux dans le service.

— Honnête ?

— Ils le sont presque tous.

— Qu'est-ce qu'il gagnait ?

— Cela dépend, à cause de la guerre, qui a tout bouleversé... Toujours assez pour acheter sa petite maison. Et je parie qu'il avait au moins vingt mille francs en banque.

— Pas plus ?

— À cinq mille francs près, je ne crois pas.

On ouvrait les portes d'amont et le navire allait pénétrer dans le canal tandis qu'un autre, qui arrivait de Caen, prendrait sa place et mettrait le cap sur la pleine mer.

L'air était toujours d'un calme idéal. Les gens suivaient les deux hommes des yeux. Du haut de leur bateau, les marins anglais regardaient paisiblement la foule tout en veillant à la manœuvre.

— Que pensez-vous, monsieur le maire, de Julie Legrand ?

M. Grandmaison hésita, grommela :

— Une petite sotte, qui a eu la tête tournée parce que Joris l'a traitée avec trop d'égards... Elle se croit... je ne sais pas, moi !... elle se croit en tout cas autre chose que ce qu'elle est...

— Et son frère ?

— Je ne l'ai jamais vu… On m'a affirmé que c'est une crapule…

Laissant l'écluse derrière eux, ils atteignaient la grille de la maison, autour de laquelle quelques gamins continuaient à jouer en attendant un spectacle intéressant.

— De quoi est-il mort ?

— Strychnine !

Maigret avait son air le plus buté. Il marchait lentement, les deux mains dans les poches, la pipe aux dents. Et cette pipe était à l'échelle de son épais visage : elle contenait presque le quart d'un paquet de tabac gris.

Le chat blanc, étendu de tout son long sur le mur chauffé par le soleil, s'enfuit d'un bond à l'approche des deux hommes.

— Vous n'entrez pas ? questionna le maire, étonné de voir Maigret s'arrêter sans raison.

— Un instant ! À votre avis, Julie était-elle la maîtresse du capitaine ?

— Je n'en sais rien ! grommela M. Grandmaison avec impatience.

— Vous veniez souvent dans la maison ?

— Jamais ! Joris avait été un de mes employés. Et, dans ce cas…

Son sourire voulait être un sourire de grand seigneur.

— Si cela ne vous fait rien, nous en finirons au plus tôt. J'ai du monde à déjeuner…

— Vous êtes marié ?

Et, le front têtu, Maigret poursuivait son idée, la main sur la clenche de la grille.

M. Grandmaison le regarda de haut en bas, car il mesurait un mètre quatre-vingt-cinq. Le commissaire remarqua que, s'il ne louchait pas, il y avait néanmoins une dissymétrie légère dans les prunelles.

— J'aime mieux vous avertir que, si vous continuez à me parler sur ce ton, il pourrait vous en cuire… Montrez-moi ce que vous avez à me montrer…

Et il avait poussé lui-même la grille. Il gravissait le seuil. Le garde champêtre, qui montait la garde, s'effaçait avec empressement.

La cuisine avait une porte vitrée. Du premier coup d'œil, Maigret constata quelque chose d'anormal : il y voyait bien les deux femmes, mais il n'apercevait pas Julie.

— Où est-elle ? alla-t-il questionner.

— Elle est montée dans sa chambre… Elle s'est enfermée… Elle n'a pas voulu redescendre…

— Comme ça, brusquement ?

La femme du gardien de phare expliqua :

— Elle allait mieux… Elle pleurait encore, mais doucement, tout en parlant… Je lui ai dit de manger quelque chose et elle a ouvert le placard…

— Alors ?

— Je ne sais pas… Elle a paru effrayée… Elle s'est précipitée vers l'escalier et on a entendu qu'elle refermait à clef la porte de sa chambre…

Dans le placard, il n'y avait rien que de la vaisselle, un panier qui contenait quelques pommes, un plat où marinaient des harengs, deux autres plats sales où des traces de graisse laissaient supposer qu'il y avait eu des restes de viande.

— J'attends toujours votre bon plaisir ! prononça avec impatience le maire, qui était resté dans le corridor. Il est onze heures et demie… Je suppose que les faits et gestes de cette fille…

Maigret ferma le placard à clef, mit celle-ci dans sa poche et se dirigea lourdement vers l'escalier.

3

L'armoire aux victuailles

— Ouvrez, Julie !

Pas de réponse, mais le bruit d'un corps se jetant sur un lit.

— Ouvrez !

Rien ! Alors Maigret donna un coup d'épaule dans le panneau, et les vis maintenant la serrure furent arrachées.

— Pourquoi n'avez-vous pas ouvert ?

Elle ne pleurait pas. Elle n'était pas agitée. Au contraire, couchée en chien de fusil, elle regardait droit devant elle, les prunelles immobiles. Lorsque le commissaire fut trop près, elle sauta du lit et se dirigea vers la porte.

— Laissez-moi ! articula-t-elle.

— Alors, remettez-moi le billet, Julie.

— Quel billet ?

Elle était agressive, croyant mieux cacher ainsi son mensonge.

— Le capitaine permettait que votre frère vînt vous voir ?

Pas de réponse.

— Ce qui veut dire qu'il ne le permettait pas ! Votre frère venait quand même ! Il paraît qu'il serait venu la nuit de la disparition de Joris…

Un regard dur, presque haineux.

— Le *Saint-Michel* était dans le port. C'était donc naturel qu'il vous rendît visite. Une question… Quand il vient, il a l'habitude de manger, n'est-ce pas ?…

« Brute ! » gronda-t-elle entre ses dents tandis qu'il poursuivait :

— Il est entré ici hier pendant que vous étiez à Paris. Il ne vous a pas rencontrée et il vous a laissé un billet. Pour être sûr que vous le trouviez, et personne d'autre, il l'a placé dans le placard aux provisions… Donnez-moi ce papier…

— Je ne l'ai plus !

Maigret regarda la cheminée vide, la fenêtre fermée.

— Donnez-le-moi !

Elle était raidie non comme une femme intelligente, mais comme un enfant rageur. Au point que le commissaire, surprenant un de ses regards, grommela avec une pointe d'affection :

— Imbécile !

Le billet était simplement sous l'oreiller, à la place où Julie était couchée un instant plus tôt. Mais, au lieu de désarmer, la servante, obstinée, attaqua à nouveau, tenta d'arracher le feuillet des mains du commissaire que sa colère amusait.

— C'est tout ? menaça-t-il en lui maintenant les mains.

Et il lut ces lignes d'une mauvaise écriture, criblées de fautes :

Si tu reviens avec ton patron fais bien attention à lui, car il y a des mauvaises gens qui lui en veulent. Je reviendrai dans deux ou trois jours avec le bateau. Ne cherche pas les côtelettes. Je les ai mangées. Ton frère pour la vie.

Maigret baissa la tête, si dérouté qu'il ne s'occupa plus de la jeune fille. Un quart d'heure plus tard, le capitaine du port lui disait que le *Saint-Michel* devait être à Fécamp et que si les vents restaient nord-ouest il arriverait la nuit suivante.

— Vous connaissez la position de tous les bateaux ?

Et Maigret, troublé, regarda la mer qui scintillait, marquée, très loin, d'une seule fumée.

— Les ports sont reliés entre eux. Tenez ! voici la liste des navires attendus aujourd'hui.

Il montra au commissaire un tableau noir appliqué au mur du bureau du port, et des noms écrits à la craie.

— Vous avez découvert quelque chose ?... Ne vous fiez pas trop à ce qu'on raconte... Même les gens sérieux !... Si vous saviez ce qu'il peut y avoir de petites jalousies dans le pays !...

Et M. Delcourt saluait de la main le capitaine d'un cargo qui s'éloignait, soupirait en regardant la buvette :

— Vous verrez !

À trois heures, la descente du Parquet était terminée et une dizaine de messieurs sortaient de la maison de Joris, poussaient la petite grille verte, se dirigeaient vers les quatre voitures qui attendaient, entourées de curieux.

— Il doit y avoir du canard en quantité ! disait le substitut à M. Grandmaison en observant les terrains d'alentour.

— L'année est mauvaise. Mais l'an dernier…

Il se précipita vers la première voiture qui démarrait.

— Vous vous arrêtez un moment chez moi, n'est-ce pas ? Ma femme nous attend…

Maigret restait le dernier et le maire, juste assez engageant pour être poli, lui dit :

— Montez avec nous. Vous devez en être, naturellement…

Il ne restait que Julie et deux femmes dans la petite maison du capitaine Joris, et le garde champêtre, à la porte, pour attendre le fourgon mortuaire qui emmènerait le corps à Caen.

Déjà, dans les autos, cela ressemblait à certains retours d'enterrement qui, entre bons vivants, finissent le plus gaiement du monde. Le maire expliquait au substitut, tandis que Maigret était mal assis sur le strapontin :

— Si cela ne tenait qu'à moi, je vivrais ici toute l'année. Mais ma femme aime moins la campagne. Si bien que nous vivons surtout dans notre maison de Caen… Pour le moment, ma femme revient de Juan-les-Pins, où elle est restée un mois avec les enfants…

— Quel âge a l'aîné, maintenant ?

— Quinze ans…

Les gens de l'écluse regardaient passer les voitures. Et tout de suite, sur la route de Lion-sur-Mer, ce fut la villa du maire, une grosse villa normande, aux pelouses entourées de barrières blanches et semées d'animaux en porcelaine.

Dans le vestibule, Mme Grandmaison, en robe de soie sombre, recevait ses invités avec un sourire très réservé, très femme du monde. La porte du salon était ouverte. Des cigares étaient prêts, ainsi que des liqueurs, sur la table du fumoir.

Tous se connaissaient. C'était un petit monde de Caen qui se retrouvait. Une domestique en tablier blanc prenait les manteaux et les chapeaux.

— Vraiment, monsieur le juge, vous n'étiez jamais venu à Ouistreham et vous habitez Caen depuis tant d'années ?

— Douze ans, chère madame… Tiens ! mademoiselle Gisèle…

Une gamine de quatorze ans, déjà très jeune fille, surtout par le maintien, très grande bourgeoise, comme sa mère, venait s'incliner devant les invités. Cependant, on oubliait de présenter Maigret à la maîtresse de maison.

— Je suppose qu'après ce que vous venez de voir vous préférerez des liqueurs à une tasse de thé… Un peu de fine, monsieur le substitut ? Madame est toujours à Fontainebleau ?…

On parlait de plusieurs côtés à la fois. Maigret attrapait au vol des bribes de phrases.

— Non !... Dix canards en une nuit, c'est un maximum... Je vous jure qu'il ne fait pas froid du tout... Le gabion est chauffé...

Et ailleurs :

— ... souffrent beaucoup de la crise du fret ?

— Cela dépend des compagnies. Ici, on ne s'en ressent guère. Aucun bateau n'a été désarmé. Mais les petits armateurs, surtout ceux qui n'ont que des goélettes armées au cabotage, commencent à tirer la langue... On peut dire qu'en principe toutes les goélettes sont à vendre, car elles ne font pas leurs frais...

— Non, madame, murmurait ailleurs le substitut. Il n'y a pas de quoi s'effrayer. Le mystère, si mystère il y a dans cette mort, sera vite découvert. N'est-ce pas, commissaire ?... Mais... Vous a-t-on présenté ?... Le commissaire Maigret, un des chefs les plus éminents de la Police Judiciaire...

Maigret était tout raide, le visage aussi peu avenant que possible. Il regarda drôlement la jeune Gisèle qui lui tendait avec un sourire une assiette de petits fours.

— Merci !

— Vraiment ? Vous n'aimez pas les gâteaux ?

— À votre santé !

— À la santé de notre aimable hôtesse !

Le juge d'instruction, un grand maigre d'une cinquantaine d'années, qui voyait à peine malgré d'épais binocles, prit Maigret à part.

— Bien entendu, je vous donne carte blanche. Mais téléphonez-moi chaque soir pour me tenir au courant. Votre avis ? Un crime crapuleux, n'est-ce pas ?...

Et, comme M. Grandmaison s'approchait, il poursuivit plus haut :

— Vous avez d'ailleurs de la chance de tomber sur un maire comme celui de Ouistreham, qui vous facilitera votre tâche… N'est-ce pas, cher ami ?… Je disais au commissaire…

— S'il le désire, cette maison sera la sienne. Je suppose que vous êtes descendu à l'hôtel ?

— Oui ! Je vous remercie de votre invitation, mais, là-bas, je suis plus près du port…

— Et vous croyez que c'est à la buvette que vous trouverez quelque chose ?… Attention, commissaire !… Vous ne connaissez pas Ouistreham !… Pensez à ce que peut être l'imagination de gens qui passent leur vie dans une buvette… Ils accuseraient père et mère rien que pour avoir une bonne histoire à raconter…

— Si on ne parlait plus de tout cela ? proposa Mme Grandmaison avec un sourire engageant. Un gâteau, commissaire ?… Vraiment ?… Vous n'aimez pas les sucreries ?…

Deux fois ! C'était trop ! Et Maigret faillit, par protestation, tirer sa grosse pipe de sa poche.

— Vous permettez… Il faut que j'aille m'occuper de certains détails…

On n'essaya pas de le retenir et, somme toute, on ne tenait pas plus à sa présence qu'il ne tenait à être là. Dehors, il bourra sa pipe, marcha lentement vers le port. On le connaissait déjà. On savait qu'il avait trinqué avec le groupe de la buvette et on le saluait avec un rien de familiarité.

Comme il arrivait en vue du quai, la voiture qui emmenait le corps du capitaine Joris s'éloignait dans la direction de Caen et, derrière une fenêtre du rez-de-chaussée, on apercevait le visage de Julie que des femmes essayaient d'entraîner vers la cuisine.

Des gens étaient groupés autour d'une barque de pêche qui venait de rentrer et dont les deux marins triaient le poisson. Les douaniers, appuyés au parapet du pont, laissaient couler les lentes heures de garde.

— Je viens d'avoir confirmation de l'arrivée du *Saint-Michel* pour demain ! dit le capitaine en s'approchant de Maigret. Il est resté trois jours à Fécamp pour réparer son beaupré...

— Dites donc... Est-ce qu'il lui arrive de transporter de la rogue de morue ?...

— De la rogue ?... Non ! La rogue norvégienne arrive par des goélettes scandinaves ou par des petits vapeurs... Mais ils ne relâchent pas à Caen... Ils déchargent directement dans les ports sardiniers, comme Concarneau, Les Sables-d'Olonne, Saint-Jean-de-Luz...

— Et de l'huile de phoque ?

Cette fois, le capitaine ouvrit des yeux ronds.

— Pour quoi faire ?

— Je ne sais pas...

— Non ! Les caboteurs ont presque toujours les mêmes chargements : des légumes et surtout de l'oignon pour l'Angleterre, du charbon pour les ports bretons, de la pierre, du ciment, des ardoises... Au fait, je me suis renseigné près des éclusiers sur le dernier passage du *Saint-Michel*. Le 16 septembre, il est arrivé de Caen juste à la fin de la marée. On allait cesser le service. Joris a fait remarquer qu'il n'y avait pas assez d'eau dans le chenal pour prendre la mer, surtout par brouillard. Le patron a insisté pour franchir le sas quand même, afin de partir le lendemain à la première heure. Ils ont couché ici, tenez, dans l'avant-port, amarrés aux pilotis. À marée basse, ils étaient à sec. Ce n'est que vers neuf heures, le matin, qu'ils ont pu partir...

— Et le frère de Julie était à bord ?

— Sans doute ! Ils ne sont que trois : le patron, qui est en même temps propriétaire du bateau, et deux hommes. Grand-Louis...

— C'est le nom du forçat ?

— Oui. On dit Grand-Louis, parce qu'il est plus grand que vous et capable de vous étrangler d'une seule main...

— Un mauvais bougre ?

— Si vous le demandez au maire, ou à un bourgeois de l'endroit, il vous répondra que oui. Moi, je ne l'ai pas connu avant qu'il aille au bagne. Il n'est pas souvent ici. Tout ce que je sais, c'est qu'il n'a jamais fait de bêtises à Ouistreham. Il boit, bien sûr... Ou plutôt... C'est difficile à savoir... Il a toujours une demi-cuite... Il va... Il vient... Il traîne la patte, tient les épaules et la tête de travers, ce qui ne lui donne pas l'air franc... N'empêche que le patron du *Saint-Michel* en est content...

— Il est venu hier ici, en l'absence de sa sœur.

Le capitaine Delcourt détourna la tête, n'osant pas nier. Et Maigret comprit, à ce moment, qu'on ne lui dirait jamais tout, qu'entre ces hommes de la mer il existait une sorte de franc-maçonnerie.

— Il n'y a pas que lui…

— Que voulez-vous dire ?

— Rien… J'ai entendu parler d'un étranger qu'on a vu rôder… Mais c'est vague…

— Qui l'a vu ?…

— Je ne sais pas… On parle, comme ça… Vous ne prenez rien ?…

Pour la seconde fois, Maigret s'installa à la buvette, où les mains se tendirent.

— Dites donc ! Ils ont eu vite expédié leur besogne, les messieurs du Parquet…

— Qu'est-ce que vous buvez ?

— De la bière.

Le soleil ne s'était pas caché de la journée. Mais voilà que des écharpes de brume s'étiraient entre les arbres et que l'eau du canal commençait à fumer.

— Encore une nuit dans le coton ! soupira le capitaine.

Et, au même moment, on entendait la sirène hurler.

— C'est la bouée lumineuse, là-bas, à l'entrée de la passe.

— Le capitaine Joris allait souvent en Norvège ? demanda Maigret à brûle-pourpoint.

— Quand il naviguait pour l'Anglo-Normande, oui ! Surtout tout de suite après la guerre, parce qu'on manquait de bois. Du vilain chargement, qui ne laisse pas de place pour manœuvrer…

— Vous apparteniez à la même compagnie ?

— Pas longtemps. J'ai surtout navigué pour Worms, de Bordeaux. Je faisais le « tramway », comme on dit, c'est-à-dire toujours la même route :

Bordeaux-Nantes et Nantes-Bordeaux... Pendant dix-huit ans !

— D'où sort Julie ?

— D'une famille de pêcheurs de Port-en-Bessin... Si l'on peut dire des pêcheurs !... Lui n'a jamais fait grand-chose... Il est mort pendant la guerre... La mère doit toujours vendre du poisson dans les rues, et surtout boire du vin rouge dans les bistrots...

Maigret, pour la deuxième fois en pensant à Julie, eut un drôle de sourire. Il la revoyait arrivant dans son bureau, à Paris, bien nette dans son tailleur bleu, avec un petit air volontaire.

Puis le matin même, quand elle luttait si maladroitement, comme une petite fille, pour ne pas lui donner le billet de son frère.

La maison de Joris s'estompait déjà dans la brume. Il n'y avait plus de lumière au premier étage, d'où le cadavre avait disparu, ni dans la salle à manger ! Rien que dans le corridor et, sans doute, derrière, dans la cuisine, où les deux voisines tenaient compagnie à la jeune fille.

Les aides-éclusiers entraient à leur tour à la buvette, mais, sensibles aux nuances, allaient s'asseoir à une table du fond et entamaient une partie de dominos. Le phare s'alluma.

— Vous nous remettrez ça ! dit le capitaine en montrant les verres. C'est ma tournée !

Ce fut d'une voix étrangement feutrée que Maigret questionna :

— À cette heure-ci, si Joris vivait, où serait-il ? Ici ?...

— Non ! chez lui ! avec des pantoufles aux pieds !

— Dans la salle à manger ? Dans sa chambre ?

— Dans la cuisine… à lire le journal, puis à lire un bouquin d'horticulture… Il lui était venu la passion des fleurs… Tenez ! malgré la saison son jardin en est encore plein…

Les autres riaient, mais ils étaient un peu gênés de n'avoir pas la passion des fleurs, de préférer le sempiternel bistrot.

— Il n'allait pas à la chasse ?

— Rarement… Quelquefois, quand on l'invitait…

— Avec le maire ?

— C'est arrivé… Quand il y avait du canard, ils allaient ensemble au gabion…

La buvette était trop peu éclairée, au point qu'on voyait mal, à travers la fumée, les joueurs de dominos. Un gros poêle alourdissait l'atmosphère. Et dehors c'était presque l'obscurité, mais une obscurité rendue plus trouble et comme malsaine par le brouillard. La sirène hurlait toujours. La pipe de Maigret grésillait.

Et, renversé sur sa chaise, il fermait à demi les yeux, dans un effort pour assembler tous les éléments épars qui formaient une masse sans cohésion.

— Joris a disparu pendant six semaines et est revenu le crâne fendu et réparé ! dit-il sans savoir qu'il pensait tout haut.

» Le jour de son arrivée le poison l'attendait.

Et ce n'est que le lendemain que Julie avait trouvé dans le placard l'avertissement de son frère !

Maigret poussa un long soupir et murmura en guise de conclusion :

— En somme, on a essayé de le tuer ! Puis on l'a guéri ! Puis on l'a tué pour de bon ! À moins…

Car ces trois propositions n'allaient pas ensemble. Et une pensée baroque naissait, si baroque qu'elle en était effrayante.

— À moins qu'on n'ait pas essayé de le tuer la première fois ? Qu'on n'ait voulu que lui enlever la raison !...

Les médecins de Paris n'affirmaient-ils pas que l'opération n'avait pu être faite que par un grand chirurgien ?

Mais fend-on le crâne d'un homme pour lui voler sa raison ?

Et puis ! qu'est-ce qui prouvait que Joris l'avait vraiment perdue ?

On regardait Maigret en observant un silence respectueux. Il n'y eut qu'un geste du douanier pour signifier à la serveuse : « La même chose... »

Et chacun était enfoncé dans son coin, dans l'atmosphère chaude, dans une rêverie moite que l'alcool rendait imprécise.

On entendit passer trois autos : le Parquet, qui regagnait Caen après la réception chez M. et Mme Grandmaison. À cette heure, le corps du capitaine Joris était déjà dans une armoire frigorifique de l'Institut médico-légal.

On ne parlait plus. Les dominos bougeaient sur la table dévernie, du côté des éclusiers. Et on sentait que le problème, peu à peu, s'était imposé à tous les esprits, qu'il pesait à tous, qu'il était là, presque palpable, en suspension dans l'air. Les visages se renfrognaient. Le plus jeune des douaniers, impressionné, se leva en balbutiant :

— Il est temps que j'aille retrouver ma femme...

Maigret tendit sa blague à son voisin, qui bourra une pipe et passa le tabac au suivant. Alors une voix, celle de Delcourt, s'éleva.

Il se levait à son tour pour échapper à cette ambiance écrasante qui s'était créée.

— Je vous dois combien, Marthe ?

— Les deux tournées ?... Neuf soixante-quinze... Plus trois francs dix d'hier...

Tout le monde était debout. Un air humide pénétrait par la porte ouverte. Les mains se tendirent.

Dehors, chacun fonçait de son côté, dans le brouillard. On entendait résonner les pas et, par-dessus tout, vibrait la clameur de la sirène.

Maigret, immobile, resta un moment à écouter tous ces pas qui s'éloignaient en étoile autour de lui. Des pas lourds, avec des hésitations, des précipitations soudaines...

Et il comprit que, sans qu'on pût dire comment cela s'était fait, la peur était née.

Ils avaient peur, tous ceux qui s'en allaient, peur de rien, de tout, d'un danger imprécis, d'une catastrophe insoupçonnable, de l'obscurité et des lumières.

— Si ce n'était pas fini ?...

Maigret secoua la cendre de sa pipe et boutonna son pardessus.

4

Le Saint-Michel

— Ça vous plaît ? s'inquiétait le patron à chaque plat.

— Ça va ! Ça va ! répondait Maigret qui, en réalité, ne savait pas au juste ce qu'il mangeait.

Il était seul dans la salle à manger de l'hôtel, conçue pour quarante ou cinquante couverts. Un hôtel pour les baigneurs venant l'été à Ouistreham. Des meubles comme dans tous les hôtels de plage. Des petits vases sur les tables.

Aucun rapport avec le Ouistreham qui intéressait le commissaire et qu'il commençait à comprendre.

C'était la raison de sa satisfaction. Ce dont il avait le plus horreur, dans une enquête, c'étaient les premiers contacts, avec tout ce qu'ils comportent de gaucheries et d'idées fausses.

Le mot Ouistreham, par exemple ! À Paris, il évoquait une image sans rapport avec la réalité, un port dans le genre de Saint-Malo. Puis, le premier soir, Maigret le voyait sinistre, habité par des gens farouches et silencieux.

Maintenant, il avait fait connaissance. Il se sentait chez lui. Ouistreham, c'était un village quelconque, au bout d'un morceau de route plantée de petits arbres. Ce qui comptait seulement, c'était le port : une écluse, un phare, la maison de Joris, la *Buvette de la Marine*.

Et le rythme de ce port, les deux marées quotidiennes, les pêcheurs passant avec leurs paniers, la poignée d'hommes ne s'occupant que du va-et-vient des bateaux…

D'autres mots avaient un sens plus précis : capitaine, cargo, caboteur… Il voyait tout cela circuler et il comprenait la règle du jeu…

Le mystère n'était pas éclairci. Tout ce qui était inexplicable au début restait inexplicable. Mais, du moins, les personnages étaient-ils situés chacun à sa place, chacun dans son atmosphère, avec son petit tran-tran journalier…

— Vous resterez ici longtemps ? demanda le patron en servant lui-même le café.

— Je ne sais pas.

— Ce serait arrivé pendant la saison que cela m'aurait fait un tort inouï…

C'étaient quatre Ouistreham exactement que Maigret discernait maintenant : *Ouistreham-Port…*, *Ouistreham-Village…*, *Ouistreham-Bourgeois*, avec ses quelques villas, comme celle du maire, le long de la grand-route… Enfin *Ouistreham-Bains-de-Mer*, momentanément inexistant.

— Vous sortez ?

— Je vais faire un tour avant de me coucher.

C'était l'heure de la marée. Dehors, il faisait beaucoup plus froid que les jours précédents, parce que le brouillard, sans cesser d'être opaque, se transformait en gouttelettes d'eau glacée.

Tout était noir. Tout était fermé. On ne voyait que l'œil mouillé du phare. Et, sur l'écluse, des voix se répondaient.

Un petit coup de sirène. Un feu vert et un feu rouge qui se rapprochaient, une masse qui glissait au ras du mur…

Maigret, maintenant, comprenait la manœuvre. C'était un vapeur qui arrivait du large. Une ombre qui s'approchait allait lui prendre son amarre, la capeler à la première bitte. Puis, de la passerelle, le commandant lancerait l'ordre de battre arrière pour stopper…

Delcourt passa près de lui, fixant les jetées avec inquiétude.

— Qu'est-ce qu'il y a ?

— Je ne sais pas…

Il fronçait les sourcils comme s'il eût été possible, à force de volonté, de distinguer quelque chose dans le noir absolu. Déjà deux hommes allaient refermer la porte de l'écluse. Delcourt leur cria :

— Espérez un instant !

Et soudain, étonné :

— C'est lui…

Au même instant, une voix s'élevait, à moins de cinquante mètres, qui criait :

— Eh ! Louis ! Amène les focs et veille à atterrir par bâbord.

C'était en contrebas, dans le trou sombre, du côté des jetées. Une luciole se rapprochait. On devina quelqu'un qui bougeait, de la toile qui s'abattait avec un grincement d'anneaux sur la draille.

Puis une grand-voile déployée qui passait à portée de la main.

— Je me demande comment ils ont fait ! grommela le capitaine.

Et il hurla, tourné vers le voilier :

— Plus loin ! Poussez le nez à bâbord du vapeur, sinon on ne pourra pas refermer les portes…

Un homme avait sauté à terre avec une amarre et maintenant, poings aux hanches, il regardait autour de lui.

— Le *Saint-Michel* ? questionna Maigret.

— Oui… Ils ont marché comme un vapeur…

En bas, il n'y avait qu'une petite lampe, sur le pont, éclairant des choses confuses, une barrique, un tas de cordages, la silhouette d'un homme qui quittait la barre pour courir vers l'avant de la goélette.

Les gens de l'écluse arrivaient les uns après les autres pour regarder le bateau avec une curiosité étrange.

— Aux portes, mes enfants !… Allons !… Les manivelles, là-bas !…

Les portes fermées, l'eau s'engouffra par les vannes et les bateaux commencèrent à s'élever. La petite lumière se rapprocha. Le pont arriva presque au ras du quai et l'homme qui s'y trouvait apostropha le capitaine.

— Ça va ?

— Ça va ! répondit Delcourt avec gêne. Vous avez fait vite !

— On avait bon vent et Louis a mis toute la toile dessus ! Au point qu'on a laissé un cargo derrière nous.

— Tu vas à Caen ?

— Je vais décharger, oui ! Rien de neuf, par ici ? Maigret était à deux pas, Grand-Louis un peu plus loin. Mais ils se voyaient à peine. Il n'y avait que le capitaine du port et celui du *Saint-Michel* à parler.

Delcourt, d'ailleurs, se tournait vers Maigret, ne sachant trop que dire.

— C'est vrai que Joris est rentré ? Il paraît que c'est sur le journal…

— Il est rentré et il est reparti…

— Qu'est-ce que tu veux dire ? Grand-Louis s'était approché d'un pas, les mains dans les poches, une épaule de travers. Et, vu ainsi dans l'obscurité, il avait l'air d'un grand bonhomme plutôt flasque, aux lignes imprécises.

— Il est mort…

Cette fois, Louis s'approcha de Delcourt à le toucher.

— C'est vrai ?… grogna-t-il.

C'était la première fois que Maigret entendait sa voix. Et celle-ci donnait aussi une impression de mollesse. Elle était enrouée, un peu traînante. On ne distinguait toujours pas le visage.

— La première nuit qu'il est rentré, il a été empoisonné…

Et Delcourt, prudent, avec une intention évidente, se hâta d'ajouter :

— Voici un commissaire de Paris qui est chargé…

Il était soulagé. Depuis longtemps, il se demandait comment amener cette déclaration. Craignait-il une imprudence des gens du *Saint-Michel* ?

— Ah ! monsieur est de la police…

Le bateau montait toujours. Son capitaine enjamba le bastingage, sauta sur le quai, hésita à tendre la main à Maigret.

— Par exemple !… articula-t-il, pensant toujours à Joris.

Et on le sentait inquiet, lui aussi, d'une inquiétude encore plus sensible que celle de Delcourt. La grande silhouette de Louis se balançait, la tête de travers. Il aboya quelque chose que le commissaire ne comprit pas.

— Qu'est-ce qu'il dit ?

— Il grogne en patois : « Saloperie de saloperie !… »

— Qu'est-ce qui est une saloperie ? demanda Maigret à l'ex-bagnard.

Mais celui-ci se contenta de le regarder dans les yeux. Ils s'étaient rapprochés l'un de l'autre. Maintenant, on devinait les traits. Ceux de Grand-Louis étaient bouffis. Il devait avoir une joue plus grosse que l'autre, ou alors ce qui donnait cette impression c'est qu'il tenait toujours la tête de travers.

Une chair soufflée et des gros yeux à fleur de tête.

— Vous étiez ici hier ! lui dit le commissaire.

L'éclusée était finie. Les portes d'amont s'ouvraient. Le vapeur glissait dans les eaux du canal et Delcourt devait courir pour demander le tonnage et la provenance. On entendit crier du haut de la passerelle :

— Neuf cents tonnes !... Rouen...

Mais le *Saint-Michel* ne sortait pas du sas et les hommes postés autour de l'écluse pour la manœuvrer sentaient que quelque chose d'anormal se passait, attendaient, chacun dans son trou d'ombre, tendant l'oreille.

Delcourt revenait, en notant sur son carnet les indications données.

— Eh bien ! s'impatienta Maigret.

— Eh bien, quoi ? grommela Louis. Vous dites que j'étais ici hier ! C'est que j'y étais...

Il n'était pas facile de le comprendre, parce qu'il avait une façon toute particulière de manger les mots, de parler la bouche fermée, comme s'il eût mâché en même temps quelque chose. Sans compter qu'il avait un accent de terroir prononcé.

— Qu'est-ce que vous êtes venu faire ?

— Voir ma sœur...

— Et, comme elle n'était pas ici, vous lui avez laissé un billet.

Maigret examinait à la dérobée le propriétaire de la goélette, dont les vêtements étaient les mêmes que ceux de son matelot. Il n'avait rien de caractéristique. L'air, plutôt, d'un bon contremaître que d'un capitaine au cabotage.

— On est resté trois jours à Fécamp pour réparer... Alors, Louis en a profité pour venir voir la Julie ! intervint-il.

On devinait des oreilles tendues tout autour du bassin. Chacun devait veiller à ne pas faire de bruit. La sirène hurlait toujours, au loin, et le brouillard se liquéfiait, rendait les pavés noirs et luisants.

Une écoutille s'ouvrit dans le pont de la goélette. Une tête émergea, cheveux en désordre, barbe hirsute.

— Alors, quoi ?... On reste là ?...

— Ta gueule, Célestin ! gronda le patron. Delcourt battait la semelle pour se réchauffer, peut-être aussi pour avoir une contenance, car il ne savait pas s'il devait rester ou s'éloigner.

— Qu'est-ce qui vous fait penser, Louis, que Joris courait un danger ?

Et celui-ci, en haussant les épaules :

— Ben !... Vu qu'il avait déjà eu le crâne fendu... C'était pas malin à deviner.

Il fallait presque un traducteur tant il était difficile de distinguer les syllabes broyées dans ce grognement.

Il y avait une gêne intense, et comme une sourde angoisse dans l'air. Louis regarda du côté de la maison de Joris, mais on ne voyait rien, pas même une tache plus noire dans la nuit.

— L'est là, la Julie ?

— Oui... Vous allez la voir ?

Il secoua négativement la tête, comme un ours.

— Pourquoi ?

— Sûr qu'elle pleure.

Il prononçait quelque chose comme *all ploere*... Et cela, avec le dégoût d'un homme qui ne peut pas voir pleurer !

Ils étaient toujours debout. La brume devenait plus intense, détrempait les épaules. Delcourt éprouva le besoin d'intervenir.

— On pourrait aller boire quelque chose...

Un de ses hommes, de son coin d'ombre, plus loin, l'avertit :

— Ils viennent de fermer la buvette ! Et le capitaine du *Saint-Michel* proposa :

— Si vous voulez boire un coup dans la cabine...

Ils étaient quatre : Maigret, Delcourt, Grand-Louis et le patron, qui s'appelait Lannec. La cabine n'était pas grande. Un petit poêle dégageait une chaleur intense, qui mettait de la buée partout, et la lumière de la lampe à pétrole, montée sur cardan, était presque rouge.

Des cloisons en pitchpin verni. Une table de chêne, tailladée, si usée qu'aucune surface n'était plane. Il y avait encore des assiettes sales, d'épais verres tout poisseux, une demi-bouteille de vin rouge.

À droite et à gauche, dans la cloison, une ouverture rectangulaire, comme une armoire sans porte. Les lits du capitaine et de Louis, son second. Des lits défaits, avec des bottes et des vêtements sales jetés en travers. Une odeur de goudron, d'alcool, de cuisine et de chambre à coucher, mais surtout des relents indéfinissables de bateau.

Dans la lumière, les gens étaient moins mystérieux. Lannec avait des moustaches brunes, des yeux intelligents et vifs. Il avait pris une bouteille d'alcool dans une armoire et il rinçait les verres en les remplissant d'eau et en les vidant par terre.

— Il paraît que vous étiez ici dans la nuit du 16 septembre ?

Grand-Louis avait les coudes sur la table, le dos rond. Lannec répondit tout en servant à boire.

— On y était, oui !

— Il est rare, n'est-ce pas ? que vous couchiez dans l'avant-port où, à cause de la marée, vous devez veiller aux amarres…

— Ça arrive ! répliqua Lannec sans broncher.

— Ça permet souvent de gagner quelques heures ! intervint Delcourt, qui semblait vouloir jouer le rôle de conciliateur.

— Le capitaine Joris n'est pas venu vous voir à bord ?

— Pendant l'éclusée… Pas après…

— Et vous n'avez rien vu, rien entendu d'anormal ?

— À votre santé !… Non !… Rien…

— Vous, Louis, vous vous êtes couché ?…

— Faut croire que oui…

— Qu'est-ce que vous dites ?

— Je dis faut croire que oui… Y a longtemps.

— Vous n'êtes pas allé voir votre sœur ?

— Peut-être bien que oui… Pas longtemps…

— Est-ce que Joris ne vous avait pas défendu de mettre les pieds chez lui ?

— Des histoires ! grommela l'autre.

— Que voulez-vous dire ?

— Rien… C'est des histoires… Vous avez encore besoin de moi ?

Il n'y avait pas de charge sérieuse contre lui. Au surplus, Maigret n'avait pas du tout envie de l'arrêter.

— Pas aujourd'hui.

Louis parla breton avec son patron, se leva, vida son verre et toucha sa casquette.

— Qu'est-ce qu'il vous a dit ? questionna le commissaire.

— Que je n'ai pas besoin de lui pour aller à Caen et en revenir… Alors, je le retrouverai au retour, après avoir déchargé.

— Où va-t-il ?

— Il ne l'a pas dit.

Delcourt, empressé, passa la tête par l'écoutille, tendit l'oreille, revint après quelques instants.

— Il est à bord de la drague.

— De la quoi ?

— Vous n'avez pas vu les deux dragues, dans le canal ? Elles ne servent pas pour le moment. Il y a des couchettes. Les marins aiment mieux dormir sur un vieux bateau qu'aller à l'hôtel.

— Encore un verre ? proposait Lannec.

Et Maigret regardait autour de lui en faisant des petits yeux, se mettait à son aise.

— Quel est le premier port que vous ayez touché en quittant Ouistreham, le 16 dernier ?

— Southampton… J'avais des pierres à y décharger…

— Ensuite ?

— Boulogne…

— Vous n'êtes pas allé en Norvège, depuis ?

— Je n'y suis allé qu'une fois, il y a six ans…

— Vous connaissiez très bien Joris ?…

— Nous, vous savez, on connaît tout le monde… Depuis La Rochelle jusqu'à Rotterdam… À votre santé ! C'est justement du schiedam que j'ai rapporté de Hollande. Vous fumez le cigare ?

Il en sortit une caisse d'un tiroir.

— Des cigares qui, là-bas, valent dix cents... Un franc !...

Ils étaient gros, bien lisses, bagués d'or.

— C'est étrange ! soupirait Maigret. On m'avait bien affirmé que Joris était allé vous rejoindre à bord, dans l'avant-port... en compagnie de quelqu'un...

Mais Lannec était très occupé à couper la pointe d'un cigare et quand il redressa la tête on ne pouvait lire aucune émotion sur son visage.

— Il n'y aurait pas de raison pour que je le cache...

Quelqu'un, du dehors, sauta sur le pont qui résonna. Une tête se montra au-dessus de l'échelle.

— Le vapeur du Havre qui arrive !

Delcourt se leva précipitamment, dit à Maigret :

— Il faut lui préparer l'écluse... Le *Saint-Michel* va en sortir...

Et Lannec :

— Je suppose que je peux continuer mon voyage.

— Jusqu'à Caen ?

— Oui ! Le canal ne conduit pas ailleurs. Demain soir, on aura sans doute fini de décharger...

Ils avaient tous l'air franc ! Ils avaient des visages ouverts ! Et pourtant tout cela sonnait faux ! Mais c'était si subtil qu'il eût été impossible de dire pourquoi cela sonnait faux, ou ce qui était faux.

De braves gens ! Ils en avaient l'aspect, Lannec comme Delcourt, comme Joris, comme tous ceux de la *Buvette de la Marine*. Est-ce que Grand-Louis lui-même ne donnait pas l'impression d'une sympathique crapule ?

— Je vais te larguer, Lannec... Bouge pas !...

Et le capitaine du port alla décapeler l'amarre de la bitte. Le vieux qu'on avait vu émerger du poste, tout gourd, grognon, murmura :

— Grand-Louis s'est encore tiré des pattes !

Et il largua le foc et le clinfoc, repoussa la goélette à l'aide d'une gaffe. Maigret sauta à terre à la dernière seconde. Le brouillard s'était définitivement changé en pluie et on distinguait maintenant toutes les lumières du port, toutes les silhouettes, le vapeur du Havre qui s'impatientait et donnait du sifflet.

Les manivelles grinçaient. L'eau s'engouffrait par les vannes ouvertes. La grand-voile de la goélette bouchait la perspective du canal.

Du pont, Maigret distingua les deux dragues, deux horribles bateaux aux lignes compliquées, aux superstructures sinistres, qui s'étaient encroûtés de rouille.

Il s'en approcha prudemment, parce que, par là, c'était plein de détritus, de vieux câbles, d'ancres et de ferraille. Il longea une planche qui servait de passerelle, vit une légère lueur à travers des fentes.

— Grand-Louis !... appela-t-il.

Du coup, la lumière s'éteignit. L'écoutille n'avait plus de fermeture. Le torse de Grand-Louis émergea et il grogna :

— Qu'est-ce que vous voulez ?

Mais en même temps autre chose bougeait, sous lui, dans le ventre de la drague. Une silhouette se faufilait avec mille précautions. On entendait vibrer la tôle. Il y avait des heurts.

— Qui est avec toi ?

— Avec moi ?...

Maigret chercha autour de lui, faillit tomber dans le fond de la drague où stagnait un mètre de vase.

Il y avait quelqu'un, c'était certain. Mais il était déjà loin. Les craquements provenaient maintenant d'une autre partie de la drague. Et Maigret ne savait pas sur quoi il pouvait marcher. Il ignorait tout des aménagements de ce bateau apocalyptique dont il heurta une benne de la tête.

— Tu te tais ?

Un grognement indistinct, qui devait vouloir dire : « Je ne sais pas de quoi vous parlez… »

Dans la nuit, il eût fallu dix hommes pour fouiller les deux dragues. Et encore ! Des hommes connaissant les lieux ! Maigret battit en retraite. Les voix, à cause de la pluie, avaient une portée étonnante. Il entendit qu'on disait dans le port :

— … juste en travers du chenal…

Il s'approcha. C'était le second du vapeur du Havre qui montrait quelque chose à Delcourt et celui-ci fut tout bouleversé en apercevant Maigret.

— C'est difficile à croire qu'ils l'aient perdu sans s'en apercevoir, poursuivait l'homme du vapeur.

— Quoi ? questionna le commissaire.

— Le canot (il prononçait *le canotte*).

— Quel canot ?

— Celui-ci, que nous venons de heurter juste entre les jetées. Il appartient au voilier qui était devant nous. Le nom est écrit à l'arrière : *Saint-Michel*.

— Il se sera détaché, intervint Delcourt en haussant les épaules. Ça arrive !

— Il ne s'est pas détaché, pour la bonne raison que, par le temps qu'il fait, le canot ne devait pas être en remorque, mais sur le pont.

Et, toujours les hommes, autour de l'écluse, chacun à son poste, essayant d'entendre.

— On verra ça demain. Laissez le canot ici.

Se tournant vers Maigret, Delcourt murmura avec un sourire raté :

— Vous voyez quel drôle de métier. Il y a toujours des histoires.

Le commissaire ne sourit pas, lui. Ce fut même le plus sérieusement du monde qu'il prononça :

— Dites donc ! Si vous ne me voyiez pas demain à sept heures, mettons à huit, envoyez donc un coup de téléphone au Parquet de Caen.

— Qu'est-ce que… ?

— Bonne nuit ! Et que le canot reste ici.

Pour leur donner le change, il s'éloigna, mains dans les poches, le col du pardessus relevé, le long de la jetée. La mer bruissait sous ses pieds, devant lui, à sa droite, à sa gauche. Un air fortement iodé lui emplissait les poumons.

Arrivé presque au bout il se baissa pour ramasser quelque chose.

5

Notre-Dame-des-Dunes

Quand le jour se leva, Maigret, la jambe traînante, le pardessus lourd d'humidité, la gorge sèche à force d'avoir fumé pipe sur pipe, rentra à l'*Hôtel de l'Univers*. Tout était désert. Dans la cuisine, pourtant, il trouva le patron qui allumait du feu.

— Vous êtes resté dehors toute la nuit ?

— Oui. Voulez-vous me monter, le plus tôt possible, du café dans ma chambre ? Au fait, il y a moyen de prendre un bain ?

— Il faudra que j'allume le feu des chaudières.

— Pas la peine.

Un matin gris avec encore et toujours de la brume, mais une brume claire, lumineuse. Maigret avait les paupières picotantes, la tête vide et, en attendant son café dans sa chambre, il se campa devant la fenêtre ouverte.

Une drôle de nuit. Il n'avait rien fait de sensationnel. C'est à peine si on pouvait parler de découvertes. Pourtant il avait avancé dans la connaissance du drame. Une multitude d'éléments étaient venus s'ajouter à ceux qu'il possédait.

L'arrivée du *Saint-Michel*. L'attitude de Lannec. Est-ce qu'on pouvait parler d'attitude équivoque ? Même pas ! Et pourtant il manquait de netteté. Mais Delcourt aussi manquait parfois de netteté. Et tous, autant qu'ils étaient au port !

Par exemple, l'attitude de Grand-Louis était carrément suspecte. Il ne suivait pas la goélette jusqu'à Caen. Il allait se coucher à bord d'une drague abandonnée. Maigret était sûr qu'il ne s'y trouvait pas seul.

Et, un peu plus tard, le commissaire apprenait qu'avant d'arriver au port le *Saint-Michel* avait perdu son canot. Au bout de la jetée il ramassait un objet pour le moins inattendu à cet endroit : un stylo en or.

C'était une jetée en bois, sur pilotis. Tout au bout, près du feu vert, une échelle de fer permettait de descendre à la mer. C'est de ce côté qu'on avait retrouvé le canot.

Autrement dit, en arrivant, le *Saint-Michel* avait un passager qui ne voulait pas être vu à Ouistreham. Le passager accostait en canot et laissait partir celui-ci à la dérive. En haut de l'échelle de fer, au moment où il se pliait en deux pour se hisser sur la jetée, le porte-plume en or sortait de sa poche.

Et l'homme gagnait la drague, où Louis allait le rejoindre.

La reconstitution était presque mathématique. Il n'y avait pas deux manières d'interpréter les événements.

Résultat : un inconnu se cachait à Ouistreham. Il n'était pas venu là pour rien. Donc, il avait une tâche à accomplir. Et il appartenait à un milieu où l'on se sert de porte-plumes en or !

Pas un marin ! Pas un vagabond ! Le stylo de luxe laissait supposer des vêtements confortables. Cela devait être *un monsieur*, comme on dit dans les campagnes.

Et l'hiver, à Ouistreham, *un monsieur* ne passe pas inaperçu. De la journée, il ne pourrait pas quitter la drague. Mais, la nuit, n'allait-il pas se livrer à la besogne pour laquelle il était là ?

Maigret, maussade, s'était résigné à monter la garde. Un travail de jeune inspecteur. Des heures à passer, sous la pluie fine, à scruter les ombres tarabiscotées de la drague.

Il ne s'était rien passé. Personne n'avait quitté le bord. Le jour s'était levé et maintenant le commissaire enrageait de ne pouvoir prendre un bain chaud, regardait son lit en se demandant s'il dormirait quelques heures.

Le patron entra avec le café.

— Vous ne vous couchez pas ?

— Je n'en sais rien. Voulez-vous porter un télégramme à la poste ?

L'ordre au brigadier Lucas, avec qui il avait l'habitude de travailler, de venir le rejoindre, car Maigret n'avait pas envie de monter à nouveau la garde la nuit suivante.

Par la fenêtre ouverte on dominait le port, la maison du capitaine Joris, les bancs de sable de la baie, que le jusant découvrait.

Pendant que Maigret rédigeait son télégramme, le patron regardait dehors. Il prononça, sans attacher d'importance à ses paroles :

— Tiens ! La bonne du capitaine qui va se promener…

Le commissaire leva la tête, aperçut Julie qui fermait la grille et marchait très vite dans la direction de la plage.

— Qu'est-ce qu'il y a de ce côté ?

— Que voulez-vous dire ?

— Où peut-elle aller ? Y a-t-il des maisons ?

— Rien du tout ! Seulement la plage, où on ne va jamais parce qu'elle est coupée de brise-lames et qu'il existe des trous de vase.

— Il n'y a pas de chemin, pas de route ?

— Non ! On arrive à l'embouchure de l'Orne et tout le long de la rivière ce sont des marais… Ah si ! Dans les marais, il y a les gabions pour la chasse au canard…

Maigret s'en allait déjà, le front plissé. Il traversa le pont à grands pas et, quand il arriva sur la plage, Julie n'avait qu'une avance de deux cents mètres sur lui.

C'était désert. Dans la brume, il n'existait de vivant que les mouettes qui volaient en criant. À droite, des dunes, dans lesquelles le commissaire s'engagea pour ne pas être vu.

Il faisait frais. La mer était calme. L'ourlet blanc du bord croulait au rythme d'une respiration, avec un bruit de coquillages broyés.

Julie ne se promenait pas. Elle marchait vite, en serrant très fort contre elle son petit manteau noir. Elle n'avait pas eu le temps, depuis la mort de Joris, de se commander des vêtements de deuil. Alors elle portait tout ce qu'elle avait de noir ou de plus sombre, comme ce manteau démodé, ces bas de laine, ce chapeau aux bords rabattus.

Ses pieds enfonçaient dans le sable et sa démarche en était toute saccadée. Deux fois elle se retourna, mais elle ne put apercevoir Maigret, que lui cachaient les mamelons des dunes.

Et enfin, à un kilomètre environ de Ouistreham, elle obliqua à droite, si vivement que le commissaire faillit être découvert.

Mais elle ne se dirigeait pas vers un gabion, comme Maigret l'avait pensé un moment. Il n'y avait personne dans le paysage d'herbes rèches et de sable.

Rien qu'une petite construction en ruine, dont tout un pan de mur manquait. Face à la mer, à cinq mètres de l'endroit que les flots devaient battre aux grandes marées, des gens avaient édifié une chapelle, quelques siècles auparavant sans doute.

La voûte était en plein cintre. Le mur manquant laissait voir l'épaisseur des autres : près d'un mètre de pierre dure.

Julie entrait, se dirigeait vers le fond de la chapelle et Maigret, aussitôt, entendait remuer de menus objets, des coquillages presque à coup sûr.

Il fit quelques pas, sans bruit. Il distingua, dans le mur du fond, une petite niche fermée par un grillage. Au pied de la niche, une sorte d'autel minuscule, et Julie, penchée, qui cherchait quelque chose.

Elle se retourna soudain, reconnut le commissaire, qui n'eut pas le temps de se cacher, et dit précipitamment :

— Qu'est-ce que vous faites ici ?

— Et vous ?

— Je… je suis venue prier Notre-Dame-des-Dunes…

Elle était anxieuse. Tout en elle prouvait qu'elle avait quelque chose à cacher. Elle n'avait pas dû dormir beaucoup de la nuit, car elle avait les yeux rouges. Et deux mèches de ses cheveux mal peignés sortaient de son chapeau.

— Ah ! c'est une chapelle à Notre-Dame-des-Dunes ?…

En effet, dans la niche, derrière le grillage, il y avait une statue de la Vierge, si vieillie, si rongée que ce n'était plus qu'une forme vague.

Tout autour de la niche, sur la pierre, les passants avaient tracé au crayon, au canif, ou avec une pierre pointue, des mots qui s'entrecroisaient.

Pour que Denise réussisse son examen. Notre-Dame-des-Dunes, faites que Jojo apprenne vite à lire. Donnez la santé à toute la famille et surtout à grand-père et à grand-mère.

Des mentions plus profanes aussi. Des cœurs percés de flèches :

Robert et Jeanne pour la vie.

Des brindilles sèches, qui avaient été des fleurs, restaient accrochées au grillage. Mais cette chapelle n'eût été qu'une chapelle comme beaucoup d'autres sans les coquillages entassés sur les ruines de l'autel.

Il y en avait de toutes les formes. Et, sur tous, des mots étaient écrits, au crayon le plus souvent. Des écritures malhabiles d'enfants et de simples, quelques écritures plus fermes.

Que la pêche à Terre-Neuve soit bonne et que papa n'ait pas besoin de rengager.

Le sol était de terre battue. Par la brèche, on voyait le sable de la plage, la mer argentée dans l'atmosphère blanche. Et Julie, qui ne savait quelle contenance prendre, lançait malgré elle des regards apeurés aux coquillages.

— Vous en avez apporté un ? questionna Maigret.

De la tête, elle fit signe que non.

— Pourtant, quand je suis arrivé, vous étiez en train de les remuer. Qu'est-ce que vous cherchiez ?

— Rien… Je…

— Vous… ?

— Rien !

Et elle prit un air buté, en serrant davantage son manteau contre elle.

C'était au tour de Maigret de saisir les coquillages un à un, de lire ce qui y était écrit. Et tout à coup il sourit. Sur une énorme palourde, il épelait :

— *Notre-Dame-des-Dunes, faites que mon frère Louis réussisse et que nous soyons tous heureux.*

Une date : *13 septembre*. Autrement dit, cet ex-voto primitif avait été apporté là trois jours avant la disparition du capitaine Joris !

Et, maintenant, Julie ne venait-elle pas pour le reprendre ?

— C'est ce que vous cherchiez ?

— Qu'est-ce que cela peut vous faire ?

Elle ne quittait pas son coquillage des yeux. On eût dit qu'elle s'apprêtait à bondir sur Maigret pour le lui arracher des mains.

— Rendez-le-moi !… Remettez-le à sa place !…

— Je le remettrai à sa place, oui, mais il faut que vous l'y laissiez aussi… Venez !… Nous allons causer en rentrant…

— Je n'ai rien à dire…

Ils se mirent en marche, penchés en avant à cause du sable mou dans lequel les pieds s'enfonçaient. Il faisait si frais que les nez étaient rouges, les peaux luisantes.

— Votre frère n'a jamais rien fait de bon, n'est-ce pas ?

Elle se tut. Elle regardait la plage droit devant elle.

— Il y a des choses qu'il est impossible de cacher. Je ne parle pas seulement de… de ce qui l'a conduit au bagne…

— Évidemment ! Toujours ça ! Dans vingt ans on dira encore…

— Mais non ! Mais non, Julie. Louis est un bon marin. Et même, dit-on, un marin extraordinaire, capable de tenir la place de second. Seulement, un beau jour, il s'enivre avec des camarades de rencontre et il fait des bêtises, ne rejoint pas son bateau, rôde pendant des semaines sans travailler. Est-ce vrai ? Dans ces moments-là, il fait appel à vous. À vous et, il y a quelques semaines encore, à Joris. Puis il a une nouvelle période calme et honnête.

— Eh bien ?

— Quel était le projet que, le 13 septembre, vous souhaitiez voir réussir ?

Elle s'arrêta, le regarda en face. Elle était beaucoup plus calme. Elle avait eu le temps de réfléchir. Et il y avait une gravité séduisante dans ses prunelles.

— Je savais bien que cela amènerait un malheur. Et pourtant mon frère n'a rien fait. Je vous jure que s'il avait tué le capitaine je serais la première à lui rendre la pareille.

La voix avait une sourde véhémence.

— Seulement, il y a des coïncidences. Puis cette histoire du bagne qui revient tout le temps. Du moment que quelqu'un a commis une faute, on lui met sur le dos toutes les responsabilités de ce qui arrive par la suite.

— Quel était le projet de Louis ?

— Ce n'était pas un projet. C'était quelque chose de tout simple. Il avait rencontré un monsieur très riche, je ne sais plus si c'est au Havre ou en Angleterre. Il ne m'a pas dit son nom. Un monsieur qui en avait assez de vivre à terre et qui voulait acheter un yacht pour voyager. Il s'est adressé à Louis afin qu'il lui trouve un bateau.

Ils étaient toujours arrêtés sur la plage d'où on ne voyait guère, de Ouistreham, que le phare d'un blanc cru qui se détachait sur un ciel plus pâle.

— Louis en a parlé à son patron. Parce que, depuis quelque temps, à cause de la crise, Lannec voudrait bien vendre le *Saint-Michel*. Et voilà tout ! Le *Saint-Michel* est le meilleur caboteur qu'on puisse trouver pour le transformer en yacht. D'abord mon frère devait toucher dix mille francs si ça se faisait. Ensuite l'acheteur a parlé de le garder à bord comme capitaine, comme homme de confiance.

Elle regretta ces dernières paroles qui pouvaient prêter à ironie, épia un sourire sur le visage de Maigret et parut lui savoir gré de ne pas dire : « Un forçat comme homme de confiance ! »

Non. Maigret réfléchissait. Il était étonné lui-même de la simplicité de ce récit, simplicité telle qu'elle avait un son troublant de vérité.

— Seulement, vous ne savez pas qui est cet acheteur ?

— Je ne sais pas.

— Où votre frère devait-il le revoir ?

— Je ne sais pas.

— Quand ?

— Très vite. Il paraît que les aménagements devaient se faire en Norvège et que, dans un mois, le yacht serait parti en Méditerranée, vers l'Égypte.

— Un Français ?

— Je ne sais pas.

— Et vous êtes venue aujourd'hui à Notre-Dame-des-Dunes pour reprendre votre coquillage ?

— Parce que j'ai pensé que si on le trouvait on imaginerait tout autre chose que la vérité. Avouez que vous ne me croyez pas ?

Au lieu de répondre, il questionna :

— Vous avez vu votre frère ?

Elle sursauta..

— Quand ?

— Cette nuit ou ce matin ?

— Louis est ici ?

Et cela semblait l'effrayer, la dérouter.

— Le *Saint-Michel* est arrivé.

Ces mots la rassurèrent un peu, comme si elle eût craint de voir arriver son frère sans la goélette.

— Alors il est parti à Caen ?

— Non ! Il est allé se coucher à bord d'une des dragues.

— Marchons ! dit-elle. J'ai froid.

La brise du large était de plus en plus fraîche et le ciel se couvrait davantage.

— Cela lui arrive souvent de dormir dans un vieux bateau ?

Elle ne répondait pas. La conversation tomba d'elle-même. Ils marchèrent sans entendre rien d'autre que le crissement du sable qui se tassait sous leurs pas. Et des poux de mer crépitaient devant eux, dérangés dans leur festin d'algues apportées par la marée.

Deux images se rejoignaient dans la mémoire de Maigret : « Yacht… Stylo en or… »

Et un travail machinal se faisait dans son cerveau. Le matin, le porte-plume était difficilement explicable, parce qu'il ne s'harmonisait pas avec le *Saint-Michel*, ni avec ses hôtes plus ou moins débraillés. « Yacht… Stylo en or… »

C'était plus logique ! Un homme riche, d'un certain âge, qui cherche un yacht pour voyager et qui perd un porte-plume en or…

Seulement, il restait à expliquer pourquoi cet homme, au lieu de pénétrer avec la goélette dans le port, quittait celle-ci à bord du canot, se hissait sur la jetée et allait se cacher dans une drague à moitié pleine d'eau.

— Le soir de la disparition de Joris, quand votre frère est allé vous voir, il ne vous a pas parlé de son acheteur ? Il ne vous a pas dit, par exemple, que celui-ci était à bord ?

— Non… Il m'a seulement affirmé que l'affaire était presque faite.

On atteignait le pied du phare. La maison de Joris était là, à gauche, et dans le jardin il y avait encore des fleurs plantées par le capitaine.

Julie s'assombrit, parut découragée, regarda autour d'elle comme quelqu'un qui ne sait plus que faire dans la vie.

— On va sans doute vous appeler chez le notaire pour le testament. Vous voilà riche…

— Ça ne prend pas ! dit-elle sèchement.

— Que voulez-vous dire ?

— Vous le savez bien… Ces histoires de fortune… Le capitaine n'était pas riche…

— Vous ne pouvez pas le savoir.

— Il ne me cachait rien. S'il avait eu des centaines de mille francs, il me l'aurait dit. Et il n'aurait pas hésité, l'hiver dernier, à s'acheter un fusil de chasse de deux mille francs ! Pourtant il en avait bien envie. Il avait vu celui du maire et il s'était informé du prix…

Maintenant ils étaient à la grille.

— Vous entrez ?

— Non… Je vous verrai peut-être tout à l'heure…

Elle hésitait à pénétrer dans la maison où elle serait toute seule.

Des heures sans grand intérêt. Maigret rôda autour de la drague comme un promeneur du dimanche qui contemple avec un respect instinctif un spectacle mystérieux pour lui. Il y avait des tubes de fort diamètre, des bennes, des chaînes, des cabestans…

Vers onze heures, il prit l'apéritif avec les gens du port.

— On n'a pas vu Grand-Louis ?

On l'avait vu, assez tôt le matin. Il avait bu deux verres de rhum au bistrot et il avait disparu le long de la grand-route.

Maigret avait sommeil. Peut-être, la nuit, avait-il pris froid. Toujours est-il que son humeur était celle de quelqu'un qui couve une grippe. Cela se marquait dans ses attitudes, sur son visage, qui paraissait moins énergique.

Il ne s'en préoccupa pas et cela eut pour conséquence d'accroître l'inquiétude ambiante. Ses compagnons le regardaient à la dérobée. On manquait d'entrain. Le capitaine Delcourt demanda :

— Qu'est-ce que je dois faire du canot ?

— Amarrez-le quelque part !

Maigret eut encore une question maladroite.

— On n'a pas vu, ce matin, un étranger dans les rues ?… On n'a rien remarqué d'anormal du côté des dragues ?…

On n'avait rien vu ! Mais, maintenant qu'il avait dit cela, on s'attendait à voir quelque chose.

C'était curieux : tout le monde s'attendait à un drame ! Un pressentiment ? La sensation que le cycle des événements n'était pas complet, qu'il manquait un anneau à la chaîne ?

Sirène de bateau qui demandait l'écluse. Les hommes se levèrent. Maigret alla lourdement jusqu'à la poste voir s'il n'y avait rien pour lui. Un télégramme de Lucas annonçait son arrivée à deux heures dix.

Et à cette heure-là, le petit train qui longe le canal, de Caen à Ouistreham, pareil à un jouet d'enfant, avec ses wagons du même modèle qu'en 1850, s'annonça dans le lointain, stoppa devant le port dans un vacarme de vapeur sifflante et de freins serrés.

Lucas descendait, la main tendue, s'étonnait du visage renfrogné de Maigret.

— Eh bien ?

— Ça va !

Lucas ne put s'empêcher de rire, en dépit de la hiérarchie.

— On ne le dirait pas ! Vous savez : je n'ai pas déjeuné...

— Viens à l'hôtel... Il restera bien quelque chose à manger...

Ils s'assirent dans la grande salle où le patron servit le brigadier. Les deux hommes parlaient à mi-voix. L'hôtelier semblait attendre le moment d'intervenir.

En apportant le fromage, il crut que l'occasion se présentait et prononça :

— Vous savez ce qui est arrivé au maire ?

Maigret sursauta, si anxieux que le patron en fut dérouté.

— Rien de grave... Enfin, tout à l'heure, en descendant l'escalier, chez lui, il est tombé... On ne sait pas comment il a fait son compte, mais il a la figure si mal arrangée qu'il a dû se mettre au lit...

Alors Maigret eut une intuition. Le mot convient, puisque sa pensée aiguë reconstitua l'événement en l'espace d'une seconde.

— Mme Grandmaison est toujours à Ouistreham ?

— Non ! elle est partie ce matin de bonne heure avec sa fille… Je suppose qu'elle est allée à Caen… Elle a pris la voiture…

Maigret n'avait déjà plus la grippe. Il grommelait :

— Tu en as encore pour longtemps à manger ?

Et Lucas, placide :

— Naturellement ! cela paraît monstrueux de voir quelqu'un faire preuve d'appétit quand on a l'estomac plein… Mettons trois minutes ! N'emportez pas encore le camembert, patron !…

6

La chute dans l'escalier

L'hôtelier n'avait pas menti, mais la nouvelle, telle qu'il l'avait présentée, était à tout le moins exagérée : M. Grandmaison n'était pas au lit.

Quand, après avoir envoyé Lucas surveiller la drague, Maigret se dirigea vers la villa normande, il distingua derrière la fenêtre principale une silhouette dans la pose classique du malade qui doit garder la chambre.

On ne voyait pas les traits. Mais c'était évidemment le maire.

Plus loin dans la pièce quelqu'un était debout, un homme, qu'on ne pouvait reconnaître davantage.

Au moment où Maigret sonna, il y eut, à l'intérieur, plus d'allées et venues qu'il est nécessaire pour venir ouvrir une porte. La servante se montra enfin, une servante entre deux âges, assez revêche. Elle devait avoir un mépris incommensurable pour tous les visiteurs, car elle ne se donna pas la peine de desserrer les dents.

La porte ouverte, elle monta les quelques marches qui conduisaient au hall, laissant à Maigret le soin de refermer l'huis. Puis elle frappa à une porte à deux battants, s'effaça, tandis que le commissaire entrait dans le bureau du maire.

Il y avait dans tout cela quelque chose de bizarre. Non pas d'une étrangeté violente, mais des petits détails qui choquaient, et une atmosphère un peu anormale.

La maison était grande, presque neuve, d'un style qu'on retrouve partout sur les plages.

Mais étant donné la fortune des Grandmaison, propriétaires de la majorité des actions de l'Anglo-Normande, on eût pu s'attendre à plus de richesse.

Peut-être réservaient-ils le faste pour leur demeure de Caen ?

Maigret avait fait trois pas quand une voix prononça :

— Vous voici, commissaire !

La voix venait de la fenêtre. M. Grandmaison était calé au fond d'un vaste fauteuil club, les jambes posées sur une chaise. À cause du contre-jour, on le voyait mal, mais on apercevait un foulard noué autour de son cou en place de faux col et une main qu'il tenait sur la moitié gauche de son visage.

— Asseyez-vous…

Maigret fit le tour de la pièce, pour aller se placer juste en face de l'armateur, où il s'installa enfin. Il avait quelque peine à réprimer un sourire, car le spectacle était inattendu.

La joue gauche de M. Grandmaison, que la main ne pouvait cacher tout à fait, était tuméfiée, la lèvre gonflée. Mais ce que le maire tentait surtout de couvrir, c'était un œil entouré d'un vaste cercle noir.

Ce n'eût pas été comique si l'armateur n'eût voulu néanmoins garder toute sa dignité. Il ne bronchait pas. Il regardait Maigret avec une méfiance agressive.

— Vous venez me faire part des résultats de votre enquête ?

— Non ! Vous m'avez reçu si aimablement l'autre jour, avec ces messieurs du Parquet, que j'ai voulu vous remercier de votre accueil.

Maigret n'avait jamais le sourire ironique. Au contraire ! Plus il persiflait et plus il avait les traits figés dans une expression grave.

Des yeux, il faisait le tour du bureau. Les murs étaient garnis de plans de cargos et de photographies des bateaux de l'Anglo-Normande. Les meubles étaient quelconques, en acajou de bonne qualité, mais sans plus. Sur le bureau, quelques dossiers, des lettres, des télégrammes.

Enfin un plancher verni sur la surface lisse duquel le regard du commissaire semblait prendre plaisir à se promener.

— Il paraît que vous avez eu un accident ?

Le maire soupira, remua les jambes, grommela :

— Un faux pas, en descendant l'escalier.

— Ce matin ? Mme Grandmaison a dû être effrayée !...

— Ma femme était déjà partie.

— Il est vrai que le temps n'est pas favorable à un séjour à la mer !... À moins qu'on ne soit chasseur de canards... Je suppose que Mme Grandmaison est à Caen avec votre fille ?...

— À Paris...

L'armateur était vêtu sans recherche. Un pantalon sombre, une robe de chambre sur une chemise de flanelle grise, des pantoufles de feutre.

— Qu'est-ce qu'il y avait au pied de l'escalier ?

— Que voulez-vous dire ?

— Sur quoi êtes-vous tombé ?

Un regard fielleux. Une réponse sèche :

— Mais… par terre…

C'était faux, archifaux ! On ne se fait pas un œil au beurre noir en tombant par terre ! Et surtout on ne porte pas ensuite au cou des traces de strangulation !

Or, quand le foulard s'écartait un tant soit peu, Maigret voyait parfaitement des ecchymoses qu'on essayait de lui cacher.

— Vous étiez seul dans la maison, naturellement.

— Pourquoi naturellement ?

— Parce que les accidents surviennent toujours quand il n'y a personne pour vous secourir !

— La domestique faisait son marché.

— Il n'y a qu'elle ici ?

— J'ai aussi un jardinier, mais il est parti à Caen, où il a des achats à faire.

— Vous avez dû souffrir…

Le maire était surtout inquiet, à cause précisément de la gravité de Maigret, dont la voix était presque affectueuse.

Il n'était que trois heures trente. N'empêche que la nuit tombait déjà, que la pénombre envahissait la pièce.

— Vous permettez ?…

Il tira sa pipe de sa poche.

— Si vous voulez un cigare, il y en a sur la cheminée.

Il y avait toute une pile de caisses. Sur un plateau, un flacon de vieil armagnac. Les hautes portes étaient en pitchpin verni.

— Mais votre enquête ?…

Geste vague de Maigret, qui s'observait afin de ne pas regarder la porte qui communiquait avec le salon et qui était animée d'un mystérieux frémissement.

— Aucun résultat ?

— Aucun.

— Voulez-vous mon avis ? On a eu le tort de laisser croire à une affaire compliquée.

— Évidemment ! grogna Maigret. Comme s'il y avait quelque chose de compliqué dans les événements ! Un soir, un homme disparaît et pendant un mois ne donne plus signe de vie. On le retrouve à Paris six semaines plus tard, le crâne fêlé et réparé, ayant perdu la mémoire. On le ramène chez lui et il est empoisonné la nuit même. Entre-temps, trois cent mille francs ont été versés, de Hambourg, à son compte en banque. C'est simple ! C'est clair !

Cette fois, il n'y avait pas à s'y tromper, malgré le ton bonhomme du commissaire.

— C'est peut-être plus simple, en tout cas, que vous le croyez. Et en supposant que ce soit très mystérieux, il vaudrait mieux, je pense, ne pas créer comme à plaisir une atmosphère d'angoisse. À force de parler de ces choses dans certains cafés, on arrive à troubler des cerveaux que l'alcool ne rend déjà que trop peu solides.

Un regard dur, inquisiteur, était fixé sur Maigret. Le maire parlait lentement, en détachant les syllabes, et c'était comme un réquisitoire qui commençait.

— Par contre, aucun renseignement n'a été demandé par la police aux autorités compétentes ! … Moi, le maire du pays, je ne sais rien de ce qui se passe là-bas au port…

— Votre jardinier porte des espadrilles ?

Le maire regarda vivement le parquet où on voyait, sur la cire, des traces de pas. Le dessin des semelles de corde tressée était net.

— Je n'en sais rien !

— Excusez-moi de vous avoir interrompu… Une idée qui me passait par la tête… Vous disiez ?…

Mais le fil du discours était coupé. M. Grandmaison grommela :

— Vous voulez me passer la boîte de cigares du haut ?… C'est cela… Merci…

Il en alluma un, eut un soupir de douleur parce qu'il ouvrait trop les mâchoires.

— En somme, où en êtes-vous ?… Il n'est pas possible que vous n'ayez pas recueilli des renseignements intéressants…

— Si peu !

— C'est curieux, car ces gens du port ne manquent généralement pas d'imagination, surtout après quelques apéritifs…

— Je suppose que vous avez envoyé Mme Grandmaison à Paris pour lui épargner le spectacle de tous ces drames ?… Et de ceux qui pourraient éclater encore ?…

Ce n'était pas un combat. N'empêche qu'on sentait, de part et d'autre, des intentions hostiles. Peut-être simplement à cause de la classe sociale que représentaient les deux hommes.

Maigret trinquait avec les éclusiers et les pêcheurs à la *Buvette de la Marine*.

Le maire recevait le Parquet avec du thé, des liqueurs et des petits fours.

Maigret était un homme tout court, sans qu'on pût lui mettre une étiquette.

M. Grandmaison était l'homme d'un milieu bien déterminé. Il était le notable de petite ville, le représentant d'une vieille famille bourgeoise, l'armateur dont les affaires sont prospères et la réputation solide.

Certes, ses allures étaient volontiers démocratiques et il interpellait ses administrés dans les rues de Ouistreham. Mais cette démocratie était condescendante, électorale ! Cela faisait partie d'une ligne de conduite établie.

Maigret donnait une impression de solidité quasi effrayante. M. Grandmaison, avec son visage rose, à bourrelets, perdait vite sa raideur de commande et montrait son désarroi.

Alors, pour reprendre le dessus, il se fâchait.

— Monsieur Maigret… commença-t-il.

Et c'était déjà un poème que sa façon de prononcer ces deux mots-là.

— Monsieur Maigret… je me permets de vous rappeler que, en tant que maire de la commune…

Le commissaire se leva, d'une façon si naturelle que son interlocuteur écarquilla les yeux. Et il marcha vers une des portes, qu'il ouvrit le plus tranquillement du monde.

— Entrez donc, Louis ! C'est énervant de voir sans cesse une porte qui bouge et de vous entendre respirer derrière !

S'il avait espéré un coup de théâtre, il dut déchanter. Grand-Louis obéissait, pénétrait dans le bureau, les épaules et la tête de travers, comme de coutume, et regardait fixement le plancher.

Mais c'était aussi bien l'attitude d'un homme mis dans une situation délicate que celle d'un simple matelot qu'on introduit dans la demeure d'un personnage riche et important.

Quant au maire, il tirait d'épaisses bouffées de son cigare, en regardant devant lui.

On n'y voyait presque plus. Dehors, un bec de gaz était déjà allumé.

— Vous permettez que je fasse de la lumière ? dit Maigret.

— Un instant… Fermez d'abord les rideaux… Il n'est pas nécessaire que les passants… C'est cela… Le cordon de gauche… Doucement…

Grand-Louis, debout au milieu de la pièce, ne bougeait pas. Maigret tourna le commutateur électrique, marcha vers le poêle à feu continu et, d'un geste machinal, se mit à tisonner.

C'était sa manie. Et aussi, quand il était préoccupé, de se tenir devant le feu, les mains derrière le dos, jusqu'à en avoir les reins brûlants.

Est-ce qu'il y avait quelque chose de changé dans la situation ? Toujours est-il que M. Grandmaison avait un regard un peu moqueur en regardant le commissaire, qui réfléchissait profondément.

— Grand-Louis était ici au moment de votre… de votre accident ?

— Non ! répondit une voix sèche.

— C'est dommage ! Vous auriez pu, par exemple, en dégringolant l'escalier, tomber sur son poing nu…

— Et cela vous aurait permis d'accroître l'angoisse dans les petits cafés du port, en racontant là-bas des histoires rocambolesques… Il vaut mieux en finir, n'est-ce pas, commissaire ?… Nous sommes deux… Deux hommes à nous occuper de ce drame… Vous venez de Paris… Vous m'avez ramené de là-bas le capitaine Joris dans un piteux état et tout semble prouver que ce n'est pas à Ouistreham qu'il a été arrangé de la sorte… Vous étiez ici quand il a été tué… Vous menez votre enquête comme bon vous semble…

La voix était incisive.

— Je suis, moi, depuis près de dix ans, le maire du pays. Je connais mes administrés. Je me considère comme responsable de ce qui leur arrive. En tant que maire, je suis, en même temps, chef de la police locale… Eh bien !…

Il s'interrompit un instant pour tirer une bouffée de son cigare dont la cendre croula, s'émietta sur sa robe de chambre.

— Pendant que vous courez les bistrots, je travaille de mon côté, ne vous en déplaise…

— Et vous faites comparaître Grand-Louis…

— J'en ferai comparaître d'autres si bon me semble... Maintenant, je suppose que vous n'avez plus rien d'essentiel à me communiquer ?...

Il se leva, les jambes un peu engourdies, pour reconduire son visiteur vers la porte.

— J'espère, murmura Maigret, que vous ne voyez aucun inconvénient à ce que Louis m'accompagne... Je l'ai déjà interrogé la nuit dernière... Il me reste quelques renseignements à lui demander...

M. Grandmaison fit signe que cela lui était égal. Mais ce fut Grand-Louis qui ne bougea pas, qui regarda fixement le sol comme s'il y eût été rivé.

— Vous venez ?

— Non ! pas tout de suite...

C'était un grognement, comme toutes les phrases du frère de Julie.

— Vous remarquez, dit le maire, que je ne m'oppose nullement à ce qu'il vous suive ! Je tiens à ce que vous m'en donniez acte, afin que vous ne m'accusiez pas de vous mettre des bâtons dans les roues... J'ai fait venir Grand-Louis pour me renseigner sur certains points... S'il demande à rester, c'est vraisemblablement qu'il a encore quelque chose à me dire...

N'empêche que, cette fois, il y avait de l'angoisse dans l'air ! Et pas seulement dans l'air ! Et pas seulement de l'angoisse ! C'était presque de la panique qu'on lisait dans les yeux du magistrat.

Grand-Louis souriait, d'un sourire vague de brute satisfaite.

— Je vous attends dehors ! lui dit le commissaire.

Mais il n'obtint pas de réponse. Le maire seul articula :

— Au plaisir de vous revoir, monsieur le commissaire…

La porte était ouverte. La domestique accourait de la cuisine et, muette, renfrognée, précédait Maigret jusqu'à la porte d'entrée qu'elle referma derrière lui.

La route était déserte. À cent mètres, une lumière, à la fenêtre d'une maison, puis d'autres lumières, de loin en loin, car les constructions sur la route de Riva-Bella sont entourées de jardins assez vastes.

Maigret fit quelques pas, les mains dans les poches, le dos rond, arriva au bout de la grille du jardin, au-delà de laquelle s'étendait un terrain vague.

Toute cette partie de Ouistreham est bâtie le long de la dune. Passé les jardins, il n'y a que du sable et des herbes dures.

Une silhouette dans l'ombre. Une voix :

— C'est vous, commis…

— Lucas ?…

Ils se rapprochèrent vivement l'un de l'autre.

— Qu'est-ce que tu fais ici ?

Lucas ne perdait pas l'enclos de vue. Il parla très bas.

— C'est l'homme de la drague…

— Il en est sorti ?

— Il est ici…

— Depuis longtemps ?

— À peine une quinzaine de minutes… Juste derrière la villa…

— Il a escaladé la grille ?

— Non… On dirait qu'il attend quelqu'un… J'ai entendu vos pas… Alors, je suis venu voir…

— Conduis-moi…

Ils longèrent le jardin, arrivèrent derrière la villa et Lucas poussa un juron.

— Qu'est-ce que tu as ?

— Il n'est plus là…

— Tu es sûr ?

— Il se tenait près du bouquet de tamaris…

— Tu crois qu'il est entré ?

— Je ne sais pas…

— Reste ici… Ne bouge sous aucun prétexte…

Et Maigret courut vers la route. Il ne vit personne. Un rai de lumière filtrait de la fenêtre du bureau, mais on ne pouvait se hisser jusqu'à l'appui.

Alors il n'hésita plus. Il traversa le jardin, sonna à la porte. La servante ouvrit presque aussitôt.

— Je crois que j'ai oublié ma pipe dans le bureau de monsieur le maire…

— Je vais voir.

Elle le laissa sur le seuil, mais dès qu'elle eut disparu il entra, monta quelques marches, sans bruit, jeta un coup d'œil dans le bureau.

Le maire était toujours à sa place, jambes étendues. Un guéridon avait été amené près de lui. De l'autre côté du guéridon, Grand-Louis était assis.

Et, entre eux deux, il y avait un jeu de dames.

L'ex-forçat poussait un pion, aboyait :

— À vous…

Et le maire, regardant avec énervement la servante qui cherchait toujours la pipe, prononçait :

— Vous voyez bien qu'elle n'est pas ici !... Dites au commissaire qu'il a dû la perdre ailleurs !... À vous, Louis...

Et Louis, familier, sûr de lui :

— Vous nous servirez ensuite à boire, Marguerite !

7

Le chef d'orchestre

Quand Maigret sortit de la villa, Lucas comprit que ça allait barder. Le commissaire était à cran. Il regardait fixement devant lui avec l'air de ne rien voir.

— Tu ne l'as pas retrouvé ?

— Je crois que ce n'est même pas la peine de chercher. Il faudrait organiser une battue pour mettre la main sur un homme qui se cache dans les dunes.

Maigret avait boutonné son pardessus jusqu'au cou, enfonçait les mains dans les poches, mordillait le tuyau de sa pipe.

— Tu vois cette fente des rideaux ? fit-il en désignant la fenêtre du bureau. Et tu vois ce petit mur, juste en face ? Eh bien ! je crois qu'une fois debout sur le mur ton regard pourra plonger par la fente.

Lucas était presque aussi gros que lui, en plus court. Il se hissa sur le mur en soupirant, en observant la route des deux côtés pour s'assurer qu'il ne venait pas de passants.

Avec la nuit, le vent s'était levé, un vent du large qui s'intensifiait de minute en minute et secouait les arbres.

— Tu vois quelque chose ?

— Je ne suis pas assez haut. Il s'en faut de quinze ou vingt centimètres.

Sans rien dire, Maigret marcha vers un tas de pierres qui se trouvait au bord de la route, en rapporta quelques-unes.

— Essaie.

— Je vois le bout de la table, mais pas encore les gens…

Et le commissaire alla chercher de nouvelles pierres.

— Ça y est ! Ils jouent aux dames. La servante leur apporte des verres fumants, des grogs, je suppose.

— Reste là !

Et Maigret se mit, lui, à marcher de long en large sur la route. À cent mètres, c'était la *Buvette de la Marine*, puis le port. Une camionnette de boulanger passa. Le commissaire faillit l'arrêter pour s'assurer que personne ne s'y cachait, mais il haussa les épaules.

Il y a des opérations très simples en apparence qui sont pratiquement impossibles. Par exemple, rechercher l'homme qui s'était volatilisé soudain derrière la villa du maire ! Le rechercher dans les dunes, sur la plage, dans le port et dans le village ? Lui barrer toutes les routes ? Vingt gendarmes n'y suffiraient pas et, s'il était intelligent, il parviendrait à passer quand même.

On ne savait même pas qui il était, ni comment il était fait.

Le commissaire revint vers le mur où Lucas restait debout dans une pose inconfortable.

— Qu'est-ce qu'ils font ?

— Ils jouent toujours.

— Et ils parlent ?

— Ils n'ouvrent pas la bouche. Le forçat a les deux coudes sur la table et il en est déjà à son troisième grog.

Un quart d'heure s'écoula encore et, de la route, on perçut une sonnerie. Lucas appela le commissaire.

— Un coup de téléphone. Le maire veut se lever. Mais c'est Grand-Louis qui décroche.

On ne pouvait pas entendre ce qu'il disait. La seule chose certaine, c'est que Grand-Louis paraissait satisfait.

— C'est fini ?

— Ils se remettent à jouer.

— Reste là !

Et Maigret s'éloigna dans la direction de la buvette. Comme tous les soirs, ils étaient quelques-uns à jouer aux cartes et ils voulurent inviter le commissaire à boire.

— Pas maintenant. Vous avez le téléphone, mademoiselle ?

L'appareil était fixé au mur de la cuisine. Une vieille femme nettoyait des poissons.

— Allô ! le bureau de poste de Ouistreham ? Police ! Voulez-vous me dire qui vient d'appeler le numéro du maire, s'il vous plaît ?...

— C'est Caen, monsieur.

— Quel numéro ?

— Le 122... C'est le *Café de la Gare*...

— Je vous remercie...

Il resta un bon moment debout au milieu de la buvette, sans rien voir autour de lui.

— Il y a douze kilomètres d'ici Caen... murmura-t-il soudain.

— Treize ! rectifia le capitaine Delcourt qui venait d'arriver. Comment va, commissaire ?

Maigret n'entendit pas.

— ... soit une petite demi-heure à vélo.

Il se souvint que les éclusiers, qui habitaient presque tous le village, venaient au port à vélo et que ces machines restaient toute la journée en face de la buvette.

— Voulez-vous vous assurer qu'il ne manque pas de bicyclette ?

Et dès lors ce fut comme un engrenage. Le cerveau de Maigret travailla à la façon d'une roue dentée qui emboîtait exactement les événements.

— Sacrebleu ! C'est ma machine qui manque...

Il ne s'étonna pas, ne demanda aucun renseignement, mais il pénétra à nouveau dans la cuisine, décrocha le récepteur :

— Donnez-moi la police de Caen... Oui... Merci... Allô !... Le commissariat principal de police ? Ici, commissaire Maigret, de la P. J. Y a-t-il encore un train pour Paris ?... Vous dites ?... Pas avant onze heures ?... Non !... Écoutez... Veuillez prendre note...

» 1° S'assurer que Mme Grandmaison... la femme de l'armateur, oui !... est bien partie en auto pour Paris.

» 2° Savoir si un inconnu ne s'est pas présenté dans les bureaux ou au domicile des Grandmaison...

» Oui, c'est facile ! Mais ce n'est pas fini. Vous prenez note ?

» 3° Faire le tour des garages de la ville… Combien y en a-t-il ? Une vingtaine ?… Attendez ! Seuls ceux qui louent des voitures sont intéressants… Commencer aux environs de la gare… Bon ! s'informer d'un quidam qui aurait loué une auto avec ou sans chauffeur pour Paris… ou qui aurait acheté une voiture d'occasion… Allô ! Attendez, sacrebleu !… Il est probable qu'il a laissé un vélo à Caen…

» Oui, c'est tout !… Vous disposez d'assez d'agents pour faire tout cela à la fois ?… Bien, entendu !… Dès que vous aurez le moindre renseignement, vous me téléphonerez à la *Buvette de la Marine*, à Ouistreham…

Les gens du port, qui prenaient l'apéritif dans la salle surchauffée, avaient tout entendu et quand Maigret revint les visages étaient graves, brouillés par l'anxiété.

— Vous croyez que mon vélo… ? commença un éclusier.

— Un grog ! commanda Maigret d'une voix sèche.

Ce n'était plus l'homme qui, les jours précédents, le sourire bon enfant, trinquait avec chacun. C'est à peine s'il les voyait, s'il les reconnaissait…

— Le *Saint-Michel* n'est pas revenu de Caen ?

— Il nous est signalé pour la marée du soir. Mais le temps ne lui permettra peut-être pas de sortir.

— Une tempête ?

— Un beau coup de tabac, en tout cas ! Et les vents nordissent, ce qui ne présage rien de bon. Vous n'entendez pas ?…

En tendant l'oreille, on percevait comme un martellement qui était celui des vagues contre les pilotis de la jetée. Et la bourrasque faisait frémir la porte de la buvette.

— Si par hasard on téléphonait pour moi, qu'on vienne m'avertir sur la route... À cent mètres d'ici...

— En face de chez le maire ?

Maigret eut toutes les peines du monde à allumer sa pipe dehors. Les gros nuages qui couraient bas dans le ciel semblaient accrocher la cime des peupliers bordant la route. À cinq mètres, on ne distinguait pas le brigadier Lucas debout sur son mur.

— Rien de nouveau ?

— Ils ne jouent plus. C'est Louis qui a tout à coup brouillé les pions sur le damier d'un geste las.

— Qu'est-ce qu'ils font ?

— Le maire est à moitié étendu dans son fauteuil. L'autre fume des cigares et boit des grogs. Il a déjà déchiqueté une dizaine de cigares, avec un air ironique, comme pour faire enrager l'autre.

— Combien de grogs ?

— Cinq ou six...

Maigret, lui, ne voyait rien, qu'une mince fente lumineuse dans la façade. Des ouvriers maçons rentrèrent à vélo de leur travail, se dirigeant vers le village. Puis ce fut une carriole de paysan. Celui-ci, devinant des gens dans l'ombre, fouetta son cheval et se retourna plusieurs fois avec anxiété.

— La servante ?...

— On ne la voit plus. Elle doit être dans sa cuisine. Je vais rester longtemps ici ?... Dans ce cas, vous feriez bien de me donner quelques nouvelles pierres, que je n'aie pas besoin de me hisser sur la pointe des pieds...

Maigret en apporta. Le fracas de la mer devenait de plus en plus distinct. Les vagues, le long de la plage, devaient atteindre une hauteur de deux mètres et s'écraser sur le sable en écume blanche.

Une porte s'ouvrit et se referma du côté du port. C'était à la buvette. Une silhouette parut, quelqu'un chercha à percer l'obscurité. Maigret s'élança.

— Ah ! c'est vous... On vous demande au téléphone...

C'était déjà Caen.

— Allô !... Commissaire Maigret ? Comment avez-vous deviné ? Mme Grandmaison a traversé Caen ce matin, venant de Ouistreham et se dirigeant vers Paris... Elle a laissé sa fille chez elle, à la garde de la gouvernante... À midi, elle est partie en voiture... Quant à l'inconnu, vous aviez raison... On n'a eu à s'adresser qu'à un seul garage, celui qui se trouve en face de la gare... Un homme est arrivé à vélo... Il a voulu louer une voiture sans chauffeur... On lui a répondu que la maison n'acceptait pas ces sortes d'affaires...

» L'homme paraissait impatient... Il a demandé si tout au moins il pouvait acheter une auto rapide, d'occasion si possible... On lui en a vendu une pour vingt mille francs, qu'il a versés aussitôt... La voiture est jaune, carrossée en torpédo... Comme toutes les voitures à vendre, elle porte la lettre *W*...

— On sait dans quelle direction elle est partie ?

— L'homme s'est renseigné sur la route de Paris, par Lisieux et Évreux.

— Téléphonez à la police et à la gendarmerie de Lisieux, d'Évreux, de Mantes, de Saint-Germain...

Prévenez Paris qu'une surveillance doit être exercée à toutes les portes, surtout à la porte Maillot…

— Il faut arrêter l'auto ?

— Et son occupant, oui ! Vous avez son signalement ?

— Le garagiste l'a donné… Un homme assez grand, entre deux âges, vêtu d'un complet clair, élégant…

— Même consigne que tout à l'heure. Me téléphoner à Ouistreham dès que…

— Pardon ! Il va être sept heures… Le téléphone ne fonctionne plus avec Ouistreham… À moins que vous n'alliez chez le maire…

— Pourquoi ?

— Parce qu'il a le numéro 1 et que la nuit il est relié directement à Caen.

— Mettez quelqu'un au bureau de poste… Si on demande le maire, qu'on se serve de la table d'écoute… Vous avez une voiture ?

— Oui, une petite.

— Cela suffira pour venir m'avertir… Toujours *Buvette de la Marine*.

Dans le bistrot, le capitaine Delcourt risqua :

— C'est l'assassin qu'on poursuit ?

— Je n'en sais rien !

Ces gens ne pouvaient comprendre que Maigret, si cordial, si familier les jours précédents, pût se montrer maintenant aussi lointain, voire hargneux.

Il sortit sans leur donner le moindre renseignement. Dehors, il fonça à nouveau dans le vacarme de la mer et du vent. Il dut boutonner son manteau, surtout pour traverser le pont, que la tempête faisait trembler.

En face de la maison du capitaine Joris, il s'arrêta, hésita un instant, colla son œil à la serrure. Au bout du corridor il vit la porte vitrée de la cuisine, qui était éclairée. Derrière les carreaux on apercevait une silhouette qui allait et venait du fourneau à la table.

Il sonna. Julie s'immobilisa, un plat à la main, déposa celui-ci, ouvrit la porte et s'approcha de l'entrée.

— Qui est là ? questionna-t-elle d'une voix angoissée.

— Commissaire Maigret !

Alors elle ouvrit, s'effaça. Elle était nerveuse. Elle avait encore les yeux rouges. Elle ne cessait de jeter autour d'elle des regards apeurés.

— Entrez... Je suis contente que vous soyez venu. Si vous saviez comme j'ai peur, toute seule, dans la maison ! Je crois que je ne resterai pas ici.

Il atteignit la cuisine, qui était aussi propre et aussi bien rangée que d'habitude.

Sur la table, couverte de toile cirée blanche, il n'y avait qu'un bol, du pain et du beurre. Sur le fourneau, une casserole laissait échapper une odeur sucrée.

— Du chocolat ? s'étonna-t-il.

— Je n'ai pas le goût de cuisiner pour moi seule... Alors, je me prépare du chocolat...

— Faites comme si je n'étais pas là... Mangez...

Elle fit quelques difficultés, puis s'y résigna, emplit son bol, dans lequel elle mit tremper de gros morceaux de pain beurré qu'elle dégusta à la cuiller en regardant droit devant elle.

— Votre frère n'est pas encore venu vous voir ?

— Non ! Je n'y comprends rien... Tout à l'heure, je suis allée jusqu'au port, avec l'espoir de le rencontrer. Les marins, quand ils n'ont rien à faire, sont toujours à rôder dans le port...

— Vous saviez que votre frère était ami avec le maire ?

Elle le regarda avec ahurissement.

— Qu'est-ce que vous voulez dire ?

— Ils sont occupés à jouer aux dames ensemble.

Elle crut à une plaisanterie et quand Maigret lui affirma que c'était la vérité pure elle en fut effarée.

— Je ne comprends pas...

— Pourquoi ?

— Parce que le maire n'est pas si familier que ça avec les gens... Et, surtout, je sais qu'il n'aime pas Louis. Plusieurs fois il lui a cherché des misères. Il voulait même lui refuser son permis de séjour...

— Et avec le capitaine Joris ?

— Quoi ?

— Est-ce que M. Grandmaison était ami avec le capitaine ?

— Comme tout le monde ! Il serre des mains en passant. Il plaisante. Il prononce quelques mots sur la pluie et le beau temps, mais c'est tout. Quelquefois, je vous l'ai déjà dit, il emmenait monsieur à la chasse... Mais c'était pour ne pas être seul...

— Vous n'avez pas encore reçu de lettre du notaire ?

— Oui ! Il m'annonce que je suis légataire universelle... Qu'est-ce que cela veut dire, au juste ? C'est vrai que je vais hériter de la maison ?

— Et de trois cent mille francs, oui !

Elle continua de manger sans un tressaillement, puis elle hocha la tête et murmura :

— Ce n'est pas possible... Il n'y a pas de raison. Puisque je vous dis que je suis sûre que le capitaine n'a jamais eu trois cent mille francs !

— Où était sa place ?... Il dînait dans la cuisine ?

— Où vous êtes, dans le fauteuil d'osier.

— Vous mangiez ensemble ?

— Oui... Sauf que je me levais pour cuisiner et passer les plats... Il aimait lire son journal en dînant... De temps en temps, il lisait un article à haute voix.

Maigret n'était pas d'humeur à faire du sentiment. Et pourtant il était troublé par la quiétude de l'atmosphère. Le tic-tac de l'horloge semblait plus lent que partout ailleurs. Le reflet qui s'étirait sur le balancier de cuivre allait se reproduire sur le mur d'en face. Et cette odeur sucrée de chocolat... L'osier du fauteuil qui avait des craquements familiers au moindre mouvement de Maigret, comme il devait en avoir quand le capitaine Joris y était assis...

Julie avait peur, toute seule, dans la maison. Et pourtant elle hésitait à s'en aller ! Et il comprenait que quelque chose la retînt là, dans le décor intime.

Elle se leva et se dirigea vers la porte. Il la suivit des yeux. C'était pour laisser entrer le chat blanc qui s'approcha d'un plateau plein de lait placé au pied du poêle.

— Pauvre Minou ! dit-elle. Son maître l'aimait bien... Après le dîner, Minou se mettait sur ses genoux et n'en bougeait plus jusqu'au moment d'aller dormir...

Une paix si intense qu'elle avait quelque chose de menaçant ! Une paix chaude et lourde !

— Vous n'avez vraiment rien à me dire, Julie ?

Elle leva vers lui des yeux interrogateurs.

— Je crois que je suis sur le point de découvrir la vérité... Un mot de vous peut m'aider... C'est pourquoi je vous demande si vous n'avez rien à me confier.

— Je vous jure...

— Sur le capitaine Joris ?

— Rien !

— Sur votre frère ?

— Rien... Je vous jure...

— Sur quelqu'un qui serait venu ici et que vous ne connaissez pas !

— Je ne comprends pas.

Elle continuait à manger ce brouet trop sucré dont la seule vue écœurait Maigret.

— Allons ! Je vous laisse.

Elle en fut dépitée. Sa solitude allait recommencer. Une question lui brûlait les lèvres :

— Dites-moi, pour l'enterrement... Je suppose qu'on ne va pas pouvoir attendre si longtemps ? Un mort... ça...

— Il est dans la glace, dit-il avec embarras.

Et elle fut secouée d'un grand frisson.

— Tu es là, Lucas ?

Il faisait si noir qu'on n'y voyait plus rien. Et le vacarme de la tempête couvrait tous les autres bruits. Au port, les hommes, chacun à son poste, attendaient l'arrivée d'un bateau de Glasgow qu'on entendait siffler entre les jetées et qui avait raté sa manœuvre.

— Je suis ici.

— Qu'est-ce qu'ils font ?

— Ils mangent. Je voudrais bien en faire autant. Des crevettes, des palourdes, une omelette et quelque chose qui ressemble à du veau froid.

— Ils sont à la même table ?

— Oui. Grand-Louis toujours appuyé sur ses deux coudes.

— Ils parlent ?

— À peine. De temps en temps les lèvres remuent, mais ils ne doivent pas se dire grand-chose.

— Ils boivent ?

— Louis, oui ! Il y a deux bouteilles de vin sur la table. Des vieilles bouteilles. Le maire verse sans cesse à boire à son compagnon.

— Comme s'il voulait l'enivrer ?

— C'est cela. La servante a une drôle de tête. Quand elle doit passer derrière le matelot elle fait un détour par crainte de le frôler.

— Plus de coup de téléphone ?

— Non. Voilà Louis qui se mouche dans sa serviette et qui se lève. Attendez. Il va chercher un cigare. La caisse est sur la cheminée. Il tend la boîte au maire, qui refuse d'un signe de tête. La domestique apporte le fromage.

Et le brigadier Lucas d'ajouter d'une voix plaintive :

— Si seulement je pouvais m'asseoir ! J'ai les pieds gelés. Je n'ose pas faire un mouvement par crainte de dégringoler.

Ce n'était pas assez pour apitoyer Maigret qui avait été cent fois dans des situations pareilles.

— Je vais t'apporter à manger et à boire.

Son couvert était mis à l'*Hôtel de l'Univers*. Il se contenta de dévorer, debout, un morceau de pâté et du pain. Il prépara un sandwich pour son collègue, emporta le reste de la bouteille de bordeaux.

— Moi qui vous avais fait une bouillabaisse comme vous n'en trouveriez pas à Marseille ! se lamenta le patron.

Mais rien n'avait de prise sur le commissaire, qui regagna le mur, posa pour la dixième fois la même question :

— Qu'est-ce qu'ils font ?

— La servante a débarrassé la table. L'armateur, dans son fauteuil, fume cigarette sur cigarette. Je crois bien que Louis est en train de s'endormir. Il a toujours son cigare aux dents, mais je n'aperçois pas la moindre fumée.

— On lui a encore donné à boire ?

— Un plein verre de la bouteille qui était sur la cheminée.

— De l'armagnac, grogna Maigret.

— Tenez ! Voilà une lumière au second étage. Ce doit être la bonne qui va se coucher. Le maire se lève. Il…

Des éclats de voix, là-bas, du côté de la buvette. Un moteur d'auto. Des mots à peine distincts :

— À cent mètres ? Dans la maison ?…

— Non… en face.

Maigret marcha à la rencontre de la voiture qui se remettait en route. Il l'arrêta assez loin de la villa du maire pour que celui-ci ne fût pas alerté, reconnut des uniformes.

— Des nouvelles ?

— Évreux annonce que l'homme à la voiture jaune est arrêté.

— Qui est-ce ?

— Attendez ! Il proteste ! Il menace d'en appeler à son ambassadeur.

— Il est étranger ?

— Norvégien ! Évreux nous a dit son nom au téléphone, mais il a été impossible de comprendre. Martineau… Ou Motineau… Il paraît que ses papiers sont en règle… La gendarmerie demande ce qu'elle doit en faire…

— Qu'on l'amène ici, avec la voiture jaune… Il y a bien un gendarme qui sait conduire. Filez à Caen… Essayez de savoir où descend Mme Grandmaison quand elle séjourne à Paris…

— On nous l'a déjà dit tout à l'heure. *Hôtel de Lutèce*, boulevard Raspail…

— Téléphonez de Caen pour savoir si elle est arrivée et ce qu'elle fait. Attendez ! Si elle est là-bas, demandez de ma part à la Police Judiciaire d'envoyer un inspecteur avec mission de la suivre discrètement…

L'auto dut faire trois manœuvres pour tourner sur la route étroite. Maigret s'avança à nouveau vers le mur de Lucas, mais celui-ci était en train d'en descendre.

— Qu'est-ce que tu fais ?

— Il n'y a plus rien à voir.

— Ils sont partis ?

— Non ! Mais le maire s'est approché du rideau et l'a fermé hermétiquement…

À cent mètres, on voyait le bateau de Glasgow entrer doucement dans l'écluse et on entendait des ordres donnés en anglais. Un coup de vent emporta de ce côté le chapeau du commissaire.

La fenêtre du deuxième étage sombrait soudain dans l'obscurité, si bien que la façade de la villa était toute noire.

8

L'enquête du maire

Maigret était debout au milieu de la route, les deux mains dans les poches, le front soucieux.

— Vous êtes inquiet ? s'enquit Lucas, qui connaissait son chef.

Il devait l'être aussi, car il regardait d'un œil maussade la villa qui se dressait devant eux.

— C'est dedans qu'il faudrait être, grommela le commissaire en inspectant les fenêtres les unes après les autres.

Mais elles étaient toutes fermées. Il n'y avait aucun moyen de pénétrer dans la maison. Maigret s'approcha de la porte, sans bruit, pencha la tête pour écouter. Il fit signe à Lucas de se taire. Et tous deux finirent par avoir l'oreille collée au battant de chêne.

On n'entendait pas une voix, pas une parole n'était prononcée. Par contre, il y avait des piétinements dans le bureau, et des coups sourds, rythmés.

Est-ce que les deux hommes se battaient ? C'était improbable, car les bruits n'eussent pu avoir cette régularité. Deux hommes qui se battent vont et viennent, se bousculent, heurtent les meubles, et les coups sont tantôt espacés, tantôt précipités.

Ici, c'était un pilonnage. Et on devinait même le souffle de celui qui frappait :

— Han ! Han ! Han !

En contrepoint, un râle sourd.

Les yeux de Maigret rencontrèrent ceux du brigadier. Le commissaire tendit la main en regardant la serrure et l'autre comprit, tira un trousseau de rossignols de sa poche.

— Pas de bruit.

On eût dit que le silence s'était fait à l'intérieur. Un silence lourd d'angoisse. Plus de coups. Plus de pas. Peut-être – mais c'était si vague – un souffle rauque d'homme qui est à bout de forces.

Un signe de Lucas. La porte s'ouvrait. De la lumière filtrait, à gauche, du bureau. Maigret haussa les épaules avec un rien de rage. Il outrepassait ses droits. Il les outrepassait même gravement, et ce chez un personnage officiel et grincheux comme le maire de Ouistreham.

— Tant pis !

Du corridor, il entendait nettement une respiration, mais une seule. Et rien ne bougeait. Lucas avait porté la main à son revolver. Maigret ouvrit la porte, d'une poussée.

Il s'arrêta, gêné, désemparé comme il l'avait rarement été. S'était-il attendu à la découverte d'un nouveau drame ?

C'était autre chose ! Et c'était aussi déroutant que possible. M. Grandmaison était là, la lèvre fendue, du sang plein le menton et la robe de chambre, les cheveux défaits, l'air aussi abruti qu'un boxeur qui se relève après un *knock-out*.

D'ailleurs, tenant à peine debout, il était appuyé dans l'angle de la cheminée, tellement penché en arrière que c'était miracle qu'il ne tombât pas.

À deux pas, Grand-Louis, débraillé, du sang sur les poings qu'il tenait encore serrés – du sang du maire !

C'était la respiration de Grand-Louis qu'on entendait du corridor ! C'était lui qui était essoufflé, sans doute à force d'avoir frappé. Son haleine était chargée de relents d'alcool. Des verres, sur la table, étaient renversés.

La stupeur était telle du côté des policiers, l'abrutissement si complet de l'autre, qu'une longue minute au moins s'écoula sans qu'un mot fût prononcé.

Puis M. Grandmaison épongea sa lèvre et son menton avec un pan de sa robe de chambre, fit un effort pour se tenir droit, bégaya :

— Qu'est-ce que… qu'est-ce que… ?

— Vous voudrez bien m'excuser, dit Maigret avec politesse, d'avoir pénétré chez vous… J'ai entendu du bruit… La porte n'était pas fermée.

— Ce n'est pas vrai !

Et, pour lancer ces mots, le maire avait recouvré son énergie.

— De toute façon, je me félicite d'être arrivé à temps pour vous protéger et…

Un coup d'œil vers Grand-Louis, qui ne paraissait pas le moins du monde embarrassé et qui même, maintenant, esquissait un drôle de sourire et guettait les faits et gestes du maire.

— Je n'ai pas besoin d'être protégé…

— Pourtant, cet homme vous a attaqué…

Debout devant le miroir, M. Grandmaison mettait un peu d'ordre dans sa toilette, s'énervait en voyant que son sang ne voulait pas s'étancher.

Et c'était à ce moment un mélange extraordinaire, troublant, de force, de faiblesse, d'assurance et de veulerie.

Son œil au beurre noir, ses meurtrissures et ses plaies enlevaient à son visage ce qu'il avait d'un peu poupin. Les yeux avaient des reflets glauques.

Il reprenait son aplomb avec une rapidité inattendue et il finit, adossé à la cheminée, par faire tête aux policiers.

— Je suppose que vous avez forcé ma porte…

— Pardon ! Nous avons voulu nous porter à votre secours.

— C'est faux, puisque vous ignoriez que je courusse un danger quelconque ! *Et je n'en courais pas !*

Il détacha avec affectation les dernières syllabes.

Le regard de Maigret examina de haut en bas et de bas en haut la silhouette redoutable de Grand-Louis.

— J'espère, néanmoins, que vous me permettez d'emmener ce monsieur…

— Pas du tout !

— Il vous a frappé. Et même d'une façon assez cruelle…

— Nous nous sommes expliqués ! Cela ne regarde que moi !

— J'ai tout lieu de penser que c'est sur lui que vous êtes tombé, ce matin, en descendant un peu vite l'escalier…

Il eût fallu pouvoir photographier le sourire de Grand-Louis. Il était au comble de la jubilation. Tout en reprenant son souffle, il ne perdait rien de ce qui se passait autour de lui. Et cette scène semblait lui faire un plaisir extrême. Il en savourait tout le sel ! Sans doute en connaissait-il, lui, les ressorts cachés !

— Je vous ai dit tout à l'heure, monsieur Maigret, que j'ai entrepris une enquête de mon côté.

» Je ne m'occupe pas de la vôtre. Veuillez ne pas vous occuper de la mienne... Et ne vous étonnez pas si je porte plainte pour violation de domicile avec effraction...

Il eût été difficile de dire si c'était plus comique que tragique ! Il voulait être digne ! Il se tenait très droit ! Mais sa lèvre saignait ! Mais son visage n'était qu'une ecchymose ! Mais sa robe de chambre était fripée !

Enfin il y avait Grand-Louis qui avait l'air de l'encourager !

Il y avait surtout la scène précédente, qu'il n'était pas difficile de reconstituer : le forçat qui frappait à bras raccourcis, qui frappait tant et si bien qu'il finissait par n'avoir plus la force de lever le poing.

— Vous voudrez bien m'excuser, monsieur le maire, si je ne m'en vais pas immédiatement. Étant donné que vous êtes le seul à Ouistreham à être relié téléphoniquement la nuit, je me suis permis de me faire adresser ici quelques communications.

Pour toute réponse, M. Grandmaison dit sèchement :

— Fermez la porte !

Car elle était restée ouverte. Il ramassa un des cigares épars sur la cheminée, voulut l'allumer, mais le contact du tabac avec sa lèvre blessée dut être douloureux, car il le rejeta avec fièvre.

— Tu veux me demander Caen, Lucas ?

Il ne cessait d'observer le maire, puis Grand-Louis, puis encore le maire. Et il avait peine à fixer ses pensées.

Par exemple, à première vue, c'était M. Grandmaison qui, des deux hommes, semblait avoir le dessous, être le plus faible, non seulement physiquement mais moralement.

Il avait été battu, surpris dans la position la plus humiliante qui soit !

Eh bien non ! en quelques minutes, il reprenait conscience de lui-même. Il parvenait à reconquérir une partie de son prestige de grand bourgeois.

Il était presque calme. Il avait le regard hautain.

Grand-Louis avait le rôle facile. Il avait eu le dessus. Il n'était pas blessé, pas même meurtri. Tout à l'heure, son sourire ineffable disait une joie quasi enfantine.

Et c'est maintenant qu'il commençait à avoir l'air ennuyé, à ne savoir que faire, ni où se mettre, ni où regarder.

Alors Maigret se posait la question : « En supposant que l'un d'eux soit un chef, qui est-ce ? »

Il était bien embarrassé de répondre. Grandmaison, à certains moments. Louis, à d'autres.

— Allô ! Police de Caen ? Le commissaire Maigret me prie de vous dire qu'il sera toute la nuit dans la maison du maire… Oui… Téléphonez au numéro 1… Allô !… Vous avez du nouveau ? Déjà Lisieux ?… Merci… Oui.

Et, à son chef :

— L'auto vient de passer à Lisieux. Elle sera ici dans trois quarts d'heure.

— Je crois vous avoir entendu dire… commença le maire.

— Que je resterai ici toute la nuit, oui. Avec votre permission, bien entendu. Par deux fois, vous m'avez parlé de votre enquête personnelle. Si bien que je crois ne pas pouvoir mieux faire que de vous demander l'autorisation de réunir les résultats que nous avons obtenus de part et d'autre.

Maigret n'était pas ironique. Il était furieux. Furieux de cette situation invraisemblable dans laquelle il s'était mis. Furieux de n'y rien comprendre.

— Voulez-vous m'expliquer, Grand-Louis, pourquoi, quand nous sommes arrivés, vous étiez en train de… hum ! de frapper à bras raccourcis sur monsieur le maire ?

Mais Grand-Louis ne répondit pas, regarda l'armateur comme pour dire : « Parlez, vous ! »

Et M. Grandmaison de prononcer sèchement :

— Cela me regarde.

— Évidemment ! Tout le monde a le droit de se faire battre s'il aime ça ! grommela Maigret au comble de la mauvaise humeur. Demande-moi l'*Hôtel de Lutèce*, Lucas.

Le coup porta. M. Grandmaison ouvrit la bouche pour parler. Sa main se crispa sur l'appui de marbre de la cheminée.

Lucas parlait au téléphone.

— Trois minutes d'attente ?… Merci… Oui…

Et Maigret à voix haute :

— Vous ne trouvez pas que cette enquête prend une drôle de tournure ? Au fait, monsieur Grandmaison... vous allez peut-être me rendre un service... Vous qui êtes armateur, vous devez connaître les gens d'un peu tous les pays. Avez-vous entendu parler d'un certain... attendez donc... un certain Martineau... ou Motineau... de Bergen ou de Trondheim... Un Norvégien, en tout cas...

Silence ! Les yeux de Grand-Louis étaient devenus durs. Machinalement, il se versa à boire dans un des verres renversés sur la table.

— Dommage que vous ne le connaissiez pas... Il va venir...

Ce fut tout ! Pas la peine d'ajouter un seul mot ! Personne ne répondrait plus ! Personne n'aurait même un tressaillement ! Cela se sentait aux positions prises.

M. Grandmaison avait changé de tactique. Toujours adossé à la cheminée, devant le feu de boulets qui lui cuisait les mollets, il regardait par terre, d'un air aussi indifférent que possible.

Drôle de visage ! Des traits flous, avec des marques rouges et bleues, du sang sur le menton ! Un mélange d'énergie concentrée et de panique, ou de douleur.

Grand-Louis, lui, s'était installé à califourchon sur une chaise. Après avoir bâillé trois ou quatre fois, il parut sommeiller.

Sonnerie de téléphone. Maigret décrocha vivement.

— Allô ! l'*Hôtel de Lutèce* ? Allô ?... Ne coupez pas... Veuillez me donner Mme Grandmaison...

Oui ! Elle a dû arriver ce soir ou cet après-midi... J'attends, oui !

— Je suppose, dit la voix mate du maire, que vous n'avez pas l'intention de mêler ma femme à vos agissements pour le moins étranges.

Pas de réponse. Maigret attendait, le récepteur à l'oreille, le regard rivé au tapis de table.

— Allô ! oui... Vous dites ?... Elle est déjà repartie ?... Un instant... Procédons avec ordre... À quelle heure cette dame est-elle arrivée ?... Sept heures... Très bien !... Avec sa voiture et son chauffeur... Vous dites qu'elle a dîné à l'hôtel et qu'elle a ensuite été appelée au téléphone... Elle est partie tout de suite ? ... Merci... Non ! Cela suffit...

Personne ne bronchait. M. Grandmaison semblait plus calme. Maigret raccrocha, décrocha à nouveau.

— Allô ! Le bureau de poste de Caen ?... Ici, police... Voulez-vous me dire si le numéro d'où je vous téléphone a demandé une communication avec Paris avant celle que je viens d'obtenir... Oui ?... Il y a un quart d'heure environ ?... L'*Hôtel de Lutèce*, n'est-ce pas ?... Je vous remercie...

Son front était perlé de sueur. Il bourra lentement une pipe, à petits coups d'index. Puis il se versa à boire dans un des deux verres qui se trouvaient sur la table.

— Je suppose que vous vous rendez compte, commissaire, que tout ce que vous faites en ce moment est illégal. Vous avez pénétré ici par effraction. Vous y restez sans y être invité. Vous risquez de semer la panique dans ma famille et enfin, en face d'une tierce personne, vous me traitez comme un coupable. De tout cela, vous rendrez des comptes.

— Entendu !

— Puisque aussi bien je ne suis plus rien chez moi, je vous demande la permission d'aller me coucher.

— Non !

Et Maigret tendait l'oreille à un bruit encore lointain de moteur.

— Va leur ouvrir la porte, Lucas.

Machinalement, il jeta une pelletée de boulets dans le foyer, se retourna au moment précis où de nouveaux personnages entraient dans la pièce.

Il y avait deux gendarmes d'Évreux qui encadraient un homme, menottes aux poings.

— Laissez-nous, dit-il aux gendarmes. Ou plutôt allez m'attendre, toute la nuit s'il le faut, à la buvette du coin.

Le maire n'avait pas bougé. Le marin non plus. À croire qu'ils n'avaient rien vu, ou qu'ils ne voulaient rien voir. Quant au nouveau venu, il était calme et un sourire flotta sur ses lèvres à la vue du visage tuméfié de M. Grandmaison.

— À qui dois-je m'adresser ? questionna-t-il en regardant à la ronde.

Maigret, qui haussait les épaules comme pour dire que les gendarmes avaient fait du zèle, tira une petite clef de sa poche et ouvrit les menottes.

— Je vous remercie… J'ai été assez étonné de…

Et la voix furibonde de Maigret :

— De quoi ? D'être arrêté ? Vous êtes sûr que vous avez été si étonné que ça ?

— C'est-à-dire que j'attends toujours de savoir ce qu'on me reproche.

— Ne fût-ce déjà que d'avoir volé un vélo !

— Pardon ! Emprunté ! Le garagiste à qui j'ai acheté la voiture vous le dira ! Je lui ai confié le vélo avec mission de le renvoyer à Ouistreham et de remettre une indemnité à son propriétaire…

— Tiens ! Tiens ! Mais, au fait, vous n'êtes pas norvégien…

L'homme n'en avait ni l'accent ni le type physique. Il était grand, bien bâti, encore jeune. Ses vêtements élégants étaient un peu fripés.

— Pardon ! Je ne suis pas norvégien de naissance, mais je suis norvégien quand même, par naturalisation…

— Et vous habitez Bergen ?

— Tromsø, dans les îles Lofoten.

— Vous êtes commerçant ?

— Je possède une usine pour traiter les déchets de morue.

— Comme, par exemple, la rogue.

— La rogue et le reste… Avec les têtes et les foies on fait de l'huile… Avec les arêtes on fabrique des engrais…

— C'est parfait ! Parfait ! Parfait ! Il ne reste qu'à savoir ce que vous faisiez à Ouistreham la nuit du 16 au 17 septembre…

L'homme ne se troubla pas, regarda lentement autour de lui, prononça :

— Je n'étais pas à Ouistreham.

— Où étiez-vous ?

— Et vous ?

Il se reprit, avec un sourire.

— Je veux dire : seriez-vous capable, à brûle-pourpoint, de dire ce que vous faisiez tel jour à telle heure, alors que plus d'un mois s'est écoulé ?

— Vous étiez en Norvège ?

— C'est probable.

— Tenez !

Et Maigret tendit à son interlocuteur le porte-plume en or que le Norvégien mit dans sa poche le plus naturellement du monde en disant merci.

Un bel homme, ma foi, du même âge et de même taille que le maire, mais plus mince, plus nerveux. Ses yeux sombres reflétaient une vie intense. Et le sourire de ses lèvres minces trahissait une grande confiance en soi.

Il répondait poliment, avec amabilité, aux questions du commissaire.

— Je suppose, dit-il, qu'il s'agit d'une erreur, et je serais heureux de reprendre mon voyage à Paris…

— C'est une autre question. Où avez-vous fait la connaissance de Grand-Louis ?

Contrairement à l'attente de Maigret, le regard du Norvégien ne se porta pas sur le matelot.

— Grand-Louis ? répéta-t-il.

— C'est au cours de ses voyages comme capitaine que vous avez connu Joris ?

— Pardon. Je ne comprends pas.

— Évidemment ! Et si je vous demande pourquoi vous avez préféré dormir à bord d'une drague désarmée plutôt qu'à l'hôtel vous me regarderez avec des yeux ronds.

— Ma foi. Avouez qu'à ma place…

— Et pourtant vous êtes arrivé hier à Ouistreham à bord du *Saint-Michel*. Vous avez débarqué avant l'entrée au port, avec le canot de la goélette.

Vous vous êtes dirigé vers la drague et vous y avez passé la nuit. Cet après-midi, vous avez fait le tour de la villa où nous sommes, puis vous avez emprunté un vélo et vous avez filé vers Caen. Achat d'une auto. Départ vers Paris. Est-ce Mme Grandmaison que vous alliez rejoindre à l'*Hôtel de Lutèce* ? Dans ce cas, ce n'est pas la peine de repartir. Ou je me trompe fort, ou elle arrivera cette nuit.

Un silence. Le maire était changé en statue et son regard était si fixe qu'on n'y sentait palpiter nulle vie. Grand-Louis se grattait la tête et bâillait, toujours assis, tout seul au milieu de gens debout.

— Vous vous appelez Martineau ?

— Jean Martineau, oui !

— Eh bien, monsieur Jean Martineau, réfléchissez ! Voyez si vous n'avez vraiment rien à me dire. Il y a bien des chances pour qu'une des personnes ici présentes passe un de ces jours en cour d'assises.

— Non seulement je n'ai rien à vous dire, mais je vous demanderai la permission d'avertir mon consul afin qu'il fasse le nécessaire...

Et de deux ! M. Grandmaison avait menacé de porter plainte ! Martineau allait en faire autant ! Il n'y avait que Grand-Louis à ne pas menacer, à accepter toutes ces situations avec philosophie, pourvu qu'il eût quelque chose à boire.

On entendait dehors le vacarme de la tempête qui, à marée haute, atteignait à son paroxysme.

La tête de Lucas était éloquente. Nul doute qu'il pensait : « Nous voilà dans de jolis draps ! Pourvu, maintenant, qu'on trouve quelque chose !... »

Maigret marchait de long en large, en fumant sa pipe à bouffées rageuses.

— En somme, vous ne savez rien, ni l'un ni l'autre, sur les aventures et la mort du capitaine Joris ?

Des signes négatifs. Le silence. Le regard de Maigret revenait sans cesse vers Martineau.

Puis des pas précipités, dehors, des coups nerveux frappés à la porte. Lucas, après un instant d'hésitation, alla l'ouvrir. Quelqu'un entra en courant : Julie, tout essoufflée, qui commença, haletante :

— Commissaire... Mon... mon frère...

Et au même moment elle se taisait, restait interdite devant Grand-Louis qui se levait, dressait devant elle sa silhouette énorme.

— Votre frère... ? insista Maigret.

— Rien... je...

Elle essaya de sourire tout en reprenant son souffle. Comme elle marchait à reculons, elle heurta Martineau, se tourna vers lui sans paraître le connaître et balbutia :

— Pardon, monsieur...

Le vent s'engouffrait par la porte qu'on avait oublié de refermer.

9

La conjuration du silence

Julie s'expliquait, en phrases hachées.

— J'étais toute seule à la maison… J'avais peur… Je m'étais couchée sans me déshabiller… On a frappé de grands coups à la porte… C'était Lannec, le capitaine de mon frère…

— Le *Saint-Michel* est arrivé ?

— Il était dans l'écluse quand je suis venue… Lannec voulait voir mon frère tout de suite… Il paraît qu'ils sont pressés de partir… Je lui ai dit que Louis n'était pas seulement venu à la maison… Et c'est lui qui m'a inquiétée, en grommelant des choses que je n'ai pas comprises…

— Pourquoi êtes-vous venue ici ? questionna Maigret.

— J'ai demandé si Louis courait un danger… Lannec m'a dit que oui, qu'il était peut-être déjà trop tard… Alors, je me suis informée, au port, et on m'a dit que vous étiez là…

Grand-Louis regardait par terre d'un air ennuyé, haussait les épaules comme pour signifier que les femmes s'affolent pour rien.

— Vous courez un danger ? demanda Maigret en cherchant son regard.

Et l'autre de rire. Un gros rire, beaucoup plus idiot que son rire habituel.

— Pourquoi Lannec s'est-il inquiété ?

— Est-ce que je sais ?

Et, faisant le tour de l'assemblée, Maigret articula pensivement, avec une pointe de rancœur :

— En somme, vous ne savez rien ! Et tout le monde est dans le même cas ! Vous, monsieur le maire, vous ne connaissez pas M. Martineau et vous ignorez pourquoi Grand-Louis, reçu chez vous comme un ami, jouant aux dames avec vous et mangeant à votre table, se met soudain à vous marteler le visage de coups de poing…

Pas de réponse.

— Que dis-je ? Vous acceptez ce traitement, qui vous semble naturel ! Vous ne vous défendez pas ! Vous refusez de porter plainte ! Vous évitez même de mettre Grand-Louis à la porte…

Et, à Grand-Louis :

— Vous, vous ne savez rien non plus ! Vous couchez à bord de la drague, mais vous ignorez qui est avec vous à bord… Vous êtes reçu ici et vous payez votre hospitalité par des raclées magistrales que vous offrez au maître de maison… Vous n'avez jamais vu M. Martineau…

Pas un tressaillement. Rien que des visages butés, des regards fixés au tapis.

— Et vous, monsieur Martineau, vous n'en savez pas davantage. Est-ce que vous savez seulement par quel moyen vous êtes venu de Norvège en France ? …

Non !... Vous préférez une couchette à bord de la drague abandonnée à un lit d'hôtel... Vous partez à vélo, achetez une auto pour aller à Paris... Mais vous ne savez rien ! Vous ne connaissez pas M. Grandmaison, ni Louis, ni le capitaine Joris... Et, naturellement, Julie, vous en savez encore moins que les autres...

Il regarda Lucas d'un air découragé. Lucas comprit. On ne pouvait songer à arrêter tout le monde. Contre chacun on pouvait relever des bizarreries, des mensonges ou des contradictions.

Mais pas une charge, à proprement parler !

L'horloge marquait onze heures du soir. Maigret vida sa pipe dans le foyer et reprit de sa voix bougonne :

— Je me vois obligé de vous prier, tous, de vous tenir à la disposition de la Justice... J'aurai certainement des renseignements à vous demander à nouveau, en dépit de votre ignorance... Je suppose, monsieur le maire, que vous n'avez pas l'intention de quitter Ouistreham ?

— Non !

— Je vous remercie... Vous, monsieur Martineau, vous pourriez prendre une chambre à l'*Hôtel de l'Univers*, où je suis descendu moi-même...

Le Norvégien s'inclina.

— Conduis monsieur à l'*Univers*, Lucas !...

Et, s'adressant à Grand-Louis et à Julie :

— Vous deux, venez avec moi...

Il sortit, rendit la liberté aux deux gendarmes qui attendaient, vit Lucas et Martineau bifurquer dans la direction de l'hôtel où le patron attendait de pouvoir se coucher.

Julie était sortie sans endosser de manteau et son frère, en la voyant frissonner, retira sa veste qu'il lui mit de force sur les épaules.

Il était difficile de parler, à cause de la tempête. Il fallait marcher courbé en avant et c'était un sifflement continu dans les oreilles, une bise glacée sur le visage au point que les paupières en étaient endolories.

Devant le port, on vit la buvette éclairée et les éclusiers qui, entre deux bassinées, accouraient, battaient la semelle, buvaient des grogs brûlants. Les visages se tournèrent vers le trio, qui marchait toujours dans la bourrasque et s'engageait sur le pont.

— C'est le *Saint-Michel* ? questionna Maigret.

Un voilier sortait de l'écluse, pénétrait dans l'avant-port. Mais il paraissait beaucoup plus haut que la goélette que Maigret connaissait.

— Sont sur lest ! grogna le matelot.

C'est-à-dire que le *Saint-Michel* avait déchargé à Caen et qu'il naviguait à vide pour prendre ailleurs une nouvelle cargaison.

Ils étaient sur le point d'atteindre la petite maison de Joris quand une ombre s'approcha. Il fallait se regarder visage contre visage pour se reconnaître.

Une voix, qui n'était pas très ferme, dit à Grand-Louis :

— Ah ! te voilà... Dépêche-toi, qu'on appareille...

Maigret fixa le petit capitaine breton, puis la mer qui s'élançait à l'assaut des jetées dans un vacarme continu. Et le ciel était dramatique, semé de nuages tumultueux.

Le *Saint-Michel*, amarré aux pilotis, stagnait dans l'ombre, avec seulement la pointe de lumière d'une lampe posée sur le rouf.

— Vous voulez partir ?... questionna le commissaire.

— Pardi !

— Pour aller où ?

— Charger du vin à La Rochelle...

— Vous avez absolument besoin de Grand-Louis ?

— Si vous croyez qu'on peut naviguer à deux par ce temps-là !

Julie avait froid. Elle restait là, à écouter, tout en piétinant le sol. Son frère regardait tour à tour Maigret et le caboteur dont les poulies grinçaient.

— Allez m'attendre à bord ! dit le commissaire à Lannec.

— C'est que...

— Quoi ?

— Dans deux heures, nous n'aurons plus assez d'eau pour prendre le large...

Et une inquiétude sourde passait dans ses yeux. Il était mal à l'aise, c'était évident. Il sautait d'une jambe à l'autre. Son regard ne parvenait à se fixer nulle part.

— Faut que je gagne ma vie, moi !

Et il y eut entre lui et Louis un échange de coups d'œil que Maigret fut certain de deviner. Il y a des moments où l'intuition est plus développée qu'à d'autres.

Le petit capitaine, nerveux, semblait dire : « Le bateau n'est pas loin... Il n'y a qu'une amarre à larguer… Un coup de poing au policier et on est clair… »

Grand-Louis hésitait, regardait sa sœur d'un air lugubre, soupirait, hochait négativement la tête.

— Allez m'attendre à bord ! répéta Maigret.

— Mais…

Il ne répondit pas, fit signe aux deux autres de le suivre dans la maison.

C'était la première fois que Maigret voyait réunis le frère et la sœur. Ils se tenaient tous trois dans la cuisine du capitaine Joris, où il y avait un bon feu… Le tirage était si fort que parfois, dans le fourneau de tôle, un ronflement finissait en détonation.

— Donnez-nous quelque chose à boire… dit le commissaire à Julie, qui alla prendre dans le placard une carafe d'alcool et des verres décorés.

Il était de trop, il le sentait. Julie aurait donné gros pour rester en tête à tête avec son frère. Celui-ci la suivait des yeux et l'on devinait chez lui une grande affection en même temps qu'un attendrissement de brute.

En vraie ménagère qu'elle était, Julie resta debout après avoir servi les deux hommes et rechargea son poêle.

— À la mémoire du capitaine Joris… dit Maigret en levant son verre.

Puis un long silence. Le commissaire le voulait. Il donnait à chacun le temps de s'imprégner de la chaude et quiète atmosphère de la cuisine.

Petit à petit le ronflement du poêle, accompagné du tic-tac de l'horloge à balancier, devenait comme une musique. Après la bourrasque du dehors, le sang montait aux joues, les prunelles étaient luisantes. Et un aigre fumet de calvados montait dans l'air.

— Le capitaine Joris… répéta Maigret d'une voix rêveuse. Au fait, je suis à sa place, dans son fauteuil… Un fauteuil dont l'osier criait à chaque mouvement… S'il vivait, il rentrerait du port et sans doute demanderait-il aussi un verre d'alcool pour se réchauffer… N'est-ce pas, Julie ?…

Elle écarquilla les yeux, puis détourna la tête.

— Il ne monterait pas se coucher tout de suite… Je parie qu'il retirerait ses chaussures… Vous apporteriez ses pantoufles… Il vous dirait : « Sale temps… N'empêche que le *Saint-Michel* a voulu prendre la mer, que Dieu l'aide… »

— Comment savez-vous ?

— Quoi ?

— Qu'il disait « que Dieu l'aide » ?… C'est bien ça !…

Elle était tout émue. Elle regardait Maigret avec une pointe de reconnaissance.

Grand-Louis faisait le dos rond.

— Il ne le dira plus… Voilà ! il était heureux… Il avait une jolie maison, un jardin avec des fleurs qu'il aimait, des économies… Il paraît que tout le monde l'adorait… Et pourtant il y a quelqu'un qui a mis fin à tout ça, brusquement, avec un peu de poudre blanche dans un verre d'eau…

Le visage de Julie était contracté. Elle ne voulait pas pleurer. Elle faisait un violent effort.

— Un peu de poudre blanche et ç'a été fini !… Et celui qui a fait cela sera peut-être heureux, lui, parce que personne ne sait qui il est !… Sans doute tout à l'heure était-il parmi nous…

— Taisez-vous ! supplia Julie en joignant les mains, tandis que les larmes coulaient enfin.

Mais le commissaire savait où il allait. Il continuait à parler à voix basse, lentement, mot par mot. Et c'était à peine une comédie. Il s'y laissait prendre lui-même. Il était sensible à la nostalgie de cette atmosphère où il évoquait, lui aussi, la silhouette trapue du chef du port.

— Mort, il n'a plus qu'un ami… C'est moi !… Un homme qui se débat tout seul pour savoir la vérité, pour empêcher l'assassin de Joris d'être heureux…

Julie sanglotait, toute résistance brisée, et Maigret poursuivait :

— Seulement, autour du mort, tout le monde se tait, tout le monde ment, au point qu'on pourrait croire que tout le monde a quelque chose à se reprocher, que tout le monde est complice !

— Ce n'est pas vrai ! cria-t-elle.

Et Grand-Louis, de plus en plus mal à l'aise, se versa à boire, emplit en même temps le verre du commissaire.

— Grand-Louis, le premier, se tait.

Julie regarda son frère à travers ses larmes, comme frappée par la justesse de ces paroles.

— Il sait quelque chose… Il sait beaucoup de choses… Est-ce qu'il a peur de l'assassin ?… Est-ce qu'il a quelque chose à craindre ?…

— Louis ! lui cria-t-elle.

Et Louis regardait ailleurs, les traits durs.

— Dis que c'est faux, Louis !… Tu entends ?…

— Je ne sais pas ce que le commissaire…

Il se leva. Il ne tenait plus en place.

— Louis ment plus que les autres ! Il prétend ne pas connaître le Norvégien et il le connaît ! Il prétend ne pas avoir de rapports avec le maire et je le trouve chez celui-ci, occupé à lui assener des coups de poing…

Un vague sourire sur les lèvres du forçat. Mais Julie ne l'entendait pas ainsi.

— C'est vrai, Louis ?

Et, comme il ne répondait pas, elle lui saisit le bras.

— Alors, pourquoi ne dis-tu pas la vérité ?… Tu n'as rien fait, j'en suis sûre !…

Il se dégagea, troublé, peut-être faiblissant. Maigret ne lui donna pas le temps de se reprendre.

— Dans tout ce fatras de mensonges, il ne faudrait sans doute qu'une toute petite vérité, un tout petit renseignement qui ferait crouler l'édifice…

Mais non ! Malgré les regards suppliants de sa sœur, Louis se secouait comme un géant que des ennemis minuscules et rageurs harcèlent.

— Je ne sais rien…

Et Julie, sévère, déjà méfiante :

— Pourquoi ne parles-tu pas ?

— Je ne sais rien !…

— Le commissaire dit…

— Je ne sais rien !…

— Écoute, Louis ! J'ai toujours eu confiance en toi ! Tu le sais bien ! Et je t'ai défendu, même contre le capitaine Joris…

Elle rougit de cette phrase malheureuse, se hâta de parler d'autre chose :

— Il faut que tu dises la vérité ! Je n'en peux plus... Et je ne resterai pas davantage dans cette maison, toute seule...

— Tais-toi !... soupira-t-il.

— Qu'est-ce que vous voulez qu'il vous dise, commissaire ?

— Deux choses. D'abord qui est Martineau. Ensuite pourquoi le maire se laisse battre...

— Tu entends, Louis ?... Ce n'est pas terrible.

— Je ne sais rien...

La colère montait en elle.

— Louis, fais attention !... Je finirai par croire...

Et le feu ronronnait toujours. Et le tic-tac de la pendule était lent, étirant sur le balancier de cuivre le reflet de la lampe.

Louis était trop grand, trop fort, trop rude, avec sa tête et son épaule de travers, pour cette cuisine proprette de petit rentier. Il ne savait que faire de ses grosses pattes. Son regard fuyant ne savait sur quoi s'arrêter.

— Il faut que tu parles !

— J'ai rien à dire...

Il voulut se verser à boire, mais elle se précipita sur la carafe.

— C'est assez ! Ce n'est pas la peine que tu t'enivres encore...

Elle était dans un état douloureux de nervosité. Elle sentait confusément que la minute était tragique. Elle se raccrochait à son espoir de tout éclaircir d'un mot.

— Louis… cet homme… ce Norvégien, c'est celui qui devait acheter le *Saint-Michel* et devenir ton patron, n'est-ce pas ?

La réponse vint, catégorique :

— Non !

— Alors, qui est-ce ? On ne l'a jamais vu dans le pays ! Il ne vient pas d'étrangers ici…

— Je ne sais pas…

Elle s'obstinait, avec une subtilité instinctive de femme.

— Le maire t'a toujours détesté… C'est vrai que tu as dîné chez lui ce soir ?…

— C'est vrai…

Elle trépigna d'impatience.

— Mais alors, dis-moi quelque chose ! Il le faut ! Ou je te jure que je vais croire que…

Elle n'allait pas plus loin. Elle était affreusement malheureuse. Elle regardait le fauteuil d'osier, le poêle familier, l'horloge, le flacon aux fleurs peintes.

— Tu aimais bien le capitaine… Je le sais !… Tu l'as dit cent fois, et si vous vous êtes disputés c'est que…

Il fallait expliquer cela.

— Ne croyez pas ce qui n'est pas, monsieur le commissaire ! Mon frère aimait le capitaine Joris… Et le capitaine l'aimait bien aussi… Seulement, il y a eu… Ce n'est pas grave !… Louis ne se connaît plus quand il a de l'argent en poche et alors il dépense tout, n'importe comment… Le capitaine savait qu'il venait me prendre mes économies… Il lui faisait de la morale… C'est tout !… S'il lui interdisait de venir ici, à la fin, c'est à cause de cela… Pour qu'il ne me prenne plus mon argent !… Mais il me disait, à moi, qu'au fond Louis était un brave garçon qui n'avait que le défaut d'être faible…

— Et Louis, dit lentement Maigret, savait peut-être que, Joris mort, vous hériteriez de trois cent mille francs !

Ce fut si rapide que le commissaire faillit avoir le dessous. Tandis que Julie poussait un cri perçant, Grand-Louis tombait à bras raccourcis sur Maigret qu'il essayait de prendre à la gorge.

Le commissaire put saisir un de ses poignets au vol. D'une pression lente, mais sûre, il le tordit derrière le dos du matelot, gronda :

— Bas les pattes !

Julie, les coudes contre le mur, la tête dans les bras repliés, pleurait de plus belle, poussait de faibles cris de détresse.

— Mon Dieu ! Mon Dieu !

— Tu ne veux pas parler, Louis ? martela Maigret en lâchant l'ex-forçat.

— Je n'ai rien à dire.

— Et si je t'arrête ?

— Tant pis !

— Suis-moi.

Julie s'écria :

— Monsieur le commissaire ! Je vous en supplie ! Louis, parle, pour l'amour de Dieu !

Ils étaient déjà à la porte vitrée de la cuisine. Grand-Louis se retourna, le visage tout rouge, les yeux brillants, avec une moue indescriptible. Il tendit une main vers l'épaule de sa sœur.

— Lilie, je te jure…

— Lâche-moi !

Il hésita, fit un pas vers le corridor, se retourna encore.

— Écoute…

— Non ! Non, va-t'en !

Alors il traîna ses pieds derrière Maigret, s'arrêta sur le seuil, fut tenté de se retourner, mais résista. La porte se referma sur eux. Ils n'avaient pas fait cinq pas dans la bourrasque qu'elle s'ouvrait, qu'on voyait la forme claire de la jeune fille, qu'on entendait appeler :

— Louis !

Trop tard. Les deux hommes marchaient dans la nuit, droit devant eux.

Une rafale de pluie les détrempa en l'espace de quelques secondes. On ne voyait rien, pas même les limites de l'écluse. Pourtant une voix appela dans l'ombre, au-dessous d'eux :

— C'est toi, Louis ?

C'était Lannec, à bord du *Saint-Michel*. Il avait entendu des pas. Il passait la tête par l'écoutille. Il devait savoir que le marin n'était pas seul, car il prononça très vite, en bas breton :

— Saute sur le gaillard d'avant et on file.

Maigret, qui avait compris, attendait, incapable de savoir, dans l'ombre, où commençait le *Saint-Michel* et où il finissait, ne voyant de son compagnon qu'une masse hésitante dont la pluie faisait luire les épaules.

10

Les trois du bateau

Un coup d'œil vers le trou noir qu'était le large ; un autre plus furtif à Maigret. Grand-Louis haussa les épaules, demanda au commissaire, dans un grognement :

— Vous montez à bord ?…

Maigret s'aperçut que Lannec tenait quelque chose à la main : un bout d'amarre. Il suivit celle-ci des yeux, la vit qui tournait autour d'une bitte et revenait à bord. Autrement dit, le *Saint-Michel* était amarré en double, ce qui lui permettait d'appareiller sans mettre un homme à terre.

Le commissaire ne dit rien. Il savait le port désert. Julie devait sangloter dans sa cuisine, à trois cents mètres de là, et, à part elle, les êtres les plus proches étaient blottis dans la chaleur de la *Buvette de la Marine*.

Il posa un pied sur la lisse, sauta sur le pont, suivi par Louis. Malgré la protection des jetées, l'eau de l'avant-port était agitée et le *Saint-Michel* était soulevé à chaque vague comme par une aspiration puissante.

Rien que quelques reflets jaunes sur des choses mouillées dans le noir. Une vague silhouette, à l'avant : le capitaine, qui regardait Louis avec étonnement. Il portait de hautes bottes caoutchoutées, un huilé, un suroît. Il ne lâchait pas son filin.

Et nul ne prenait une initiative. On attendait quelque chose. Les trois hommes devaient observer Maigret, tellement étranger à eux, avec son pardessus à col de velours et son chapeau melon qu'il maintenait de la main.

— Vous ne partirez pas cette nuit ! dit-il.

Pas de protestation. Mais un coup d'œil échangé de plus près entre Lannec et Grand-Louis. Cela voulait dire : « On part quand même ? — Vaut mieux pas... »

Les rafales devenaient si violentes qu'on pouvait à peine tenir sur le pont et ce fut Maigret encore qui se dirigea vers l'écoutille, qu'il connaissait.

— On va causer... Appelez aussi l'autre matelot...

Il préférait ne laisser personne derrière lui. Les quatre hommes descendirent l'escalier roide. On retira les cirés et les bottes. La lampe à cardan était allumée et il y avait des verres sur la table, à côté d'une carte marine zébrée de traits de crayon et maculée de graisse.

Lannec mit deux briquettes dans le petit poêle, hésita à offrir à boire à son visiteur qu'il regardait de travers. Quant au vieux Célestin, il était allé se tasser dans un coin, hargneux, inquiet, se demandant pourquoi on le faisait pénétrer dans le poste arrière.

Une impression très nette se dégageait des attitudes : personne ne voulait parler, parce que personne ne savait où on en était. Les yeux du capitaine interrogeaient Grand-Louis, qui lui répondait par des regards désespérés.

Ce qu'il avait à dire n'exigeait-il pas de longues explications ?

— Vous avez bien réfléchi ? grommela Lannec après avoir toussé pour s'éclaircir la voix, qu'il avait enrouée.

Maigret s'était assis sur un banc, les deux coudes sur la table. Il jouait machinalement avec un verre vide, si gras qu'il n'était plus transparent.

Grand-Louis, debout, devait pencher la tête pour ne pas toucher le plafond. Lannec, par contenance, tripotait quelque chose dans l'armoire.

— Réfléchi à quoi ?

— Je ne sais pas quels sont vos droits. Ce que je sais, c'est que je ne dépends, moi, que des autorités maritimes. Elles seules ont le droit d'empêcher un bateau d'entrer dans un port ou d'en sortir...

— Et alors ?

— Vous m'empêchez de quitter Ouistreham... J'ai un chargement à prendre à La Rochelle, avec dommages et intérêts à la clef par journée de retard...

Cela s'engageait mal, sur un ton sérieux, semi-officiel. Maigret connaissait ces discours-là ! Est-ce que le maire ne l'avait pas menacé d'une façon à peu près pareille ? Puis Jean Martineau, qui parlait, lui, non des autorités maritimes, mais de son consul ?

Il fut un moment à aspirer fortement l'air, à leur lancer à tous trois un regard rapide, de ses prunelles qui devenaient joyeuses.

— Fais pas le malin ! dit-il en breton. Et verse plutôt à boire.

Cela pouvait rater. Le vieux matelot fut le premier à se tourner vers Maigret avec étonnement.

Grand-Louis se dérida. Lannec questionna, pas encore dégelé :

— Vous êtes breton ?

— Pas tout à fait... Je suis de la Loire... Seulement, j'ai fait une partie de mes études à Nantes...

Une moue ! La moue des Bretons de la côte à qui on parle des Bretons de l'intérieur et surtout des demi-Bretons de la région nantaise.

— Il n'y a plus de ce schiedam de l'autre jour ?

Lannec prit la bouteille, remplit les verres, lentement, parce qu'il était heureux d'avoir une contenance. Il ne savait pas encore ce qu'il devait faire. Maigret était là, tout rond, cordial, la pipe aux dents, le chapeau rejeté sur la nuque, à s'installer confortablement.

— Tu peux t'asseoir, Grand-Louis...

L'autre obéit. La gêne n'était pas dissipée, mais elle était d'une autre sorte. Ces hommes s'en voulaient de ne pas répondre par la cordialité. Et, pourtant, ils étaient obligés de se tenir sur leurs gardes.

— À votre santé, les enfants ! Et avouez qu'en vous empêchant de prendre la mer cette nuit je vous évite un vilain coup de tabac...

— C'est surtout la passe... murmura Lannec en buvant une gorgée d'alcool. Une fois au large, ça va... Mais, avec le courant de l'Orne, et tous les bancs de sable, la passe est mauvaise... Chaque année, il y en a quelques-uns qui s'échouent...

— Le *Saint-Michel* n'a jamais eu de malheur ?

L'homme se hâta de toucher du bois. Célestin grogna de mauvaise humeur en entendant parler de malheur.

— Le *Saint-Michel* ? C'est peut-être le meilleur voilier de la côte... Tenez ! Il y a deux ans, par forte brume, il est allé se mettre au plein sur les cailloux de la côte anglaise... Il y avait un ressac d'enfer... Un autre y serait resté... Eh bien ! une fois remis à flot par la marée suivante, il n'a même pas eu besoin d'aller en cale sèche...

Sur ce terrain-là, Maigret sentait qu'on pouvait s'entendre. Mais il n'était pas disposé à parler navigation toute la nuit. Les vêtements mouillés commençaient à dégager de la vapeur, des filets d'eau dégoulinaient le long de l'escalier. Et, pour tout dire, le commissaire supportait mal le balancement de plus en plus accentué du bateau, qui de temps en temps donnait un grand coup de flanc sur les pilotis.

— Ça fera un beau yacht !... prononça-t-il en regardant ailleurs.

Quand même ! Lannec tressaillit.

— Oui, ça pourrait faire un beau yacht ! corrigea-t-il. Rien que le pont à changer. Alléger un peu la voilure, surtout dans ses hauts...

— Le Norvégien a signé ?

Lannec regarda vivement Grand-Louis, qui soupira. Ils auraient donné gros, ces deux-là, pour avoir seulement quelques secondes d'entretien en tête à tête. Qu'est-ce que Louis avait raconté ? Qu'est-ce que le capitaine pouvait dire ?

Grand-Louis avait un air buté. Il ne se faisait pas d'illusions. Impossible d'expliquer à son compagnon ce qui se passait. C'était tellement compliqué !

Et, naturellement, cela allait amener des malheurs ! Il préféra boire. Il se versa de l'alcool. Il avala d'un trait le contenu de son verre et eut pour le commissaire un regard résigné, à peine agressif.

— Quel Norvégien ?

— Enfin, le Norvégien qui n'est pas tout à fait norvégien… Martineau… Ce n'est pourtant pas à Tromsø qu'il a vu le *Saint-Michel* puisque la goélette n'est jamais montée si haut dans le nord…

— Remarquez qu'elle le pourrait ! Elle irait tout comme jusqu'à Arkhangelsk…

— Quand en prend-il livraison ?

Le vieux matelot ricana, dans son coin. Un ricanement dont l'ironie ne s'adressait pas à Maigret, mais aux trois hommes du bord, lui compris.

Et Lannec se résignait à une réponse piteuse :

— Je ne sais pas ce que vous voulez dire !

Il reçut une bourrade dans les côtes.

— Imbécile !… Allons, mes enfants !… Cessez de montrer des têtes d'enterrement, ou plutôt des têtes butées de sacrés Bretons que vous êtes… Martineau a promis d'acheter la goélette… Est-ce qu'il l'a achetée pour de bon ?…

Une inspiration.

— Passez-moi donc le rôle d'équipage…

Il sentit qu'il avait touché juste.

— Je ne sais pas où il…

— Puisque je te dis de ne pas faire l'imbécile, Lannec ! Passe-moi le rôle, tonnerre de Brest !

Il jouait le faux bourru, la bonne brute. Le capitaine alla chercher dans l'armoire une serviette tout usée, devenue grise à force de servir. C'était plein de papiers officiels auxquels se mêlaient des lettres d'affaires à en-tête de courtiers maritimes.

Un papier neuf, ou plutôt une grande couverture jaune, contenant des feuillets d'un format impressionnant : c'était le rôle d'équipage. Il ne datait que d'un mois et demi, exactement du 11 septembre, c'est-à-dire cinq jours avant la disparition du capitaine Joris.

Goélette Saint-Michel, 270 tonneaux de jauge brute, armée au cabotage. Propriétaire armateur : Louis Legrand, de Port-en-Bessin. Capitaine : Yves Lannec. Matelot : Célestin Grolet.

Grand-Louis se versait une nouvelle rasade. Lannec baissait la tête avec embarras.

— Tiens ! tiens ! C'est toi le propriétaire du bateau, à cette heure, Grand-Louis ?

Pas de réponse. Dans son coin, le Célestin mordait un grand coup à sa chique de tabac.

— Écoutez, mes enfants. On ne va pas perdre de temps pour si peu. Je ne suis pas beaucoup plus bête que vous, hein ? Encore que je n'y connaisse pas grand-chose à la vie de la mer ! Grand-Louis est sans le sou. Un bateau comme celui-ci vaut au moins cent cinquante mille francs…

— Je ne l'aurais pas donné à ce prix-là ! riposta Lannec.

— Mettons deux cent mille… Donc, Grand-Louis a acheté le *Saint-Michel* pour le compte de quelqu'un ! Mettons pour le compte de Jean Martineau. Pour une raison ou pour une autre, celui-ci n'a pas envie qu'on sache qu'il est propriétaire de la goélette… À votre santé !…

Célestin haussait les épaules, comme si toute cette histoire-là l'eût dégoûté profondément.

— Est-ce que Martineau était à Fécamp le 11 septembre, quand la vente a eu lieu ?

Les autres se renfrognaient. Louis prit la chique restée sur la table et y mordit à son tour tandis que Célestin étoilait le plancher de la cabine de longs jets de salive.

Il y eut une panne à la conversation, parce que la mèche de la lampe charbonnait, faute de pétrole. Il fallut aller en chercher un bidon sur le pont. Lannec en revint détrempé. On resta l'espace d'une minute dans l'obscurité et, après, on se retrouva chacun à la même place.

— Martineau y était ! J'en suis sûr ! Le bateau a été acheté au nom de Grand-Louis, et Lannec est resté à bord, peut-être définitivement, peut-être seulement pour un temps…

— Pour un temps…

— Bon ! C'est bien ce que je pensais ! Le temps de faire servir le *Saint-Michel* à une drôle d'expédition…

Lannec se leva, crispé, déchira sa cigarette du bout des dents.

— Vous êtes venus à Ouistreham. La nuit du 16, la goélette mouillait dans l'avant-port, prête à appareiller. Où était Martineau ?

Le capitaine se rassit, découragé, mais bien décidé à garder le silence.

— Le 16 au matin, le *Saint-Michel* prend la mer. Qui est à bord ? Est-ce que Martineau y est toujours ? Est-ce que Joris s'y trouve ?

Maigret n'avait l'air ni d'un juge ni même d'un policier. Sa voix était toujours cordiale, ses yeux malicieux. Il paraissait se livrer avec des copains à un jeu de devinettes.

— Vous allez en Angleterre. Puis vous mettez le cap sur la Hollande. Est-ce là que Martineau et Joris vous quittent ? Car ils vont plus loin. J'ai de bonnes raisons de croire qu'ils remontent jusqu'en Norvège…

Grognement de Grand-Louis.

— Qu'est-ce que tu dis ?

— Que vous n'arriverez à rien.

— Est-ce que le capitaine Joris était déjà blessé quand il est monté à bord ? A-t-il été blessé en cours de route, ou seulement en Scandinavie ?

Il n'attendait plus de réponse.

— Tous les trois, vous continuez le cabotage comme par le passé. Mais vous ne vous éloignez pas trop du nord. Vous attendez une lettre ou un télégramme vous donnant un rendez-vous. La semaine dernière, vous êtes à Fécamp, le port où une première fois Martineau vous a rencontrés. Grand-Louis apprend que le capitaine Joris a été retrouvé à Paris dans un drôle d'état et qu'on va le ramener à Ouistreham. Il y vient par le train. Il n'y a personne dans la maison. Il laisse un billet à sa sœur. Il retourne à Fécamp.

Maigret soupira, prit un temps pour allumer sa pipe.

— Et voilà ! Nous arrivons à la fin. Martineau est là. Vous revenez avec lui. Vous le lâchez à l'entrée du port, ce qui prouve qu'il ne tient pas à être vu. Rendez-vous entre lui et Grand-Louis à bord de la drague… À votre santé !

Il se servit lui-même, vida son verre sous les regards mornes des trois hommes.

— En somme, pour tout comprendre, il ne resterait qu'à savoir ce que Grand-Louis est allé faire chez le maire pendant que Martineau filait vers Paris. Une drôle de mission : flanquer des raclées à un homme qui a plutôt la réputation de ne pas se commettre avec n'importe qui.

Malgré lui, Grand-Louis eut un sourire bienheureux au souvenir des séances de coups de poing.

— Voilà, mes amis ! Maintenant, mettez-vous bien dans la tête que tout finira par s'expliquer. Vous ne croyez pas qu'il vaut mieux que ce soit tout de suite ?

Et Maigret frappa sa pipe contre son talon pour la vider, en alluma une autre. Célestin s'était bel et bien endormi. Il ronflait, la bouche ouverte. Grand-Louis, la tête de travers, regardait le plancher sale. Lannec essayait en vain de lui demander conseil du regard.

Enfin le capitaine grommela :

— On n'a rien à dire.

Il y eut du bruit sur le pont. Quelque chose comme la chute d'un objet assez lourd. Maigret tressaillit. Grand-Louis passa la tête par l'écoutille, de sorte qu'on ne vit plus que ses jambes le long de l'échelle.

S'il eût disparu, le commissaire l'eût sans doute suivi. On n'entendait plus rien que le crépitement de la pluie et le grincement des poulies.

Cela dura-t-il une demi-minute ? Pas plus. Grand-Louis redescendit, les cheveux collés au front par l'eau qui lui ruisselait le long des joues. Il ne donna pas d'explication de lui-même.

— Qu'est-ce que c'est ?

— Un palan.

— C'est-à-dire ?

— Une poulie qui a heurté le bastingage.

Le capitaine rechargea le poêle. Croyait-il ce que Louis venait de dire ? En tout cas, l'autre ne répondait pas à ses regards interrogateurs. Il secouait Célestin.

— Va-t'en capeler l'écoute d'artimon…

Le matelot se frottait les yeux, ne comprenait pas. Il fallut lui répéter deux fois la même chose. Alors il endossa son huilé, mit son suroît sur la tête, monta l'échelle, tout roide de sommeil et de bien-être, furieux de plonger dans la pluie et le froid.

Il portait des sabots qu'on entendit aller et venir sur le pont, au-dessus des têtes. Grand-Louis se versait à boire pour la sixième fois au moins, mais on ne voyait chez lui aucune trace d'ivresse.

Son visage était toujours le même, irrégulier, un peu bouffi, avec les gros yeux à fleur de tête et cet air d'homme qui traîne sans goût la savate à travers l'existence.

— Qu'est-ce que tu en penses, Grand-Louis ?

— De quoi ?

— Imbécile ! As-tu réfléchi à ta situation ? Est-ce que tu ne comprends pas que c'est toi qui vas trinquer ?

Les antécédents d'abord. Un homme qui revient du bagne ! Puis ce bateau dont tu deviens propriétaire alors que tu étais sans le sou ! Joris qui ne voulait plus te voir chez lui parce que tu l'avais tapé trop souvent ! Le *Saint-Michel* à Ouistreham le soir de l'enlèvement ! Toi ici le jour de l'empoisonnement du capitaine… Et ta sœur qui hérite de trois cent mille francs !…

Est-ce que Grand-Louis pensait encore à quelque chose ? Son regard était aussi neutre que possible ! Des yeux de porcelaine, qui fixaient un point indéterminé de la cloison.

— Qu'est-ce qu'il fait là-haut ? s'inquiéta Lannec en regardant l'écoutille restée entrouverte et l'eau qui s'infiltrait dans la cabine formant une mare sur le plancher.

Maigret n'avait pas bu beaucoup. Assez pour lui mettre le sang à la tête, surtout dans cette atmosphère poisseuse. Assez aussi pour donner un léger tour de rêverie à ses pensées.

Maintenant qu'il connaissait les trois hommes, il imaginait assez bien leur vie dans cet univers qu'était le *Saint-Michel*.

L'un dans sa couchette, tout habillé la plupart du temps. Toujours une bouteille et des verres sales sur la table. Un homme sur le pont et les allées et venues de ses sabots ou de ses bottes… Puis ce bruit sourd, régulier, de la mer… Le compas et sa petite lumière… L'autre fanal, se balançant au haut du mât de misaine…

Les yeux scrutant le noir, cherchant la luciole des phares… Et les quais de déchargement… Deux ou trois jours à ne rien faire, à passer les heures dans des bistrots partout pareils…

Il y eut des bruits indéfinissables, là-haut. Est-ce que Grand-Louis ne sombrait pas à son tour dans une lourde somnolence ? Un petit réveille-matin marquait déjà trois heures. La bouteille était presque vide…

Lannec bâilla, chercha des cigarettes dans ses poches…

Est-ce qu'ils n'avaient pas passé la nuit ainsi, dans une même atmosphère de serre chaude sentant la vie humaine et le coaltar, quand le capitaine Joris avait disparu ?… Et Joris était-il avec eux, à boire, à lutter contre le sommeil ?…

Cette fois, c'étaient des voix qu'on entendait sur le pont. À cause de la tempête, ce n'était qu'un chuchotement qui parvenait dans la cabine.

Maigret se leva, les sourcils froncés, vit que Lannec se versait encore à boire, que le menton de Grand-Louis touchait sa poitrine et que ses yeux étaient mi-clos.

Il porta la main à sa poche revolver, gravit les marches de l'escalier presque vertical.

L'écoutille avait exactement la largeur nécessaire pour livrer passage à un homme et le commissaire était beaucoup plus large et plus épais que la moyenne.

Aussi ne put-il même pas se débattre ! Sa tête émergeait à peine qu'un bandeau tombait sur sa bouche, était serré sur la nuque.

Ça, c'était le travail des gens du pont, de Célestin et d'un autre.

Pendant ce temps-là, en bas, on lui arrachait son revolver de la main droite et on attachait ensemble ses deux poignets, derrière le dos.

Il donna un violent coup de pied en arrière. Il atteignit quelque chose, un visage, crut-il. Mais l'instant d'après un filin s'enroulait à ses jambes.

— Hisse !... fit la voix indifférente de Grand-Louis.

Ce fut le plus difficile. Il était lourd. On poussait en dessous. D'en haut on tirait.

La pluie tombait en cataractes. Le vent s'engouffrait dans le chenal avec une force inouïe.

Il crut distinguer quatre silhouettes. Mais on avait éteint le fanal. Et le passage de la chaleur et de la lumière à l'obscurité glacée déroutait ses sens...

— Un... deux... Hop !...

On le balançait comme un sac. Il fut soulevé assez haut dans l'air et retomba sur les pierres mouillées du quai.

Grand-Louis y monta à son tour, se pencha sur chacun des liens pour s'assurer qu'ils étaient solides. Une seconde le commissaire eut le visage de l'ex-forçat très près du sien et il eut l'impression que celui-ci faisait tout cela d'un air lugubre, comme la plus pénible des corvées.

— Faudra dire à ma sœur... commença-t-il.

Dire quoi ? Il n'en savait rien lui-même. À bord, il y avait des pas précipités, des grincements, des ordres lancés à mi-voix. Et les focs étaient largués. La grand-voile montait lentement le long du mât.

— Faudra lui dire, n'est-ce pas, qu'on se reverra un jour... Et peut-être vous aussi...

Il sauta lourdement à bord. Maigret était tourné vers le large. Un fanal, au bout d'une drisse, atteignait le haut du mât. Il y avait une silhouette noire près du gouvernail.

— Larguez tout !

Les amarres glissèrent autour des bittes, halées du bateau. Les focs claquèrent quelques instants. L'avant s'éloigna des pilotis et la goélette faillit faire un tour complet tant la bourrasque l'attaquait avec rage.

Mais non ! Un coup de barre la remettait dans le lit du vent. Elle hésitait, cherchait sa route et, se penchant, filait soudain entre les jetées.

Une masse noire dans le noir. Un petit point lumineux sur le pont. Un autre, très haut, celui du mât, qui avait déjà l'air d'une étoile égarée dans un ciel de cyclone.

Maigret ne pouvait pas bouger. Il était inerte, dans une flaque d'eau, au bord de l'espace infini.

Est-ce qu'ils n'allaient pas, là-bas, pour se donner du cran, vider la bouteille d'alcool ? On remettrait deux briquettes sur le feu.

Un homme à la barre… Les autres dans les couchettes moites…

Il y avait peut-être une gouttelette plus salée dans les perles liquides qui ruisselaient sur le visage du commissaire.

Un homme grand et puissant, un homme dans la force de l'âge, le plus mâle et le plus grave peut-être de la Police Judiciaire, abandonné là jusqu'au jour, au bout d'un quai de port, près d'une bitte d'amarrage.

En se retournant, il aurait pu apercevoir le petit auvent de bois de la *Buvette de la Marine*, où il n'y avait plus personne.

11

Le banc des Vaches-Noires

La mer s'éloignait rapidement. Maigret entendit le ressac au bout des jetées d'abord, puis plus loin, sur le sable de la plage qui se découvrait.

Avec le jusant, le vent mollissait, comme il arrive presque toujours. Les flèches de pluie devenaient moins drues et quand les nuages les plus bas blêmirent à l'approche du jour, la cataracte de la nuit avait fait place à une pluie fine, mais plus froide encore.

Les objets sortaient peu à peu de l'encre dans laquelle ils avaient été plongés. On devinait les mâts obliques des barques de pêche qui, à marée basse, restaient échouées sur la vase de l'avant-port.

Un beuglement de vache, très loin, du côté des terres. La cloche de l'église qui annonçait discrètement, à petits coups sans prétention, la messe basse de sept heures.

Mais il faudrait encore attendre. Les fidèles n'avaient pas à passer par le port. Les éclusiers n'avaient rien à y faire avant la marée haute. Il n'y aurait qu'un pêcheur, par hasard... Mais les pêcheurs sortiraient-ils de leur lit par ce temps-là ?

Maigret, qui n'était qu'un tas mouillé, évoquait tous les lits de Ouistreham, les solides lits de bois surmontés d'édredons énormes où, à cette heure, les gens s'enfonçaient paresseusement dans la chaleur des couvertures, regardaient avec méfiance le rectangle blême des vitres, s'accordaient un peu de répit avant de poser les pieds nus sur le plancher.

Est-ce que le brigadier Lucas était dans son lit aussi ? Non ! car dans ce cas les événements n'étaient guère explicables.

Le commissaire les reconstituait ainsi : Jean Martineau parvenait d'une façon ou d'une autre à se débarrasser du brigadier. Pourquoi pas en le ficelant comme Maigret l'était lui-même ? Ensuite il s'approchait du *Saint-Michel* et entendait la voix du commissaire. Il attendait patiemment l'apparition de quelqu'un. Or, Grand-Louis passait sa tête par l'écoutille. Martineau lui donnait des instructions en chuchotant ou en lui faisant lire un billet.

Le reste était simple. Un bruit sur le pont. On y faisait monter Célestin. Les deux hommes parlaient, pour attirer Maigret dehors.

Et, quand il était à mi-chemin, l'équipe du haut s'occupait de l'empêcher de crier pendant que l'équipe du bas immobilisait ses bras et ses jambes.

Maintenant, la goélette devait être déjà loin des eaux territoriales, qui ne s'étendent qu'à trois milles de la côte. À moins qu'elle ne vînt à toucher à nouveau un port français, ce qui était improbable, Maigret n'avait aucune prise contre elle.

Il ne bougeait pas. Il avait remarqué que chaque mouvement qu'il faisait avait pour résultat d'introduire plus d'eau sous son pardessus.

L'oreille à terre, il entendait des bruits divers qu'il identifiait les uns après les autres et c'est ainsi qu'il reconnut la pompe qui se trouvait dans le jardin de Joris.

Julie était levée ! En sabots, elle devait pomper l'eau pour sa toilette. Mais elle ne sortirait pas. Elle avait fait de la lumière dans la cuisine, car ce n'était pas encore tout à fait le jour…

Des pas… Un homme franchissait le pont, s'engageait sur le mur de pierre… Un homme à la démarche lente… Du haut du quai, il jetait dans un canot quelque chose qui devait être un paquet de cordages…

Un pêcheur ?… Maigret se retourna péniblement, le vit à vingt mètres de lui, prêt à descendre l'échelle de fer conduisant à la mer. Malgré son bâillon, il put émettre un gémissement assez faible.

Le pêcheur regarda autour de lui, aperçut le tas noir, le regarda longtemps avec méfiance, puis, enfin, se décida à s'approcher.

— Qu'est-ce que vous faites là ?

Et, prudent, ayant vaguement entendu parler des précautions à prendre en présence d'un crime :

— Faudrait peut-être que j'aille d'abord chercher la police.

Il retira pourtant le bâillon. Le commissaire parlementa et l'homme, pas très rassuré quand même, se mit en devoir de défaire les liens en grommelant des injures à l'adresse du gars qui avait fait des nœuds pareils.

La fille de salle, là-bas, retirait les volets de la buvette. La mer restait grosse, bien que le vent fût tombé, mais ce n'était plus le clapotis rageur de la nuit. Une grande houle venait du large, s'élevait sur les bancs de sable en une vague de trois mètres au moins qui s'écrasait avec un sourd fracas, comme si le continent en eût été ébranlé.

Le pêcheur était un petit vieux, tout barbu, qui ne se départissait pas de sa méfiance et qui ne savait que faire.

— Faudrait pourtant avertir la gendarmerie.

— Mais puisque je vous dis que je suis moi-même quelque chose comme un gendarme en civil !

— Un gendarme en civil, répétait le vieux, mécontent, inquiet.

Son regard alla naturellement vers la mer, fit le tour de l'horizon, s'arrêta sur un point, à droite des jetées, dans la direction du Havre, puis se fixa sur Maigret avec effarement.

— Qu'est-ce que vous avez ?

Le pêcheur était si ému qu'il ne répondait pas et Maigret ne comprit qu'en faisant à son tour l'inspection de l'horizon.

La baie de Ouistreham était presque entièrement découverte. Le sable, couleur de blés mûrs, s'étalait jusqu'à plus d'un mille, et là, la vague du bord déferlait toute blanche.

Or, à droite de la jetée, à un kilomètre au plus, un bateau était échoué, moitié sur le sable, moitié dans la mer, qui l'attaquait à grands coups de bélier.

Deux mâts, dont un à phare carré. Une goélette de Paimpol. C'est-à-dire le *Saint-Michel*.

De ce côté-là, tout était blême : la mer et le ciel, qui ne se distinguaient pas l'une de l'autre.

Rien que la masse noire du bateau couché.

— Z'ont voulu partir trop tard après la pleine mer, murmura le pêcheur impressionné.

— Cela arrive souvent ?

— Des fois ! N'y avait plus assez d'eau dans la passe ! Et le flot de l'Orne les a poussés sur le banc des Vaches-Noires…

C'était d'une désolation silencieuse, comme ouatée par le crachin qui épaississait l'air. À voir le bateau presque à sec, on avait peine à imaginer que ses occupants eussent couru un danger quelconque.

Mais quand il s'était mis au plein, la mer atteignait encore le pied des dunes. Dix rangs au moins de vagues houleuses !

— Faut prévenir le capitaine du port…

Un détail de rien du tout. L'homme, machinalement, commença par se tourner vers la maison de Joris, puis grommela :

— C'est vrai que…

Et il marcha dans l'autre direction. On avait dû apercevoir l'épave d'ailleurs, peut-être du parvis de l'église, car le capitaine Delcourt arrivait, à peine vêtu, suivi de trois hommes. Il toucha distraitement la main de Maigret, sans s'apercevoir que le commissaire était détrempé.

— Je leur avais bien dit !

— Ils avaient prévenu qu'ils partiraient ?

— C'est-à-dire que, quand je les ai vus s'amarrer là, j'ai pensé qu'ils n'attendraient pas la prochaine marée. J'ai conseillé au patron de se méfier du courant…

Tout le monde s'engageait sur la plage. Il fallut traverser des mares où il restait trente centimètres d'eau. Et les pieds s'enfonçaient dans le sable. C'était long, éreintant.

— Ils sont en danger ? s'informa Maigret.

— Ils ne doivent plus être à bord ! Sinon, ils auraient hissé le pavillon de détresse, fait des signaux…

Et, soudain, soucieux :

— Sans compter qu'ils n'avaient pas leur embarcation… Vous vous souvenez ?… Quand le vapeur l'a rapportée, on l'a mise dans le bassin…

— Alors ?

— Alors, ils ont dû regagner la terre à la nage… Ou plutôt…

Delcourt était mal à l'aise. Certaines choses le troublaient.

— Cela m'étonne qu'ils n'aient pas béquillé le bateau, pour l'empêcher de se coucher… À moins qu'il ne se soit renversé d'un seul coup… Quand même !…

On approchait. Le spectacle était lugubre. On voyait la quille du *Saint-Michel* enduite de peinture sous-marine verte, avec des coquillages incrustés dans le bois.

Les marins en faisaient déjà le tour, cherchaient la blessure, n'en trouvaient pas.

— Un simple échouage…

— Rien de grave ?

— C'est-à-dire qu'à la prochaine marée un remorqueur pourra sans doute tirer le bateau de là... Je ne comprends pas...

— Qu'est-ce que vous ne comprenez pas ?

— Qu'ils l'aient abandonné... Ce n'est pas dans leur caractère d'avoir peur... Ils savent que la goélette est solide... Regardez cette construction-là !... Hé ! Jean-Baptiste !... Va me chercher une échelle...

Il en fallait une pour escalader la coque penchée, qui avait plus de six mètres de haut.

— Pas la peine !

Un hauban cassé pendait. L'homme interpellé s'y accrocha et grimpa comme un singe, se balança quelques instants dans l'air, sauta sur le pont. Quelques minutes plus tard, il laissait descendre le bout d'une échelle.

— Personne à bord ?

— Personne !

Sur la côte, à quelques kilomètres, on voyait les maisons de Dives, les cheminées d'usines, puis on devinait Cabourg, Houlgate, la pointe rocheuse cachant Deauville et Trouville.

Maigret gravit l'échelle, par acquit de conscience, mais se sentit mal d'aplomb sur le pont en pente. Une sensation d'angoisse pire que si le bateau eût été ballotté par une mer en furie !

Dans la cabine, du verre cassé, par terre, les armoires qui s'étaient ouvertes...

Et le capitaine du port qui ne savait pas ce qu'il devait faire ! Il n'était pas le maître du bateau ! Devait-il procéder au renflouage, commander un remorqueur à Trouville, prendre la responsabilité des opérations ?

— S'il reste encore ici une marée, il est fichu ! grommela-t-il.

— Eh bien ! tentez tout ce qu'il y a à tenter... Vous direz que c'est moi qui...

Jamais il n'avait régné une inquiétude aussi morne, aussi sourde. Machinalement, on regardait vers les dunes désertes comme si on se fût attendu à apercevoir des gens du *Saint-Michel*.

Et des hommes, des enfants arrivaient du village. Quand Maigret, qui regagnait Ouistreham, atteignit le port, Julie accourait.

— C'est vrai ?... Ils ont fait naufrage ?...

— Non... Ils se sont échoués... Un homme vigoureux comme votre frère a dû s'en tirer...

— Où est-il ?

Tout cela était lugubre, incohérent. Comme Maigret passait devant l'*Hôtel de l'Univers*, le patron le héla :

— Je n'ai pas encore vu vos deux amis. Est-ce que je dois les éveiller ?

— Pas la peine...

Le commissaire monta lui-même jusqu'à la chambre de Lucas, qui était sur son lit, ficelé presque aussi serré que Maigret l'avait été lui-même.

— Je vais vous expliquer...

— Inutile !... Viens...

— Il y a du nouveau ? Vous êtes tout mouillé... Vous avez les traits tirés...

Maigret l'entraîna vers le bureau de poste, tout en haut du village, en face de l'église. Les gens étaient sur les seuils. Ceux qui le pouvaient couraient vers la plage.

— Tu n'as pas pu te défendre ?

— C'est dans l'escalier qu'il m'a eu… Nous montions au premier étage… Il marchait derrière… Tout à coup il m'a tiré les jambes et le reste a été si vite fait que je n'ai pu riposter. Vous l'avez vu ?

Maigret faisait sensation, car il avait l'air d'être resté toute la nuit dans l'eau jusqu'au cou. Au point qu'au bureau de poste il ne put écrire lui-même. Il détrempait le papier.

— Prends la plume… Des télégrammes pour toutes les mairies et gendarmeries de la région… Dives, Cabourg, Houlgate… Les localités du sud aussi : Luc-sur-Mer, Lion, Coutances… Pointe la carte… Les moindres villages jusqu'à dix kilomètres dans les terres…

» Quatre signalements : celui de Grand-Louis… Puis Martineau… Le capitaine Lannec… Le vieux matelot répondant au nom de Célestin…

» Quand les télégrammes seront partis, tu téléphoneras aux pays les plus proches, pour gagner encore du temps…

Il laissa Lucas aux prises avec le télégraphe et le téléphone.

Dans un bistrot, en face de la poste, il avala un grog brûlant, tandis que les gamins, pour le voir, collaient le visage aux vitres.

Ouistreham s'était éveillé, un Ouistreham nerveux, inquiet, qui regardait ou se dirigeait vers la mer. Et les nouvelles circulaient, enflées, déformées.

Sur la route, Maigret rencontra le vieux pêcheur qui l'avait délivré au petit jour.

— Tu n'as pas raconté ce que…

Et le pêcheur, indifférent :

— J'ai dit que je vous a trouvé…

Le commissaire lui donna vingt francs et passa à l'hôtel pour se changer. Des frissons lui parcouraient tout le corps. Il avait à la fois chaud et froid. Sa barbe avait poussé dru et des poches soulignaient ses yeux.

Pourtant, malgré sa fatigue, son esprit travaillait activement. Davantage même que de coutume. Il parvenait à tout voir autour de lui, à répondre aux gens, à les questionner sans cesser de suivre un raisonnement précis.

Quand il se dirigea vers le bureau de poste, il était près de neuf heures. Lucas finissait la série de ses coups de téléphone. Les télégrammes étaient déjà partis. À ses questions, les gendarmeries répondaient qu'elles n'avaient encore rien vu.

— M. Grandmaison n'a pas demandé de communication, mademoiselle ?

— Il y a une heure… Avec Paris…

Elle lui dit le numéro. Il chercha dans l'annuaire et s'aperçut qu'il s'agissait du collège Stanislas.

— Le maire demande souvent ce numéro-là ?

— Assez souvent. Je crois que c'est la pension où se trouve son fils.

— C'est vrai qu'il a un fils. D'une quinzaine d'années, n'est-ce pas ?

— Je pense. Je ne l'ai jamais vu.

— M. Grandmaison n'a pas téléphoné à Caen ?

— C'est Caen qui l'a demandé. Quelqu'un de sa famille ou un de ses employés, car cela venait de chez lui.

Cliquetis du télégraphe. Une dépêche pour le port :

Remorqueur Athos arrivera en rade midi. – Signé : *capitainerie Trouville.*

Et la police de Caen, enfin, téléphonait :

— Mme Grandmaison est arrivée à quatre heures du matin à Caen. Elle a dormi chez elle, rue du Four. Elle vient de partir en voiture pour Ouistreham.

Quand Maigret, du port, regarda la plage, la mer s'était retirée si loin que le bateau échoué était à mi-chemin à peu près entre elle et les dunes. Le capitaine Delcourt était maussade. Tout le monde observait l'horizon avec inquiétude.

Car il n'y avait pas à s'y tromper. Le vent avait molli avec le jusant, mais la tempête reprendrait de plus belle vers midi, quand la mer recommencerait à monter. Cela se sentait à la couleur du ciel, d'un gris malsain, au vert perfide des flots.

— Personne n'a vu le maire ?

— Il m'a fait dire par sa servante qu'il est malade et qu'il me laisse la direction des opérations.

Maigret se dirigea vers la villa, les deux mains dans les poches, les pieds traînants. Il sonna. On resta près de dix minutes avant de lui ouvrir.

La domestique voulut parler. Il n'écouta pas, pénétra dans le corridor et il avait un air si buté qu'elle en fut impressionnée et se contenta de courir vers la porte du bureau.

— C'est le commissaire !… cria-t-elle.

Maigret pénétra dans la pièce qu'il commençait à connaître, jeta son chapeau sur une chaise, adressa un signe de tête à l'homme étendu dans son fauteuil.

Les meurtrissures de la veille étaient beaucoup plus visibles, parce qu'elles n'étaient plus rouges, mais bleuâtres. On avait allumé dans la cheminée un énorme feu de boulets.

Sur le visage de M. Grandmaison, on sentait la volonté de ne rien dire et même d'ignorer le visiteur.

Maigret en fit autant de son côté. Il retira son pardessus, alla se camper le dos au feu, en homme qui ne pense qu'à se chauffer. Les flammes lui brûlaient les mollets. Il fumait sa pipe à petites bouffées précipitées.

— Avant ce soir, toute cette affaire sera terminée ! articula-t-il enfin comme pour lui-même.

L'autre s'efforça de ne pas tressaillir. Il prit même un journal qui traînait à portée de sa main et feignit de le lire.

— Peut-être, par exemple, serons-nous forcés d'aller à Caen tous ensemble…

— À Caen ?

M. Grandmaison avait levé la tête. Il fronçait les sourcils.

— À Caen, oui ! J'aurais dû vous le dire plus tôt, ce qui aurait évité à Mme Grandmaison la peine de venir ici inutilement.

— Je ne vois pas ce que ma femme…

— … a à faire dans cette galère ! acheva Maigret. Moi non plus !

Et il alla prendre des allumettes sur le bureau, pour rallumer sa pipe éteinte.

— Peu importe, d'ailleurs, reprit-il d'un ton plus léger, puisque tout à l'heure tout s'expliquera… À propos… Savez-vous qui est le propriétaire actuel du *Saint-Michel* qu'on va essayer de renflouer ?… Grand-Louis !… Ou plutôt il m'a tout l'air d'un homme de paille, qui agit pour le compte d'un certain Martineau…

Le maire essayait manifestement de suivre la pensée secrète du policier. Mais il évitait de parler, et surtout de poser des questions.

— Vous allez voir l'enchaînement. Grand-Louis achète le *Saint-Michel* pour le compte de ce Martineau cinq jours avant la disparition du capitaine Joris… C'est le seul bateau qui ait quitté le port de Ouistreham aussitôt après cette disparition et il touche en Angleterre et en Hollande avant de rentrer en France… De Hollande, il doit y avoir des caboteurs du même genre qui font généralement la route de Norvège… Or, Martineau est norvégien. Et, avant de gagner Paris, le crâne fendu et réparé, le capitaine Joris est allé en Norvège.

Le maire écoutait avec attention.

— Ce n'est pas tout. Martineau revient à Fécamp rejoindre le *Saint-Michel*. Grand-Louis, qui est son homme à tout faire, est ici quelques heures avant la mort de Joris. Le *Saint-Michel* arrive un peu plus tard, avec Martineau. Et, cette nuit, il essaie de disparaître en emmenant la plupart de ceux que j'ai priés de se tenir à la disposition de la Justice… Sauf vous !

Maigret marqua un temps, soupira :

— Reste à expliquer pourquoi Martineau est revenu et a essayé de se rendre à Paris, et pourquoi vous avez téléphoné à votre femme de revenir précipitamment.

— J'espère que vous ne voulez pas insinuer…

— Moi ? Rien du tout. Tenez ! On entend un moteur. Je parie que c'est Mme Grandmaison qui arrive de Caen. Voulez-vous me faire le plaisir de ne rien lui dire ?

Coup de sonnette. Les pas de la servante dans le corridor. Les échos d'une conversation à mi-voix, puis le visage de la domestique dans l'entrebâillement de la porte. Mais pourquoi ne disait-elle rien ? Pourquoi ces regards anxieux à son maître ?

— Eh bien ! s'impatienta celui-ci.

— C'est que…

Maigret la bouscula, arriva dans le corridor où il ne vit qu'un chauffeur en uniforme.

— Vous avez perdu Mme Grandmaison en route ? lui dit-il à brûle-pourpoint.

— C'est-à-dire… que… qu'elle…

— Où vous a-t-elle quitté ?

— À l'embranchement des routes de Caen et de Deauville. Elle se sentait souffrante.

Dans le bureau, le maire était debout, les traits durs, la respiration forte.

— Attendez-moi ! lança-t-il au chauffeur.

Et, devant Maigret qui lui barrait la route de son épaisse silhouette, il hésita.

— Je suppose que vous admettrez…

— Tout. Vous avez raison. *Nous* devons y aller.

12

La lettre inachevée

La voiture s'arrêta à un carrefour sans maison et le chauffeur se tourna vers l'intérieur pour demander des ordres. Depuis qu'on avait quitté Ouistreham, M. Grandmaison n'était plus le même homme.

Là-bas, il était toujours resté maître de ses nerfs, soucieux de sa dignité, même dans les situations les plus piteuses.

C'était fini ! Quelque chose s'était déclenché en lui qui ressemblait à de la panique. Et c'était d'autant plus sensible, d'autant plus souligné que son visage était tout meurtri par les coups. Son regard inquiet allait sans cesse d'un point du paysage à un autre.

L'auto arrêtée, il interrogea Maigret des yeux, mais le commissaire se donna le malin plaisir de murmurer :

— Que faisons-nous ?

Pas une âme sur la route, ni dans les vergers d'alentour. Bien entendu, Mme Grandmaison n'avait pas abandonné sa voiture pour s'asseoir au bord du chemin. Si elle avait renvoyé le chauffeur, une fois à cet endroit, c'est qu'elle avait un rendez-vous ou qu'elle avait soudain aperçu quelqu'un à qui elle voulait parler sans témoin.

Le feuillage des arbres était mouillé. Une forte odeur d'humus se dégageait de la terre. Des vaches regardaient l'auto sans cesser de mâcher.

Et le maire cherchait, fouillait le paysage, s'attendant peut-être à apercevoir sa femme derrière une haie ou derrière le tronc d'un arbre.

— Regardez ! dit Maigret, comme on aide un novice.

Il y avait des traces caractéristiques sur la route de Dives. Une auto s'y était arrêtée, avait tourné assez difficilement à cause de l'étroitesse du chemin et était repartie.

— Une vieille camionnette... Allez-y, chauffeur !...

On n'alla pas loin. Bien avant Dives, les traces se perdaient près d'un chemin caillouteux. M. Grandmaison était toujours à l'affût, le regard à la fois anxieux et lourd de haine.

— Que vous semble-t-il ?

— Il y a un hameau, là-bas, à cinq cents mètres...

— Dans ce cas, il vaut mieux que nous laissions l'auto ici.

La fatigue donnait à Maigret un air d'inhumaine indifférence. Il dormait debout, littéralement. Il semblait n'avancer que grâce à la force acquise. Et, à les voir marcher le long du chemin, chacun aurait été persuadé que c'était le maire qui commandait, le commissaire qui suivait avec la placidité d'un sous-ordre.

On passa devant une petite maison entourée de poules et une femme regarda les deux hommes avec étonnement. Puis ce fut, devant eux, le derrière d'une église guère plus grande qu'une chaumière et, à gauche, un bureau de tabac.

— Vous permettez ? dit Maigret en montrant sa blague vide.

Il entra tout seul dans le débit où on vendait de l'épicerie et toutes sortes d'ustensiles. Un vieux sortit d'une chambre voûtée, appela sa fille pour donner le tabac. Pendant qu'une porte restait ouverte, le commissaire eut le temps d'entrevoir un téléphone mural.

— À quelle heure mon ami est-il venu téléphoner ce matin ?

La fille n'hésita pas une seconde.

— Il y a une bonne heure.

— Dans ce cas, la dame est arrivée ?

— Oui ! même qu'elle s'est arrêtée ici pour demander le chemin… Ce n'est pas difficile… La dernière maison de la ruelle à droite…

Il sortit, toujours placide. Il retrouva M. Grandmaison qui, debout devant l'église, regardait autour de lui de telle manière qu'il devait fatalement éveiller la méfiance des habitants.

— Il me vient une idée, murmura Maigret. Nous allons partager la besogne… Vous chercherez à gauche, du côté des champs… Pendant ce temps, je chercherai à droite.

Il surprit une étincelle dans les yeux de son compagnon. Le maire était ravi, essayait de ne pas le laisser voir. Il espérait bien trouver sa femme, qu'il verrait ainsi en dehors de la présence du commissaire.

— C'est cela, répondit-il avec une fausse indifférence.

Le hameau ne groupait pas plus de vingt bicoques qui à certain endroit, serrées les unes contre les autres, constituaient un semblant de rue, ce qui n'empêchait pas le fumier de s'y entasser. Il pleuvait toujours, une pluie fine, comme pulvérisée, et on ne voyait personne dehors. Mais des rideaux frémissaient. Derrière, on devinait surtout des visages ratatinés de vieilles dans l'ombre des maisons.

Tout au bout du hameau, juste avant la barrière d'un pré où galopaient deux chevaux, un seuil de deux marches, une construction sans étage coiffée d'un toit de travers. Maigret se retourna, entendit les pas du maire à l'autre bout du village, évita de frapper à la porte et entra.

Tout de suite, quelque chose bougea dans le clair-obscur que combattait la lueur de l'âtre. Une silhouette noire, la tache blanche d'un bonnet de vieille.

— Qu'est-ce que c'est ? questionna-t-elle en trottinant, courbée en deux.

Il faisait chaud. Cela sentait la paille, le chou et le poulailler tout ensemble. Des poussins, d'ailleurs, picoraient autour des bûches.

Maigret, qui touchait presque le plafond de la tête, vit une porte, dans le fond de la pièce, comprit qu'il fallait faire vite. Et, sans rien dire, il marcha vers cette porte qu'il ouvrit. Mme Grandmaison était là, en train d'écrire. Jean Martineau se tenait debout près d'elle.

Ce fut un moment de désarroi. La femme se levait de sa chaise à fond de paille. Martineau, avant tout, tendait la main vers le papier qu'il froissait. Tous deux, instinctivement, se rapprochaient l'un de l'autre.

La bicoque n'avait que deux pièces. Celle-ci était la chambre à coucher de la vieille. Sur les murs blanchis à la chaux, deux portraits et des chromos encadrés de noir et or. Un lit très haut. La table sur laquelle Mme Grandmaison écrivait servait généralement de toilette, mais on venait d'en retirer la cuvette.

— Votre mari sera ici dans quelques minutes ! dit Maigret en guise d'entrée en matière.

Et Martineau, furieux, de gronder :

— Vous avez fait ça ?

— Tais-toi, Raymond.

C'était elle qui parlait. Elle le tutoyait. Et elle ne l'appelait pas Jean, mais Raymond. Maigret nota ces détails, alla écouter à la porte, revint vers le couple.

— Voulez-vous me remettre ce début de lettre ?

Ils se regardèrent. Mme Grandmaison était pâle.

Elle avait les traits tirés. Maigret l'avait déjà vue une fois, mais dans l'exercice de ses fonctions les plus sacrées de grande bourgeoise, c'est-à-dire recevant du monde chez elle.

Il avait remarqué alors sa parfaite éducation et la banale bonne grâce avec laquelle elle savait tendre une tasse de thé ou répondre à un compliment.

Il avait imaginé son existence : les soucis de la maison de Caen, les visites, les enfants à élever. Deux ou trois mois de l'année dans les stations climatiques ou les villes d'eau. Une coquetterie moyenne. Le souci d'être digne plus encore que celui d'être jolie.

Sans doute, dans la femme qu'il avait maintenant devant lui, restait-il de tout cela. Mais il s'y mêlait autre chose. À vrai dire, elle montrait plus de sang-froid, plus de cran que son compagnon qui, lui, n'était pas loin de perdre contenance.

— Donne-lui le papier, dit-elle comme il se disposait à le déchirer.

Il n'y avait presque rien dessus :

Monsieur le proviseur,
J'ai l'honneur de vous prier de…

La grande écriture renversée de toutes les jeunes filles élevées en pension au début du siècle.

Vous avez reçu ce matin deux coups de téléphone, n'est-ce pas ? Un de votre mari… Ou, plutôt, c'est vous qui lui avez téléphoné pour lui dire que vous arriviez à Ouistreham. Puis un coup de téléphone de M. Martineau, vous demandant de venir ici. Il vous a fait chercher au carrefour par une camionnette.

Sur la table, derrière l'encrier, quelque chose que Maigret n'avait pas vu dès l'abord : une liasse de billets de mille francs.

Martineau suivit son regard. Trop tard pour intervenir ! Alors, en proie à une lassitude inattendue, il se laissa tomber sur le bord du lit de la vieille et regarda le sol avec accablement.

— C'est vous qui lui avez apporté cet argent ?

Et c'était, une fois de plus, l'atmosphère caractéristique de cette affaire ! La même chose que dans la villa de Ouistreham, quand Maigret surprenait Grand-Louis en train de rosser le maire et que tous les deux se taisaient ! La même chose que la nuit précédente, à bord du *Saint-Michel* quand les trois hommes évitaient de lui répondre !

Une inertie farouche ! La volonté bien arrêtée de ne pas prononcer la moindre parole d'explication.

— Je suppose que cette lettre est adressée à un proviseur de collège. Comme votre fils est à Stanislas, il est probable que la lettre le concerne... Quant à l'argent... Mais oui ! Martineau a dû quitter précipitamment la goélette échouée, gagner la terre à la nage... Sans doute y a-t-il laissé son portefeuille... Vous lui avez apporté de l'argent, afin...

Changeant brusquement de sujet et de ton :

— Et les autres, Martineau ? Tous sains et saufs ?

L'homme hésita, mais ne put s'empêcher, en fin de compte, de battre affirmativement des paupières.

— Je ne vous demande pas où ils se cachent. Je sais que vous ne le direz pas...

— C'est vrai !

— Qu'est-ce qui est vrai ?...

La porte venait de s'ouvrir d'une poussée et c'était la voix rageuse du maire qui avait lancé cette apostrophe. Il était méconnaissable. La colère le faisait panteler. Il serrait les poings, prêt à bondir sur un ennemi. Et son regard allait de sa femme à Martineau, de Martineau à la liasse de billets qui était toujours sur la table.

Un regard qui menaçait, mais qui, en même temps, trahissait la peur ou la débâcle.

— Qu'est-ce qui est vrai ?... Qu'est-ce qu'il a dit ?... Quel nouveau mensonge a-t-il fait ?... Et elle ?... Elle qui... qui...

Il ne pouvait plus parler. Il étouffait. Maigret se tenait prêt à intervenir.

— Qu'est-ce qui est vrai ?... Que se passe-t-il ?... Et quel complot se trame ici ?... À qui est cet argent ?...

On entendit la vieille trottiner dans la pièce voisine, appeler ses poulets sur le seuil en criant :

— Petits ! petits ! petits ! petits !...

Et les grains de maïs qui tombaient en pluie sur les marches de pierre bleue. Et une poule d'une voisine qu'elle repoussait du pied...

— Va-t'en manger chez toi, la Noireaude...

Dans la chambre à coucher, rien ! Un lourd silence ! Un silence blême et malsain comme le ciel de ce matin pluvieux.

Des gens qui avaient peur... Car ils avaient peur ! ... Tous !... Martineau ! La femme ! Le maire... Ils avaient peur, chacun de son côté, eût-on dit... Chacun une autre peur !...

Alors Maigret devint solennel pour prononcer lentement, comme un juge :

— Je suis chargé par le Parquet de découvrir et d'arrêter l'assassin du capitaine Joris, blessé d'une balle de revolver au crâne et, un mois plus tard, empoisonné chez lui à l'aide de strychnine. L'un de vous a-t-il une déclaration à faire à ce sujet ?

Jusque-là, nul ne s'était aperçu que la pièce n'était pas chauffée. Or, soudain, on eut froid !

Chaque syllabe avait résonné comme dans une église. On eût dit que les mots vibraient encore dans l'air.

— … empoisonné… strychnine…

Et surtout la fin :

— L'un de vous a-t-il une déclaration à faire ?

Martineau, le premier, baissa la tête. Mme Grandmaison, les yeux brillants, regarda tour à tour son mari et le Norvégien.

Mais personne ne répondit. Personne n'osait soutenir le regard de Maigret qui se faisait pesant.

Deux minutes… Trois minutes… La vieille qui mettait des bûches sur le foyer, à côté…

Et la voix de Maigret, à nouveau, volontairement sèche, dépouillée de toute émotion :

— Au nom de la loi, Jean Martineau, je vous arrête !

Un cri de femme. Mme Grandmaison avait un mouvement de tout son être vers Martineau, mais elle était évanouie avant d'avoir achevé son geste !

Farouche, le maire se tournait vers le mur.

Et Martineau poussait un soupir de lassitude, de résignation. Il n'osa pas se porter au secours de la femme évanouie.

Ce fut Maigret qui se pencha vers elle, qui chercha ensuite le broc d'eau autour de lui.

— Vous avez du vinaigre ? alla-t-il demander à la vieille.

Et l'odeur du vinaigre se mêla à l'odeur déjà si complexe de la bicoque.

Quelques instants plus tard Mme Grandmaison revenait à elle et, après quelques sanglots nerveux, sombrait dans une prostration presque complète.

— Vous sentez-vous en état de marcher ?

Elle fit signe que oui. Elle marcha, en effet, d'une démarche saccadée.

— Vous me suivez, messieurs, n'est-ce pas ? J'espère que je puis compter, *cette fois*, sur votre docilité ?

La vieille les vit avec ahurissement traverser sa cuisine. Quand ils furent dehors seulement, elle courut à la porte, cria :

— Vous rentrerez déjeuner, monsieur Raymond ?

Raymond ! C'était la deuxième fois que ce prénom était prononcé. L'homme fit signe qu'il ne rentrerait pas.

Et les quatre personnages poursuivirent leur marche, traversèrent le village. Devant le bureau de tabac, Martineau s'arrêta, hésitant, dit à Maigret :

— Je vous demande pardon. Comme je ne sais pas si je reviendrai un jour, je voudrais ne pas laisser de dettes derrière moi. Je dois, ici, une communication téléphonique, un grog et un paquet de cigarettes.

Ce fut Maigret qui paya. On contourna l'église. Au bout du chemin creux, on trouva la voiture qui attendait. Le commissaire y fit monter ses compagnons, hésita sur l'ordre à donner au chauffeur.

— À Ouistreham. Vous vous arrêterez d'abord à la gendarmerie.

Pas un mot ne fut échangé pendant le parcours. Toujours de la pluie, un ciel uniforme, le vent qui peu à peu reprenait de la force et secouait les arbres mouillés.

En face de la gendarmerie, Maigret pria Martineau de descendre, donna ses instructions au brigadier.

— Gardez-le dans la chambre de force… Vous me répondez de lui. Rien de nouveau ici ?

— Le remorqueur est arrivé. On attend que la mer soit assez haute.

La voiture repartit. On devait passer près du port et Maigret s'arrêta une fois de plus, descendit un moment.

Il était midi. Les éclusiers étaient à leur poste, car un vapeur était annoncé de Caen. La bande de sable, sur la plage, s'était rétrécie, et les vagues blanches léchaient presque les dunes.

À droite, une foule qui assistait à un spectacle passionnant : le remorqueur de Trouville était ancré à moins de cinq cents mètres de la côte. Un canot s'approchait péniblement du *Saint-Michel* que le flot avait à moitié redressé.

À travers les vitres de la voiture, Maigret vit que le maire suivait, lui aussi, ce spectacle des yeux. Le capitaine Delcourt sortait de la buvette.

— Ça ira ? questionna le commissaire.

— Je crois qu'on l'aura ! Depuis deux heures, des hommes sont en train de délester la goélette. Si elle ne casse pas ses amarres…

Et il regardait le ciel comme on regarde une carte, pour y lire les caprices du vent.

— Il faudrait seulement que tout soit fini avant le plein de la marée.

Il aperçut le maire et sa femme dans l'auto, les salua avec respect, mais n'en regarda pas moins Maigret d'un air interrogateur.

— Du nouveau ?

— Sais pas.

Lucas, qui s'avançait, avait, lui, du nouveau. Seulement, avant de parler, il attira son chef à l'écart.

— On a repris Grand-Louis.

— Hein ?

— Par sa faute !... Ce matin, les gendarmes de Dives ont remarqué des traces de pas dans les champs... Un homme qui avait marché droit devant lui en enjambant les haies... La piste conduisait à l'Orne, à l'endroit où un pêcheur tire d'habitude son canot à sec... Or, le canot était de l'autre côté de l'eau...

— Les gendarmes ont traversé ?

— Oui... Et ils sont arrivés sur la plage, à peu près en face de l'épave. Là-bas, au bord de la dune, il y a...

— Les ruines d'une chapelle !

— Vous savez ?

— La chapelle de Notre-Dame-des-Dunes...

— Eh bien ! on y a pincé Grand-Louis, qui était tapi là, occupé à surveiller les travaux de renflouement... Quand je suis arrivé, il suppliait les gendarmes de ne pas l'emmener tout de suite, de le laisser sur la plage jusqu'à ce que ce soit fini... J'ai accordé la permission... Il est là, menottes aux poings... Il donne des ordres, parce qu'il a peur qu'on ne perde son bateau... Vous ne voulez pas le voir ?

— Je ne sais pas... Peut-être, tout à l'heure.

Car il y avait les deux autres, ceux de la voiture, M. et Mme Grandmaison, qui attendaient toujours.

— Vous croyez qu'on finira par savoir la vérité ?

Et, comme Maigret ne répondait pas, Lucas ajouta :

— Moi, je commence à penser le contraire ! Ils mentent tous ! Ceux qui ne mentent pas se taisent, bien qu'ils sachent quelque chose ! À croire que tout le pays est responsable de la mort de Joris…

Mais le commissaire s'éloigna en haussant les épaules et en grommelant :

— À tout à l'heure !

Dans la voiture, il lança au chauffeur, à la grande surprise de celui-ci :

— À la maison !

On eût dit qu'il parlait de sa maison à lui, qu'il était le maître.

— La maison de Caen ?

À vrai dire, le commissaire n'y avait pas pensé. Mais cela lui donna une idée :

— À Caen, oui !

M. Grandmaison se renfrogna. Quant à sa femme, elle n'avait même plus de réflexes. Elle semblait se laisser aller au fil du courant sans lui opposer la moindre résistance.

De la porte de la ville à la rue du Four, on reçut cinquante coups de chapeau. Tout le monde semblait connaître la voiture de M. Grandmaison. Et les saluts étaient respectueux. L'armateur faisait figure d'un grand seigneur traversant son fief.

— Une simple formalité ! dit Maigret du bout des lèvres, comme l'auto s'arrêtait enfin. Vous m'excuserez de vous avoir amenés ici… Mais, comme je vous l'ai dit ce matin, il est nécessaire que tout soit fini ce soir…

Une rue calme, bordée de ces graves hôtels particuliers qu'on ne trouve plus qu'en province. La maison, en pierres noircies, était précédée d'une cour. Et, sur la grille, une plaque de cuivre annonçait : *Société Anglo-Normande de navigation*.

Dans la cour, un écriteau avec une flèche : *Bureaux*. Un autre écriteau, une autre flèche : *Caisse*.

Et un avis : *Les bureaux sont ouverts de 9 à 16 heures*.

Il était un peu plus de midi. On n'avait mis que dix minutes pour venir de Ouistreham. À cette heure-là la plupart des employés étaient partis déjeuner, mais il en restait quelques-uns à leur poste, dans des locaux sombres, solennels, aux épais tapis, aux meubles Louis-Philippe.

— Voulez-vous gagner votre appartement, madame ? Tout à l'heure, je solliciterai sans doute l'honneur de quelques instants d'entretien.

Le rez-de-chaussée était occupé tout entier par les bureaux. Le vestibule était large, flanqué de lampadaires en fer forgé. Un escalier de marbre conduisait au premier étage, que les Grandmaison habitaient.

Le maire de Ouistreham attendait, hargneux, une décision de Maigret à son sujet.

— Qu'est-ce que vous voulez savoir ? murmura-t-il.

Et il releva le col de son manteau sur son visage, enfonça son chapeau pour empêcher ses employés de voir dans quel état les poings de Grand-Louis l'avaient mis.

— Rien de spécial. Je vous demande seulement la permission d'aller et venir, de respirer l'air de la maison.

— Vous avez besoin de moi ?

— Pas le moins du monde.

— Dans ce cas, vous me permettrez de rejoindre Mme Grandmaison.

Et le respect avec lequel il parlait de sa femme contrastait avec la scène du matin, dans la bicoque de la vieille. Maigret le regarda disparaître dans l'escalier, marcha vers le fond du corridor, s'assura que l'immeuble n'avait qu'une issue.

Il sortit, chercha un agent dans les environs, le posta à proximité de la grille.

— Compris ? Laissez sortir tout le monde, sauf l'armateur. Vous le connaissez ?

— Parbleu ! Mais... qu'est-ce qu'il a fait ? Un homme comme lui !... Savez-vous qu'il est président de la Chambre de commerce ?

— Tant mieux !

Un bureau, à droite, dans le vestibule : *Secrétariat général*. Maigret frappa, poussa la porte, renifla une odeur de cigare, mais ne vit personne.

Un bureau à gauche : *Administrateur*. Et c'était la même atmosphère résolument grave et solennelle, les mêmes tapis rouge sombre, les papiers de tenture plaqués de dorure, les plafonds à moulures compliquées.

L'impression que, là-dedans, nul n'oserait parler à voix haute. On imaginait des messieurs dignes, en jaquette et pantalons rayés, parlant avec componction tout en fumant de gros cigares.

L'affaire sérieuse, solide ! la vieille affaire de province, se transmettant de père en fils pendant des générations.

« M. Grandmaison ? Sa signature vaut de l'or en barre. »

Or, Maigret était dans son bureau qui, celui-ci, était meublé en style Empire, plus convenable pour un grand patron. Sur les murs, des photographies de bateaux, des statistiques, des graphiques, des barèmes en plusieurs couleurs.

Or, comme il allait et venait, les mains dans les poches, une porte s'ouvrit, une tête de vieillard chenu se montra, effarée.

— Qu'est-ce que… ?

— Police ! laissa tomber Maigret aussi sèchement que possible, à croire qu'il le faisait par amour du contraste.

Et il vit le vieillard s'agiter, en proie à l'effarement le plus complet.

— Ne vous inquiétez pas. Il s'agit d'une affaire dont votre patron m'a chargé. Vous êtes bien…

— Le caissier principal, se hâta d'affirmer l'homme.

— C'est vous qui êtes dans la maison depuis… depuis…

— Quarante-deux ans. Je suis entré du temps de M. Charles.

— C'est bien cela. Et c'est votre bureau, à côté ? En somme, maintenant, c'est vous qui faites tout marcher, pas vrai ? Du moins à ce qu'on m'a dit.

Maigret jouait sur le velours. Il suffisait de voir la maison, puis ce vieux serviteur, pour tout deviner.

— C'est assez naturel, n'est-ce pas ? Quand M. Ernest n'est pas ici…

— M. Ernest ?

— Oui, M. Grandmaison, enfin. Je l'ai connu si jeune que je l'appelle toujours M. Ernest.

Maigret, sans en avoir l'air, entrait dans le bureau du vieux, un bureau sans luxe, où on sentait que le public n'était pas admis, mais où, par contre, les dossiers s'entassaient.

Sur la table encombrée, des sandwiches dans un papier. Sur le poêle, une petite cafetière fumante.

— Vous prenez vos repas ici, monsieur… Allons ! voilà que j'ai oublié votre nom…

— Bernardin… Mais tout le monde dit le père Bernard… Comme je vis tout seul, ce n'est pas la peine que j'aille déjeuner chez moi… Au fait… C'est au sujet du petit vol de la semaine dernière que M. Ernest vous a fait appeler ?… Il aurait dû m'en parler… Car, à l'heure qu'il est, c'est arrangé… Un jeune homme qui avait pris deux mille francs dans la caisse… Son oncle a remboursé… Le jeune homme a juré… Vous comprenez ?… À cet âge-là !… Et il avait eu de mauvais exemples sous les yeux…

— Nous verrons cela tout à l'heure… Mais, je vous en prie, continuez votre repas… En somme, vous étiez déjà l'homme de confiance de M. Charles, avant d'être celui de M. Ernest…

— J'étais caissier… À ce moment-là, il n'y avait pas encore de caissier principal… Je pourrais même dire que le titre a été créé pour moi…

— M. Ernest est le fils unique de M. Charles ?

— Fils unique, oui ! Il y avait une fille, qui a été mariée à un industriel de Lille, mais elle est morte en couches, en même temps que l'enfant…

— Mais M. Raymond ?

Le vieux leva la tête, s'étonna.

— Ah ! M. Ernest vous a dit ?…

Malgré tout, le vieux Bernard se montrait plus réservé.

— Il n'était pas de la famille ?

— Un cousin ! Un Grandmaison aussi… Seulement, il n'avait pas de fortune… Son père est mort aux colonies… Cela existe dans toutes les familles, n'est-ce pas ?…

— Dans toutes ! affirma Maigret sans broncher.

— Le père de M. Ernest l'avait en quelque sorte adopté… C'est-à-dire qu'il lui avait fait une place ici…

Maigret avait besoin de précisions et il cessa de ruser.

— Un instant, monsieur Bernard ! Vous permettez que je fixe mes idées ?… Le fondateur de l'Anglo-Normande est M. Charles Grandmaison… C'est bien cela ?… M. Charles Grandmaison a un fils unique, qui est M. Ernest, le patron actuel…

— Oui…

Le vieux commençait à s'effarer. Ce ton inquisiteur l'étonnait.

— Bon ! M. Charles avait un frère qui est mort aux colonies, laissant, lui aussi, un fils, M. Raymond Grandmaison.

— Oui… Je ne…

— Attendez ! Mangez, je vous en prie. M. Raymond Grandmaison, orphelin sans fortune, est recueilli ici par son oncle. On lui fait une place dans la maison. Laquelle exactement ?

Un peu de gêne.

— Heu ! On l'avait mis au service du fret. Comme qui dirait chef de bureau.

— Ça va ! M. Charles Grandmaison meurt. M. Ernest lui succède. M. Raymond est toujours là.

— Oui.

— Une brouille survient. Un instant ! Est-ce qu'au moment de la brouille M. Ernest est déjà marié ?

— Je ne sais pas si je dois.

— Et moi, je vous conseille fort de parler si vous ne voulez pas, sur vos vieux jours, avoir des ennuis avec la Justice de votre pays.

— La Justice ! M. Raymond est revenu ?

— Peu importe. M. Ernest était-il marié ?

— Non. Pas encore.

— Bon ! M. Ernest est le grand patron. Son cousin Raymond est chef de bureau. Que se passe-t-il ?

— Je ne crois pas que j'aie le droit…

— Je vous le donne.

— Cela existe dans toutes les familles… M. Ernest était un homme sérieux, comme son père… Même à l'âge où généralement on fait des bêtises, il était déjà comme maintenant…

— Et M. Raymond ?

— Tout le contraire !

— Alors ?

— Je suis le seul ici à savoir, avec M. Ernest… On a trouvé des irrégularités dans les comptes… Des irrégularités assez importantes…

— Et ?…

— M. Raymond a disparu… C'est-à-dire qu'au lieu de le livrer à la Justice, M. Ernest l'a prié d'aller vivre à l'étranger…

— En Norvège ?

— Je ne sais pas… Je n'ai plus entendu parler de lui…

— M. Ernest s'est marié un peu plus tard ?

— C'est cela… Quelques mois après…

Les murs étaient garnis de classeurs d'un vert lugubre. Le vieil homme de confiance mangeait sans appétit, inquiet malgré tout, furieux contre lui-même à l'idée qu'il s'était laissé tirer les vers du nez.

— Il y a combien de temps de cela ?

— Attendez… C'était l'année de l'élargissement du canal… Quinze ans… Un peu moins…

Depuis quelques instants, on entendait des allées et venues juste au-dessus des têtes.

— La salle à manger ? questionna Maigret.

— Oui…

Et soudain des pas précipités, un bruit sourd, la chute d'un corps sur le plancher.

Le vieux Bernard était plus blanc que le papier qui avait enveloppé ses sandwiches.

13

La maison d'en face

M. Grandmaison était mort. Étendu en travers du tapis, la tête près d'un pied de la table, les jambes sous la fenêtre, il paraissait énorme. Très peu de sang. La balle avait pénétré entre deux côtes et avait atteint le cœur.

Quant au revolver, la main de l'homme l'avait lâché en se détendant et il était tombé à quelques centimètres.

Mme Grandmaison ne pleurait pas. Elle était debout, appuyée à la cheminée monumentale, et elle regardait son mari comme si elle n'eût pas encore compris.

— C'est fini ! dit simplement Maigret en se redressant.

Un grand salon sévère et triste. Des rideaux sombres, devant des fenêtres qui laissaient pénétrer un jour glauque.

— Il vous a parlé ?

Elle fit signe que non de la tête. Puis, avec effort, elle put balbutier :

— Depuis que nous sommes rentrés, il se promenait de long en large... Deux ou trois fois il s'est tourné vers moi et j'ai cru qu'il allait me dire quelque chose... Puis il a tiré brusquement, alors que je n'avais même pas vu le revolver...

Elle parlait de la façon caractéristique des femmes très émues, qui ont peine à suivre le fil de leurs pensées. Mais ses yeux restaient secs.

Il était évident qu'elle n'avait jamais aimé Grandmaison, qu'elle ne l'avait jamais aimé d'amour, en tout cas.

Il était son mari. Elle remplissait ses devoirs envers lui. Une sorte d'affection était née de l'habitude, de la vie à deux.

Mais devant l'homme mort, elle n'avait pas de ces déchirements pathétiques qui trahissent la passion.

L'œil fixe, tout le corps las, elle questionna, au contraire :

— C'est lui ?

— C'est lui... affirma Maigret.

Et ce fut le silence autour du corps immense sur lequel tombait la lumière crue du jour. Le commissaire observait Mme Grandmaison. Il vit son regard se diriger vers la rue, chercher quelque chose, en face, et une ombre de nostalgie envahir ses traits.

— Vous me permettez de vous poser deux ou trois questions avant que les gens viennent ?

Elle fit signe que oui.

— Vous avez connu Raymond avant votre mari ?

— J'habitais en face.

Une maison grise, assez pareille à celle-ci. Au-dessus de la porte, l'écusson doré des notaires.

— J'aimais Raymond. Il m'aimait. Son cousin me faisait la cour aussi, mais à sa façon.

— Deux hommes très différents, n'est-ce pas ?

— Ernest était déjà comme vous l'avez connu. Un homme froid, sans âge. Raymond, lui, avait mauvaise réputation, parce qu'il menait une vie plus tumultueuse que la vie des petites villes. C'est à cause de cela et aussi parce qu'il n'avait pas de fortune que mon père hésitait à lui accorder ma main.

C'était étrange, ces confidences murmurées près d'un cadavre. Cela ressemblait au morne bilan d'une existence.

— Vous avez été la maîtresse de Raymond ?

Battement de cils affirmatif.

— Et il est parti ?

— Sans prévenir personne. Une nuit. C'est par son cousin que je l'ai su. Parti en emportant une partie de la caisse.

— Et Ernest vous a épousée. Votre fils n'est pas de lui, n'est-ce pas ?

— C'est le fils de Raymond. Pensez que, quand il est parti et que je suis restée seule, je savais que j'allais être mère. Et Ernest me demandait ma main. Regardez les deux maisons, la rue, la ville où tout le monde se connaît.

— Vous avez avoué la vérité à Ernest ?

— Oui. Il m'a épousée quand même. L'enfant est né en Italie, où je suis restée près d'un an afin d'éviter les cancans. Je prenais l'attitude de mon mari pour une sorte d'héroïsme.

— Et ?

Elle détourna la tête, parce qu'elle venait d'apercevoir le corps. Du bout des lèvres, elle soupira :

— Je ne sais pas. Je crois qu'il m'aimait, mais à sa façon. Il me voulait. Il m'a eue, est-ce que vous pouvez comprendre ? Un homme incapable d'élan. Marié, il a vécu comme avant, pour lui. Je faisais partie de sa maison. Tenez, un peu comme un employé de confiance. Je ne sais pas si, par la suite, il a eu des nouvelles de Raymond, mais quand le gamin, un jour, par hasard, a vu une de ses photographies et l'a questionné, il s'est contenté de répondre :

» — Un cousin qui a mal tourné.

Maigret était grave, en proie à une émotion sourde, parce que c'était toute une existence qu'il reconstituait. Plus qu'une existence, la vie d'une maison, d'une famille !

Cela avait duré quinze ans ! On avait acheté de nouveaux vapeurs. Il y avait eu des réceptions dans ce même salon, des parties de bridge et des thés. Il y avait eu des baptêmes.

Des étés à Ouistreham et dans la montagne.

Et, maintenant, Mme Grandmaison était si lasse qu'elle se laissait aller dans un fauteuil, passait une main molle sur son visage.

— Je ne comprends pas, balbutia-t-elle. Ce capitaine que je n'ai jamais vu. Vous croyez vraiment… ?

Maigret tendit l'oreille, alla ouvrir la porte. Le vieil employé était sur le palier, anxieux, mais trop respectueux pour pénétrer dans la pièce. Son regard interrogea le commissaire.

— M. Grandmaison est mort. Vous préviendrez le médecin de la famille. Vous n'annoncerez la nouvelle aux employés et aux domestiques que tout à l'heure.

Il referma l'huis, faillit prendre sa pipe dans sa poche, haussa les épaules.

Un étrange sentiment de respect, de sympathie était né en lui pour cette femme qui, la première fois qu'il l'avait vue, lui avait fait l'effet d'une banale bourgeoise.

— C'est votre mari qui, avant-hier, vous a envoyée à Paris ?

— Oui. Je ne savais pas que Raymond était en France. Mon mari m'a simplement demandé d'aller chercher mon fils à Stanislas et de passer quelques jours avec lui dans le Midi. Je ne comprenais pas. J'ai obéi quand même, mais, quand je suis arrivée à l'*Hôtel de Lutèce*, Ernest m'a téléphoné pour me dire de rentrer sans aller au collège.

— Et, ce matin, vous avez reçu ici un coup de téléphone de Raymond ?

— Oui, un appel pressant. Il m'a suppliée de lui apporter un peu d'argent. Il m'a juré que notre tranquillité à tous en dépendait.

— Il n'a pas accusé votre mari ?

— Non, là-bas, dans la bicoque, il n'a même pas parlé de lui, mais d'amis, des marins à qui il devait donner de l'argent pour quitter le pays. Il a fait allusion à un naufrage.

Le médecin arrivait, un ami de la famille qui regardait le cadavre avec effarement.

— M. Grandmaison s'est suicidé ! dit Maigret avec fermeté. À vous de découvrir de quelle maladie il est mort. Vous me comprenez ? Moi, je me charge de la police…

Il alla s'incliner devant Mme Grandmaison qui hésita, questionna enfin :

— Vous ne m'avez pas dit pourquoi…

— Raymond vous le dira un jour… Une dernière question… Le 16 septembre, votre fils était à Ouistreham avec votre mari, n'est-ce pas ?

— Oui… Il y resté jusqu'au 20…

Maigret sortit à reculons, descendit lourdement l'escalier, traversa les bureaux, un poids sur les épaules, un écœurement dans la poitrine.

Dehors, il respira plus profondément et il resta tête nue sous la pluie, comme pour se rafraîchir, pour dissiper la terrible atmosphère de la maison.

Un dernier regard aux fenêtres. Un regard à celles d'en face, où Mme Grandmaison avait passé sa jeunesse.

Un soupir.

— Venez !…

Maigret avait ouvert la porte de la pièce nue où Raymond avait été enfermé. Et il faisait signe au prisonnier de le suivre. Il le précédait dans la rue, puis sur la route conduisant au port.

L'autre s'étonnait, vaguement inquiet de cette étrange libération.

— Vous n'avez rien à me dire ? grogna Maigret avec une apparente mauvaise humeur.

— Rien !

— Vous vous laisserez condamner ?

— Je répéterai aux juges que je n'ai pas tué !

— Mais vous ne leur direz pas la vérité ?

Raymond baissa la tête. On commençait à apercevoir la mer. On entendait les coups de sifflet du remorqueur qui s'avançait vers les jetées, traînant le *Saint-Michel* au bout d'un filin d'acier.

Alors, du bout des lèvres, Maigret prononça, comme si c'était la chose la plus naturelle du monde :

— Grandmaison est mort.

— Hein ?… Vous dites ?…

L'autre lui avait saisi le bras, qu'il serrait fiévreusement.

— Il est… ?

— Il s'est suicidé voilà une heure chez lui.

— Il a parlé ?

— Non ! Il a marché de long en large dans le salon, pendant un quart d'heure, puis il a tiré… C'est tout !…

Ils firent encore quelques pas. On voyait au loin, sur les murs de l'écluse, la foule qui grouillait, suivant des yeux les travaux de sauvetage.

— Alors, maintenant, vous pouvez me dire la vérité, Raymond Grandmaison… Au surplus, je la connais dans ses grandes lignes… Vous avez voulu reprendre votre fils, n'est-ce pas ?…

Pas de réponse.

— Vous vous êtes fait aider, entre autres, par le capitaine Joris… Et le malheur a voulu…

— Taisez-vous ! Si vous saviez…

— Venez par ici. Il y a moins de monde…

Un petit chemin conduisait sur la plage déserte, que les vagues assaillaient.

— Vous vous êtes vraiment enfui avec la caisse, jadis ?

— C'est Hélène qui vous a dit… ?

La voix devint mordante.

— Oui… Ernest a dû lui raconter les événements à sa façon… Je ne prétends pas que j'étais un saint… Au contraire !… Je m'amusais, comme on dit… Et surtout, pendant un temps, j'ai eu la passion du jeu… J'ai gagné… J'ai perdu… Un jour, en effet, je me suis servi de l'argent de la maison et mon cousin s'en est aperçu…

» J'ai promis de restituer petit à petit… Je l'ai supplié de ne pas faire d'éclat…

» Il n'y a mis qu'une condition… Car il voulait bel et bien porter plainte…

» Que je parte à l'étranger !… Que je ne remette jamais les pieds en France !…

» Vous comprenez ? Il voulait Hélène ! Il l'a eue !…

Et Raymond sourit douloureusement, resta un moment silencieux avant de reprendre :

— D'autres vont vers le sud ou vers l'orient… Moi, j'ai été attiré par le nord et je me suis installé en Norvège… Je n'avais aucune nouvelle du pays… Les lettres que j'écrivais à Hélène restaient sans réponse et depuis hier je sais qu'elle ne les a jamais reçues…

» J'écrivis à mon cousin aussi, sans plus de succès…

» Je ne veux pas me faire meilleur que je ne suis, ni vous apitoyer par le récit d'un amour malheureux… Non ! Au début, je n'y pensais pas beaucoup… Vous voyez que je suis sincère !… Je travaillais… J'avais des difficultés de toute sorte... C'était plutôt une nostalgie sourde qui me prenait, le soir...

» J'ai eu des déboires... Une société que j'avais montée a fait de mauvaises affaires... Des hauts et des bas, pendant des années, dans un pays qui n'était pas le mien...

» Là-bas, j'avais changé de nom... Pour pouvoir entreprendre un commerce dans de meilleures conditions, je m'étais fait naturaliser...

» De temps en temps, je recevais des officiers de quelque bateau français et c'est ainsi qu'un jour j'ai su que j'avais un fils...

» Sans être sûr !... Mais je confrontais les dates...

J'étais bouleversé... J'ai écrit à Ernest... Je l'ai supplié de me dire la vérité, de me laisser rentrer en France, ne fût-ce que pour quelques jours...

» Il m'a répondu par un télégramme : *Arrestation frontière...*

» Et le temps a passé... Je me suis acharné à gagner de l'argent... C'est monotone à raconter... Seulement, j'avais comme un vide dans la poitrine...

» À Tromsø, il y a trois mois de nuit complète par an... Les nostalgies s'aiguisent... Il m'est arrivé d'avoir de vraies crises de rage...

» Je me donnais un but, pour me tromper moi-même : devenir aussi riche que mon cousin...

» C'est fait ! J'ai réussi, avec la rogue de morue. Et c'est quand j'ai eu réussi que je me suis senti le plus malheureux...

» Alors, je suis revenu, brusquement. J'étais décidé à agir... Après quinze ans, oui !... J'ai rôdé par ici...

J'ai aperçu mon gamin, sur la plage... J'ai vu Hélène, de loin...

» Et je me suis demandé comment, jusque-là, j'avais pu vivre sans mon fils... Est-ce que vous comprenez cela ?...

» J'ai acheté un bateau... Si j'avais agi ouvertement, mon cousin n'aurait pas hésité à me faire arrêter... Car il a conservé des preuves !...

» Vous avez vu mes hommes, de braves gens, malgré les apparences... Tout a été combiné...

» Ernest Grandmaison était seul chez lui ce soir-là, avec le gosse... Pour être plus sûr encore de réussir, pour mettre toutes les chances de mon côté, j'ai demandé son aide au capitaine Joris, que j'avais rencontré en Norvège, au temps où il naviguait...

» Il était connu du maire... Il lui rendrait visite sous un prétexte quelconque et détournerait son attention pendant que Grand-Louis et moi enlèverions mon fils...

» Hélas ! c'est ce qui a provoqué le drame... Joris était avec mon cousin dans le bureau... Nous, qui étions entrés par-derrière, avons eu le malheur de heurter un balai qui se trouvait dans le corridor...

» Grandmaison a entendu... Il s'est cru attaqué... Il a pris son revolver dans le tiroir...

» Le reste ?... Je n'en sais rien... Une scène de désordre... Joris suivait Grandmaison dans le corridor... Il n'y avait pas de lumière...

» Un coup de feu... Et le hasard a voulu que ce soit Joris qui le reçoive !...

» J'étais fou d'angoisse… Je ne voulais pas de scandale, surtout pour Hélène… Est-ce que je pouvais raconter toute cette histoire à la police ?…

» Grand-Louis et moi avons emmené le blessé à bord du *Saint-Michel*… Il fallait le faire soigner quelque part… Nous avons mis le cap sur l'Angleterre, où nous arrivions quelques heures plus tard…

» Hélas ! impossible de débarquer sans passeport… Et une police vigilante… Des factionnaires sur le quai…

» J'ai fait un peu de médecine, jadis… Je soignais Joris tant bien que mal, à bord, mais c'était insuffisant… J'ai fait appareiller pour la Hollande. Là, on a trépané le blessé, mais on ne pouvait pas le garder plus longtemps à la clinique sans avertir les autorités…

» Un voyage atroce !… Nous voyez-vous à bord, avec ce pauvre Joris à l'agonie ?…

» Il fallait un mois de repos, de soins… J'ai failli emmener la goélette en Norvège. Cela n'a pas été nécessaire, car le hasard nous a fait rencontrer un schooner qui allait aux îles Lofoten…

» Je m'y suis embarqué avec Joris… Nous étions plus en sûreté en mer qu'à terre…

» Il est resté chez moi huit jours. Mais, là encore, les gens commençaient à se demander qui était cet hôte mystérieux…

» Il a fallu repartir… Copenhague… Hambourg… Joris allait mieux… La blessure était cicatrisée, mais il avait perdu à la fois la raison et la parole…

» Qu'est-ce que je pouvais en faire, dites ?… Et n'aurait-il pas plus de chances de recouvrer la raison chez lui, dans un décor familier, qu'en courant le monde ?…

» J'ai voulu lui assurer tout au moins le bien-être matériel… J'ai envoyé trois cent mille francs à sa banque, en signant de son nom…

» Restait à le ramener !… Je risquais trop gros à venir ici, moi-même, avec lui… En le lâchant dans Paris, n'échouerait-il pas fatalement à la police, qui finirait par l'identifier et par le ramener chez lui ?…

» C'est ce qui est arrivé… Il n'y a qu'une chose que je ne pouvais pas prévoir : que mon cousin, pris de peur à l'idée que Joris était susceptible de le dénoncer, l'achèverait lâchement…

» Car c'est lui qui a mis la strychnine dans le verre d'eau… Il lui a suffi d'entrer dans la maison, par-derrière, en allant à la chasse aux canards…

— Et vous avez repris la lutte ! dit lentement Maigret.

— Je ne pouvais plus faire autrement ! Je voulais mon fils ! Seulement, l'autre était sur ses gardes. Le garçon était rentré à Stanislas où on refuserait de me le confier…

Tout cela, Maigret le savait. Et maintenant, contemplant autour de lui ce décor qui lui était devenu familier, il comprenait mieux la valeur du combat qui s'était déroulé entre deux hommes, à l'insu de tous.

Non pas seulement un combat entre eux deux ! Mais un combat contre lui, Maigret !

Il ne fallait pas que la police intervînt ! Ni l'un ni l'autre ne pouvait dire la vérité !

— Je suis venu avec le *Saint-Michel*…

— Je sais ! Et vous avez envoyé Grand-Louis chez le maire…

Malgré lui, Raymond eut un sourire amusé tandis que le commissaire poursuivait :

— Un Grand-Louis féroce, qui s'est vengé de tous ses avatars précédents !… Il pouvait frapper, car il savait que sa victime n'oserait surtout pas parler !… Et il s'en est donné à cœur joie !… Par la menace, il a dû obtenir une lettre vous autorisant à retirer l'enfant du collège…

— Oui… J'étais derrière la villa avec votre agent sur les talons… Grand-Louis a placé la lettre à un endroit convenu et je me suis débarrassé de mon suiveur… J'ai pris un vélo… À Caen, j'ai acheté une voiture… Il fallait faire vite… Pendant que j'allais chercher mon fils, Grand-Louis restait chez le maire pour l'empêcher de donner contrordre… Peine perdue, d'ailleurs, puisqu'il avait eu soin d'envoyer Hélène reprendre l'enfant avant moi…

» Vous m'avez fait arrêter…

» La lutte était finie… Il n'était plus possible de la poursuivre alors que vous vous obstiniez à découvrir la vérité…

» Il n'y avait plus qu'à fuir… Si nous restions, vous arriveriez fatalement à tout comprendre…

» D'où les scènes de la nuit dernière… La malchance ne nous a pas lâchés… La goélette s'est échouée… Nous avons eu grand-peine à gagner la terre à la nage et le malheur a voulu que j'y perdisse mon portefeuille…

» Pas d'argent !… La gendarmerie à nos trousses !… Il ne me restait qu'une ressource : téléphoner à Hélène, lui demander quelques milliers de francs, de quoi nous permettre à tous quatre de gagner la frontière…

» En Norvège, je pouvais indemniser mes compagnons…

» Hélène est accourue…

» Mais vous aussi ! Vous que nous retrouvions sans cesse devant nous. Vous qui vous acharniez et à qui nous ne pouvions rien dire, à qui je ne pouvais pourtant pas crier que vous risquiez de provoquer de nouveaux drames !…

Une inquiétude passa soudain dans ses yeux et, d'une voix changée, il questionna :

— Est-ce que mon cousin s'est vraiment tué ?

Ne lui avait-on pas menti pour le faire parler ?

— Il s'est tué, oui, quand il a compris que la vérité était en marche… Et il l'a compris quand je vous ai arrêté… Il a deviné que je ne le faisais que pour lui donner le temps de réfléchir…

Ils avaient continué à marcher et soudain ils s'arrêtèrent en même temps. Ils étaient arrivés sur la jetée. Le *Saint-Michel* passait lentement, piloté par un vieux pêcheur qui maniait fièrement le gouvernail.

Un homme accourait, bousculait les badauds et était le premier à sauter sur le pont de la goélette.

Grand-Louis !

Il avait brûlé la politesse aux gendarmes, cassé la chaîne des menottes ! Il repoussait le pêcheur et saisissait lui-même le gouvernail.

— Pas si vite, sacrebleu !… Vous allez tout briser !… hurlait-il à l'adresse des gens du remorqueur.

— Et les deux autres ? demanda Maigret à son compagnon.

— Ce matin, vous étiez à moins d'un mètre d'eux. Ils sont cachés tous les deux dans la remise à bois, chez la vieille…

Lucas se frayait un passage dans la foule, s'approchait avec étonnement de Maigret.

— Vous savez ! on les tient !…

— Qui ?

— Lannec et Célestin…

— Ils sont ici ?

— Les gendarmes de Dives viennent de les amener.

— Eh bien ! dis-leur de les relâcher… Et qu'ils viennent tous les deux jusqu'au port…

En face, on voyait la petite maison du capitaine Joris et son jardin où la tempête de la nuit avait effeuillé les dernières roses. Derrière un rideau, une silhouette : celle de Julie, qui se demandait si c'était bien son frère qu'elle apercevait sur le bateau.

Autour de l'écluse, les hommes du port, groupés près du capitaine Delcourt.

— Des gens qui m'ont donné du mal, avec leurs réponses évasives ! soupira Maigret.

Raymond sourit.

— Ce sont des marins !

— Je sais ! Et les marins n'aiment pas qu'un terrien comme moi vienne s'occuper de leurs affaires !

Il bourrait sa pipe à petits coups d'index. Quand il l'eut allumée, il murmura, le front soucieux :

— Qu'est-ce qu'on va leur dire ?

Ernest Grandmaison était mort. Était-il nécessaire de révéler que c'était un assassin ?

— On pourrait peut-être… commença Raymond.

— Je ne sais pas, moi ! Dire qu'il s'agit d'une vieille vengeance !

Un marin étranger qui est reparti…

Les hommes du remorqueur se dirigeaient à pas lourds vers la buvette, faisaient signe aux éclusiers de les suivre.

Et Grand-Louis allait et venait sur son bateau, le tâtait partout comme il eût taté un chien retrouvé, pour s'assurer qu'il n'était pas blessé.

— Dis donc !… lui cria Maigret.

Il sursauta, hésita à s'avancer, ou plutôt à quitter à nouveau sa goélette. Mais il aperçut Raymond en liberté, se montra aussi ahuri que Lucas.

— Qu'est-ce que… ?

— Quand le *Saint-Michel* pourra-t-il reprendre la mer ?

— Tout de suite si on veut ! Il n'a rien de cassé ! Un fameux bateau, je vous jure…

Son regard interrogeait Raymond, qui prononça :

— Dans ce cas-là va donc tirer une bordée avec Lannec et Célestin…

— Ils sont ici ?

— Ils vont arriver… Une bordée de quelques semaines… Assez loin… Qu'on ne parle plus du *Saint-Michel* dans le pays…

— Je pourrais, par exemple, emmener ma sœur pour faire la popote… Vous savez, la Julie n'a pas peur…

Il n'était quand même pas fier, à cause de Maigret. Il se souvenait des événements de la nuit. Il ne savait pas encore s'il pouvait en sourire.

— Vous n'avez pas eu trop froid, au moins ?

Il était au bord du bassin, où Maigret l'envoya barboter d'une bourrade.

— Je crois que j'ai un train à six heures... dit ensuite le commissaire.

Il ne se décidait pourtant pas à s'en aller. Il regardait autour de lui avec un rien de nostalgie, comme si le petit port lui eût déjà été cher.

Ne le connaissait-il pas dans tous ses recoins, sous tous ses aspects, sous le soleil frileux du matin et dans la tempête, noyé de pluie ou de brouillard ?

— Vous allez à Caen ? demanda-t-il à Raymond, qui ne le quittait pas.

— Pas tout de suite... Je crois que cela vaut mieux... Il faut laisser...

— Oui, *le temps*...

Quand, un quart d'heure plus tard, Lucas revint et s'informa de Maigret, on lui désigna la *Buvette de la Marine*, dont les lampes venaient de s'allumer.

Il vit le commissaire à travers les vitres embuées. Un Maigret bien calé sur une chaise de paille, la pipe aux dents, un verre de bière à portée de la main, écoutant les histoires que racontaient autour de lui des hommes en bottes de caoutchouc et en casquette de marin.

Et, dans le train, vers dix heures du soir, le même Maigret soupira :

— Ils doivent être tous les trois dans le poste, bien au chaud...

— Quel poste ?

— À bord du *Saint-Michel*… Avec la lampe à cardan, la table entaillée, les gros verres et la bouteille de schiedam… Et le poêle qui ronfle… Donne-moi du feu, tiens !…

« Les Roches Grises », Antibes
(Alpes-Maritimes),
février 1932.

Maigret et la vieille dame

1

La châtelaine de « La Bicoque »

Il descendit du Paris-Le Havre dans une petite gare maussade, Bréauté-Beuzeville. Il avait dû se lever à cinq heures et, faute de trouver un taxi, prendre le premier métro pour se rendre à la gare Saint-Lazare. Maintenant, il attendait la correspondance.

— Le train pour Étretat, s'il vous plaît ?

Il était plus de huit heures du matin, et il faisait grand jour depuis longtemps ; mais ici, à cause du crachin et de la fraîcheur humide, on avait l'impression de l'aube.

Il n'y avait pas de restaurant à la gare, pas de buvette, seulement une sorte d'estaminet, en face, de l'autre côté de la route, où stationnaient des carrioles de marchands de bestiaux.

— Étretat ? Vous avez le temps. Il est là-bas, votre train.

On lui désignait, loin du quai, des wagons sans locomotive, des wagons d'un ancien modèle, au vert duquel on n'était plus habitué, avec, derrière les vitres, quelques voyageurs figés qui semblaient attendre depuis la veille. Cela ne faisait pas sérieux. Cela ressemblait à un jouet, à un dessin d'enfant.

Une famille – des Parisiens, évidemment ! – courait à perdre haleine, Dieu sait pourquoi, enjambait les rails, se précipitait vers le train sans machine, et les trois enfants portaient des filets à crevettes.

C'est ce qui déclencha le déclic. Pendant un moment, Maigret n'eut plus d'âge et, alors qu'on était à vingt kilomètres au moins de la mer, il eut l'impression d'en sentir l'odeur, d'en percevoir le bruit rythmé ; il leva la tête et regarda avec un certain respect les nuages gris qui devaient venir du large.

Car la mer, pour lui qui était né et avait passé son enfance loin dans les terres, c'était resté ça : des filets à crevettes, un train-jouet, des hommes en pantalon de flanelle, des parasols sur la plage, des marchands de coquillages et de souvenirs, des bistros où l'on boit du vin blanc en dégustant des huîtres et des pensions de famille qui ont toutes la même odeur, une odeur qu'on ne trouve nulle part ailleurs, des pensions de famille où, après quelques jours, Mme Maigret était si malheureuse de ne rien faire de ses mains qu'elle aurait volontiers proposé d'aider à la vaisselle.

Il savait bien que ce n'était pas vrai, évidemment, mais cela lui revenait malgré lui chaque fois qu'il approchait de la mer, l'impression d'un monde artificiel, pas sérieux, où rien de grave ne pouvait advenir.

Dans sa carrière, il avait fait plusieurs enquêtes sur le littoral et y avait connu de vrais drames. Pourtant, cette fois encore, en buvant un calvados au comptoir de l'estaminet, il fut tenté de sourire de la vieille dame qui s'appelait Valentine et de son beau-fils, qui s'appelait Besson.

On était en septembre, le mercredi 6 septembre, et c'était encore une année où il n'avait pas eu le loisir d'aller en vacances. Vers onze heures, la veille, le vieil huissier était entré dans son bureau, au Quai des Orfèvres, et lui avait tendu une carte de visite bordée de noir.

Mme Veuve Ferdinand BESSON
La Bicoque
Étretat

— C'est moi qu'elle demande personnellement ?

— Elle insiste pour vous voir, ne fût-ce qu'un instant. Elle prétend qu'elle vient d'Étretat tout exprès.

— Comment est-elle ?

— C'est une vieille dame, une charmante vieille dame.

Il la fit entrer, et c'était, en effet, la plus délicieuse vieille dame qui se pût imaginer, fine et menue, le visage rose et délicat sous des cheveux d'un blanc immaculé, si vive et si gracieuse qu'elle avait plutôt l'air d'une actrice jouant une vieille marquise que d'une vieille dame véritable.

— Vous ne me connaissez probablement pas, monsieur le commissaire, et j'en apprécie d'autant plus la faveur que vous me faites en me recevant, car, moi, je vous connais pour avoir suivi pendant tant d'années vos passionnantes enquêtes. Si vous venez chez moi, comme je l'espère, je pourrai même vous montrer des quantités d'articles de journaux qui parlent de vous.

— Je vous remercie.

— Je m'appelle Valentine Besson, un nom qui ne vous dit sans doute rien, mais vous saurez qui je suis quand j'aurai ajouté que mon mari, Ferdinand Besson, était le créateur des produits « Juva ».

Maigret était assez âgé pour que ce mot « Juva » lui fût familier. Tout jeune, il l'avait vu dans les pages publicitaires des journaux et sur les panneaux-réclame, et il croyait se souvenir que sa mère se servait de crème « Juva » les jours où elle se mettait en grande toilette.

La vieille dame, devant lui, était habillée avec une élégance recherchée, un peu démodée, une profusion de bijoux.

— Depuis la mort de mon mari, voilà cinq ans, je vis seule dans une petite maison que je possède à Étretat. Plus exactement, jusqu'à dimanche soir j'y vivais seule avec une bonne, que j'avais à mon service depuis plusieurs années et qui était une fille du pays. Elle est morte pendant la nuit de dimanche à lundi, monsieur le commissaire ; elle est morte en quelque sorte à ma place, et c'est à cause de cela que je suis venue vous supplier de m'accorder votre aide.

Elle ne prenait pas un ton dramatique. D'un fin sourire, elle paraissait s'excuser de parler de choses tragiques.

— Je ne suis pas folle, ne craignez rien. Je ne suis même pas ce qu'on appelle une vieille toquée. Quand je dis que Rose – c'est le nom de ma bonne – est morte à ma place, je suis à peu près sûre de ne pas me tromper. Me permettez-vous de vous raconter la chose en quelques mots ?

— Je vous en prie.

— Depuis au moins vingt ans, j'ai l'habitude, chaque soir, de prendre un médicament pour m'endormir, car j'ai le sommeil difficile. C'est un somnifère liquide, assez amer, dont l'amertume est compensée par un fort goût d'anis. J'en parle en connaissance de cause, car mon mari était pharmacien.

» Dimanche, comme les autres soirs, j'ai préparé mon verre de médicament avant de me coucher et Rose était près de moi lorsque, déjà au lit, j'ai voulu le prendre.

» J'en ai bu une gorgée et lui ai trouvé un goût plus amer que d'ordinaire.

» — J'ai dû en mettre plus de douze gouttes, Rose. Je n'en boirai pas davantage.

» — Bonne nuit, madame !

» Elle a emporté le verre, selon son habitude. A-t-elle eu la curiosité d'y goûter ? L'a-t-elle vidé en entier ? C'est probable, puisqu'on a retrouvé le verre vide dans sa chambre.

» Pendant la nuit, vers deux heures du matin, j'ai été éveillée par des gémissements, car la villa n'est pas grande. Je me suis levée et ai trouvé ma fille, qui s'était levée aussi.

— Je croyais que vous viviez seule avec la bonne.

— Dimanche était le jour de mon anniversaire, le 3 septembre, et ma fille, venue de Paris pour me voir, est restée coucher chez moi.

» Je ne veux pas abuser de votre temps, monsieur le commissaire. Nous avons trouvé la Rose mourante dans son lit. Ma fille a couru avertir le docteur Jolly et, quand celui-ci est arrivé, Rose était morte dans des convulsions caractéristiques.

» Le médecin n'a pas hésité à déclarer qu'elle avait été empoisonnée à l'arsenic.

» Comme ce n'était pas une fille à se suicider, comme elle a mangé exactement la même chose que nous, il est à peu près évident que le poison se trouvait dans le médicament qui m'était destiné.

— Soupçonnez-vous quelqu'un d'avoir tenté de vous tuer ?

— Comment voulez-vous que je soupçonne quelqu'un ? Le docteur Jolly, qui est un vieil ami, et qui a soigné autrefois mon mari, a téléphoné à la police du Havre, et un inspecteur est venu dès lundi matin.

— Vous connaissez son nom ?

— L'inspecteur Castaing. Un brun, au visage sanguin.

— Je sais. Qu'est-ce qu'il dit ?

— Il ne dit rien. Il questionne les gens dans le pays. On a emporté le corps au Havre pour l'autopsie.

La sonnerie du téléphone l'interrompit. Maigret décrocha. C'était le directeur de la P. J.

— Vous pouvez venir me parler un instant dans mon bureau, Maigret ?

— Tout de suite ?

— Si possible.

Il s'était excusé auprès de la vieille dame. Le chef l'attendait.

— Cela vous tenterait d'aller passer quelques jours à la mer ?

Pourquoi Maigret lança-t-il à tout hasard :

— À Étretat ?

— Vous êtes au courant ?

— Je ne sais pas. Dites toujours.

— Je viens de recevoir un coup de téléphone du cabinet du ministre. Vous connaissez Charles Besson ?

— Des crèmes « Juva » aussi ?

— Pas exactement. C'est son fils. Charles Besson, qui habite Fécamp, a été élu, il y a deux ans, député de la Seine-Inférieure.

— Et sa mère vit à Étretat.

— Pas sa mère, mais sa belle-mère, car elle est la seconde femme de son père. Ce que je vous en dis, remarquez-le, je viens de l'apprendre par téléphone. Charles Besson s'est en effet adressé au ministre, afin d'obtenir que, bien que ce ne soit pas dans vos attributions, vous acceptiez de vous occuper d'une affaire à Étretat.

— La servante de sa belle-mère a été empoisonnée dans la nuit de dimanche à lundi.

— Vous lisez les journaux normands ?

— Non. La vieille dame est dans mon bureau.

— Pour vous demander, elle aussi, de vous rendre à Étretat ?

— Exactement. Elle a fait le voyage tout exprès, ce qui donnerait à penser qu'elle ignore la démarche de son beau-fils.

— Qu'avez-vous décidé ?

— Cela dépend de vous, patron.

Voilà pourquoi, le mercredi, un peu après huit heures et demie du matin, à Bréauté-Beuzeville, Maigret montait enfin dans un petit train qu'il était difficile de prendre au sérieux et se penchait à la portière afin d'apercevoir plus vite la mer.

À mesure qu'on s'en rapprochait, le ciel devenait plus clair, et, quand on émergea d'entre les collines couvertes de pâturages, il était d'un bleu lavé, avec juste quelques nuages légers et candides.

Maigret avait téléphoné à la Brigade Mobile du Havre, la veille, pour qu'on avertisse l'inspecteur Castaing de son arrivée, mais c'est en vain qu'il le chercha des yeux. Des femmes en robes d'été, des enfants demi-nus qui attendaient quelqu'un mettaient une note gaie sur le quai. Le chef de gare, qui semblait examiner avec embarras les voyageurs, s'approcha du commissaire :

— Vous ne seriez pas, par hasard, M. Maigret ?

— Par hasard, oui.

— Dans ce cas, j'ai un message pour vous.

Il lui remit une enveloppe. Castaing lui écrivait :

« Excusez-moi de ne pas être là pour vous accueillir. Je suis à Yport, à l'enterrement. Je vous recommande l'*Hôtel des Anglais*, où j'espère rentrer pour déjeuner. Je vous mettrai au courant. »

Il n'était que dix heures du matin, et Maigret, qui avait emporté seulement une valise légère, se dirigea à pied vers l'hôtel, proche de la plage.

Mais avant d'y entrer, et malgré sa valise, il alla regarder la mer, les falaises blanches des deux côtés de la plage de galets ; il y avait des adolescents, des jeunes filles qui dansaient dans les vagues et d'autres, derrière l'hôtel, qui jouaient au tennis ; il y avait, dans des fauteuils transatlantiques, des mères de famille qui tricotaient et, sur la plage, des couples de vieillards qui marchaient à petits pas.

Pendant des années, alors qu'il était au collège, il avait vu des camarades revenir de vacances, brunis, avec plein d'histoires à raconter et des coquillages dans les poches, et il gagnait sa vie depuis longtemps quand il avait contemplé la mer à son tour.

Cela l'attrista un peu de constater qu'il ne recevait plus le petit choc, qu'il regardait d'un œil indifférent l'écume éblouissante des flots, et, dans sa barque, qui disparaissait parfois derrière une grosse vague, le maître baigneur aux bras nus et tatoués.

L'odeur de l'hôtel était si bien celle qu'il connaissait que Mme Maigret lui manqua soudain, car c'était toujours avec elle qu'il avait reniflé cette odeur-là.

— Vous comptez rester longtemps ? lui demanda-t-on.

— Je n'en sais rien.

— Si je vous pose la question, c'est que nous fermons le 15 septembre et que nous voilà déjà le 6.

Tout serait fermé, comme un théâtre ; les boutiques de souvenirs, les pâtisseries ; il y aurait des volets partout, et la plage déserte serait rendue à la mer et aux mouettes.

— Vous connaissez Mme Besson ?

— Valentine ? Certainement que je la connais. C'est une enfant du pays. Elle est née ici, où son père était pêcheur. Je ne l'ai pas connue enfant, car je suis plus jeune qu'elle, mais je la revois quand elle était vendeuse chez les demoiselles Seuret, qui tenaient alors une pâtisserie. Une des deux demoiselles est morte. L'autre vit encore. Elle a quatre-vingt-douze ans. Vous verrez sa maison, non loin de chez Valentine, justement, avec une barrière bleue qui entoure le jardin. Puis-je vous demander de bien vouloir remplir votre fiche ?

Le gérant – c'était peut-être le propriétaire ? – la lut, regarda Maigret avec plus d'intérêt.

— Vous êtes le Maigret de la police ? Et vous venez de Paris tout exprès pour cette affaire ?

— L'inspecteur Castaing est descendu ici, n'est-ce pas ?

— C'est-à-dire que, depuis lundi, il prend la plupart de ses repas ici, mais il retourne chaque soir au Havre.

— Je l'attends.

— Il est à l'enterrement, à Yport.

— Je sais.

— Vous croyez qu'on a réellement tenté d'empoisonner Valentine ?

— Je n'ai pas eu le temps de me faire une opinion.

— Si on l'a fait, le coup ne peut venir que de la famille.

— Vous voulez parler de sa fille ?

— Je ne parle de personne en particulier. Je ne sais rien. Ils étaient nombreux, à *La Bicoque*, dimanche dernier. Et je ne vois pas qui, dans le pays, en voudrait à Valentine. Vous ne pouvez pas savoir le bien que cette femme-là a fait quand elle en avait encore les moyens, du vivant de son mari. Elle continue et, bien qu'elle soit loin d'être riche, ne pense qu'à donner. C'est une vilaine histoire, croyez-moi ; Étretat a toujours été un endroit tranquille. Notre politique est de nous en tenir à un public choisi, surtout aux familles, de préférence d'un certain niveau social. Je pourrais vous citer…

Maigret préféra se promener dans les rues ensoleillées et, place de la Mairie, lut au-dessus d'une devanture blanche : « Pâtisserie Maurin – ancienne maison Seuret ».

Il demanda à un livreur de lui indiquer « La Bicoque », et on lui désigna un chemin qui serpentait en pente douce au flanc de la colline, bordé de quelques villas entourées de jardins. Il s'arrêta à une certaine distance d'une maison enfouie dans la verdure, où l'on voyait un filet de fumée monter lentement de la cheminée sur le bleu pâle du ciel, et, quand il revint à l'hôtel, l'inspecteur Castaing était arrivé ; sa petite Simca noire stationnait devant la porte, il attendait lui-même, en haut des marches.

— Vous avez fait bon voyage, monsieur le commissaire ? Je suis désolé de n'avoir pu me trouver à la gare. J'ai pensé qu'il serait intéressant d'assister à l'enterrement. Si ce qu'on raconte est exact, c'est votre méthode aussi.

— Comment cela s'est-il passé ?

Ils se mirent à marcher le long de la mer.

— Je ne sais pas. J'ai envie de répondre : plutôt mal. Il y avait quelque chose de sourd dans l'air. Le corps de la petite a été ramené du Havre ce matin, et les parents attendaient à la gare avec une camionnette qui les a conduits à Yport. C'est la famille Trochu. Vous en entendrez parler. Il y a plein de Trochu par ici, presque tous pêcheurs. Le père a fait longtemps le hareng à Fécamp, comme le font encore les deux aînés. Rose était la plus âgée des filles. Il en reste deux ou trois autres, dont une qui travaille dans un café du Havre.

Castaing avait les cheveux drus, le front bas, et il suivait son idée aussi farouchement qu'il aurait poussé la charrue.

— Voilà six ans que je suis au Havre et que je sillonne le pays. On rencontre encore, dans les villages, surtout autour des châteaux, des gens respectueux et humbles qui parlent de « not'maître ». Il y en a d'autres qui se montrent plus durs, méfiants, parfois hargneux. Je ne sais pas encore dans quelle catégorie classer les Trochu, mais ce matin, autour de Valentine Besson, l'atmosphère était plutôt froide, presque menaçante.

— On m'a affirmé tout à l'heure qu'elle était adorée à Étretat.

— Yport n'est pas Étretat. Et *la* Rose, comme on dit ici, est morte.

— La vieille dame était à l'enterrement ?

— Au premier rang. Certains l'appellent la Châtelaine, peut-être parce qu'elle a possédé un château dans l'Orne, ou en Sologne, je ne sais plus. Vous l'avez vue ?

— Elle est venue me trouver à Paris.

— Elle m'a annoncé qu'elle se rendait à Paris, mais j'ignorais que c'était pour vous voir. Que pensez-vous d'elle ?

— Encore rien,

— Elle a été colossalement riche. Pendant des années, elle a eu son hôtel particulier avenue d'Iéna, son château, son yacht, et *La Bicoque* n'était qu'un pied-à-terre.

» Elle y venait dans une grosse limousine, conduite par un chauffeur, et une autre voiture suivait avec les bagages. Elle faisait sensation le dimanche, quand elle assistait à la messe, au premier rang (elle a toujours son banc à l'église), et elle distribuait l'argent à pleines mains. Si quelqu'un se trouvait dans l'embarras, on avait l'habitude de dire :

» — Va donc trouver Valentine.

» Car beaucoup, surtout parmi les vieux, l'appellent encore ainsi.

» Ce matin, elle est arrivée à Yport en taxi, comme jadis elle débarquait de son auto, et c'est elle qui avait l'air de conduire le deuil. Elle a apporté une gerbe immense, qui écrasait les autres.

» Je me suis peut-être trompé, mais j'ai eu l'impression que les Trochu étaient agacés et la regardaient de travers. Elle a tenu à leur serrer la main à tous, et le père n'a tendu la sienne que de mauvaise grâce, en évitant de la regarder. Un de ses fils, Henri, l'aîné, lui a carrément tourné le dos.

— La fille de Mme Besson l'accompagnait ?

— Elle est rentrée à Paris lundi par le train de l'après-midi. Je n'avais aucune autorité pour la retenir. Vous devez déjà vous être aperçu que je nage. Je pense pourtant qu'il sera nécessaire de la questionner à nouveau.

— Comment est-elle ?

— Comme sa mère devait être à son âge, c'est-à-dire à trente-huit ans. Elle en paraît vingt-cinq. Elle est menue et fine, très jolie, avec d'immenses yeux qui ont presque toujours une expression enfantine. Cela n'a pas empêché que, pendant la nuit de dimanche à lundi, un homme, qui n'était pas son mari, a couché dans sa chambre, à *La Bicoque*.

— Elle vous l'a dit ?

— Je l'ai découvert, mais trop tard pour lui réclamer les détails. Il faudra que je vous raconte tout cela par le menu. L'affaire est beaucoup plus compliquée qu'elle ne paraît, et j'ai été obligé de prendre des notes. Vous permettez ?

Il tira de sa poche un joli carnet recouvert de cuir rouge, qui ne ressemblait guère au calepin de blanchisseuse que Maigret employait d'habitude.

— Nous avons été avertis, au Havre, lundi à sept heures du matin, et j'ai trouvé une note sur mon bureau quand j'y suis arrivé à huit heures. J'ai pris la Simca et j'étais ici un peu après neuf heures. Charles Besson descendait de voiture juste devant moi.

— Il habite Fécamp ?

— Il y a sa maison, et sa famille y vit toute l'année ; mais, depuis qu'il a été élu député, il passe une partie de son temps à Paris, où il a un appartement dans un hôtel du boulevard Raspail. Il a passé ici toute la journée de dimanche avec les siens, c'est-à-dire sa femme et ses quatre enfants.

— Ce n'est pas le fils de Valentine, n'est-ce pas ?

— Valentine n'a pas de fils, seulement une fille, Arlette, celle dont je vous ai parlé, et qui est mariée à un dentiste de Paris.

— Le dentiste était ici aussi, dimanche ?

— Non. Arlette est venue seule. C'était l'anniversaire de sa mère. C'est paraît-il une tradition dans la famille de lui rendre visite ce jour-là. Quand je lui ai demandé par quel train elle était venue, elle m'a répondu par celui du matin, le même que vous avez pris.

» Vous allez voir que ce n'est pas vrai. La première chose que j'ai faite, lundi, dès que le corps a été emmené au Havre, a été d'examiner toutes les pièces de la maison. Ce n'est pas un mince travail, car, si c'est petit et coquet, c'est plein de recoins, de meubles fragiles et de bibelots.

» En dehors de la chambre de Valentine et de la chambre de la bonne, toutes deux au premier étage, il n'y a qu'une chambre d'amis, au rez-de-chaussée, qu'Arlette occupait. En remuant la table de nuit, j'ai découvert un mouchoir d'homme, et j'ai eu l'impression que la jeune femme, qui me regardait faire, était soudain fort émue. Elle me l'a vivement repris des mains.

» — J'ai encore pris un mouchoir de mon mari !

» Je ne sais pas pourquoi, c'est seulement le soir que j'ai pensé à la lettre brodée, un H. Arlette venait de repartir. Je lui avais offert de la conduire à la gare dans ma voiture, et je l'avais vue prendre son billet au guichet.

» C'est idiot, je le sais. Au moment de remonter en auto, j'ai été frappé qu'elle ne soit pas venue avec un billet d'aller et retour. Je suis retourné dans la salle d'attente. J'ai questionné l'employé du portillon.

» — Cette dame est arrivée par le train de dix heures dimanche matin, n'est-ce pas ?

» — Quelle dame ?

» — Celle que je viens d'accompagner.

» — Mme Arlette ? Non, monsieur.
» — Elle n'est pas arrivée dimanche ?
» — Elle est peut-être arrivée dimanche, mais pas par le train. C'est moi qui ramassais les billets, je l'aurais reconnue.

Castaing regarda Maigret avec une certaine inquiétude.

— Vous m'écoutez ?

— Mais oui. Mais oui.

— Je vous donne peut-être des détails inutiles ?

— Mais non. Il faut que je m'habitue.

— À quoi ?

— À tout, à la gare, à Valentine, à Arlette, à l'homme qui ramasse les billets, aux Trochu. Hier encore, je ne connaissais rien de tout ça.

— Quand je suis retourné à *La Bicoque*, j'ai demandé à la vieille dame le nom de son gendre. Il s'appelle Julien Sudre, deux mots qui ne commencent pas par H. Ses deux beaux-fils s'appellent Théo et Charles Besson. Il n'y a que le jardinier, qui travaille pour elle trois jours par semaine, à s'appeler Honoré ; mais d'abord il n'était pas là dimanche, ensuite je me suis assuré qu'il n'emploie que de grands mouchoirs à ramages rouges.

» Ne sachant par quel bout prendre l'enquête, je me suis mis à questionner les gens de la ville, et c'est ainsi que j'ai appris, grâce au marchand de journaux, qu'Arlette était arrivée non par le train, mais en auto, dans une voiture grand sport à carrosserie verte.

» Cela devenait facile. Le propriétaire de l'auto verte a retenu une chambre, pour dimanche soir, à l'hôtel où je vous ai conseillé de descendre.

» C'est un certain Hervé Peyrot, qui a inscrit sur sa fiche la profession de marchand de vins et qui habite Paris, quai des Grands-Augustins.

— Il a découché ?

— Il est resté au bar de l'hôtel jusqu'à la fermeture, un peu avant minuit, après quoi, au lieu de monter se coucher, il est parti à pied en disant qu'il allait voir la mer. D'après le gardien de nuit, il n'est rentré que vers deux heures et demie du matin. J'ai questionné le valet qui cire les chaussures, et il m'a dit que les souliers de Peyrot avaient les semelles maculées de terre rouge.

» Le mardi matin, je suis retourné à *La Bicoque* et, sous la fenêtre de la chambre occupée par Arlette, j'ai relevé des empreintes dans une plate-bande.

» Qu'est-ce que vous en pensez ?

— Rien.

— Quant à Théo Besson…

— Il était là aussi ?

— Pas pendant la nuit. Vous avez bien compris, n'est-ce pas, que les deux fils Besson sont les enfants d'un premier mariage et que Valentine n'est pas leur mère ? J'ai noté tout le pedigree de la famille et, si vous voulez…

— Pas maintenant, j'ai faim.

— Bref, Théo Besson, qui a quarante-huit ans et qui est célibataire, est en vacances à Étretat depuis deux semaines.

— Chez sa belle-mère ?

— Non. Il ne la voyait pas. Je crois qu'ils étaient brouillés. Il a sa chambre aux *Roches Blanches*, l'hôtel que vous apercevez d'ici.

— Il n'est donc pas allé à *La Bicoque* ?

— Attendez. Quand Charles Besson…

Le pauvre Castaing soupira, désespérant de présenter un tableau clair de la situation, surtout à un Maigret qui n'avait pas l'air d'écouter.

— Dimanche matin, Charles Besson est arrivé à onze heures avec sa femme et ses quatre enfants. Ils possèdent une auto, une grosse Panhard d'ancien modèle. Arlette était là avant eux. Ils ont tous déjeuné à *La Bicoque*. Puis Charles Besson est descendu vers la plage avec ses aînés, un garçon de quinze ans et une fille de douze, pendant que ces dames papotaient.

— Il a rencontré son frère ?

— C'est cela. Je soupçonne Charles Besson d'avoir proposé cette promenade pour aller boire un verre au bar du casino. Il lève assez volontiers le coude, si j'en crois les racontars. Il a rencontré Théo, qu'il ne savait pas à Étretat, a insisté pour le ramener à *La Bicoque*, et Théo a fini par se laisser faire. La famille était donc au complet pour le dîner, un dîner froid, composé de langouste et de gigot.

— Personne n'a été malade ?

— Non. En dehors de la famille, il n'y avait que la bonne dans la maison. Charles Besson est parti avec les siens vers neuf heures et demie. Un gamin de cinq ans, Claude, avait dormi jusque-là dans la chambre de la vieille dame, et, alors qu'on allait monter en voiture, il avait fallu donner le biberon au dernier-né, qui n'a que six mois et qui criait.

— Comment s'appelle la femme de Charles Besson ?

— Je suppose que son nom est Émilienne, mais on l'appelle Mimi.

— Mimi, répéta gravement Maigret, comme s'il apprenait une leçon par cœur.

— C'est une forte brune d'une quarantaine d'années.

— Forte brune, bon ! Ils sont partis dans leur Panhard vers neuf heures.

— C'est cela. Théo est resté quelques minutes encore, et il n'y a plus eu que les trois femmes dans la maison.

— Valentine, sa fille Arlette et la Rose.

— C'est exact. La Rose a fait la vaisselle dans la cuisine pendant que la mère et la fille bavardaient au salon.

— Les chambres sont toutes à l'étage ?

— Sauf la chambre d'amis, comme je vous l'ai dit, qui est au rez-de-chaussée, et dont les fenêtres donnent sur le jardin. Vous verrez. C'est une vraie maison de poupée, avec de toutes petites pièces.

— Arlette n'est pas montée dans la chambre de sa mère ?

— Elles y sont montées ensemble vers dix heures, car la vieille dame voulait montrer à sa fille une robe qu'elle vient de se faire faire.

— Elles sont redescendues toutes les deux ?

— Oui. Puis Valentine est montée à nouveau pour la nuit, suivie, à quelques minutes, par la Rose. Celle-ci avait l'habitude de mettre sa patronne au lit et de lui servir son médicament.

— C'est elle qui le prépare ?

— Non. Valentine met les gouttes d'avance dans le verre d'eau.

— Arlette n'est pas remontée ?

— Non. Il était onze heures et demie environ quand la Rose s'est couchée à son tour.

— Et c'est vers deux heures qu'elle a commencé à gémir.

— C'est l'heure que donnent Arlette et sa mère.

— Et, selon vous, entre minuit et deux heures, il y avait un homme dans la chambre d'Arlette, un homme avec qui elle est venue de Paris. Vous ne savez pas ce que Théo a fait de sa soirée ?

— Je n'ai pas eu le temps de m'en occuper jusqu'ici. Je vous avoue même que je n'y ai pas pensé.

— Si nous allions déjeuner ?

— Avec plaisir.

— Vous croyez que je pourrai avoir des moules ?

— C'est possible, mais je n'y compte pas. Je commence à connaître le menu.

— Ce matin, vous êtes entré dans la maison des parents de Rose ?

— Seulement dans la première pièce, transformée en chapelle ardente.

— Vous ne savez pas s'ils ont un bon portrait d'elle ?

— Je puis le leur demander.

— Faites-le. Autant de portraits que vous en pourrez trouver, même des portraits d'enfant, à tous les âges. Au fait, quel âge avait-elle ?

— Vingt-deux ou vingt-trois ans. Ce n'est pas moi qui ai rédigé le rapport et…

— Je croyais qu'elle était avec la vieille dame depuis très longtemps.

— Depuis sept ans. Elle est entrée toute jeune à son service, du vivant de Ferdinand Besson. C'était une forte fille, au visage sanguin, aux gros seins.

— Elle n'a jamais été malade ?

— Le docteur Jolly ne m'en a rien dit. Il me semble qu'il m'en aurait parlé.

— J'aimerais savoir si elle avait des amoureux ou un amant.

— J'y ai pensé. Il paraît que non. Elle était très sérieuse, ne sortait pour ainsi dire jamais.

— Parce qu'on ne la laissait pas sortir ?

— Je crois, mais je puis me tromper, que Valentine la tenait serrée et ne lui accordait pas volontiers de congés.

Ils s'étaient promenés tout ce temps-là le long de la mer. Maigret avait eu sans cesse les yeux sur elle et n'y avait pas pensé un seul instant.

C'était déjà fini. Il avait eu le petit choc le matin, à Bréauté-Beuzeville. Le train-jouet lui avait donné des bouffées de vacances d'autrefois.

Maintenant, il ne remarquait plus les maillots clairs des baigneuses, les enfants accroupis dans les galets ; il ne sentait pas l'odeur iodée du varech.

À peine s'était-il préoccupé de savoir s'il y aurait des moules à déjeuner !

Il était là, la tête bourrée de noms nouveaux qu'il essayait de caser dans sa mémoire comme il l'aurait fait dans son bureau du Quai des Orfèvres, et il prit place avec Castaing devant une table blanche où des glaïeuls trempaient dans une flûte en faux cristal.

Peut-être était-ce un signe qu'il vieillissait ? Il penchait la tête pour apercevoir encore les crêtes blanches des vagues, et cela l'assombrissait de n'en ressentir aucune allégresse.

— Il y avait beaucoup de monde à l'enterrement ?

— Tout Yport y était, sans compter les gens venus d'Étretat, des Loges, de Vaucottes, puis les pêcheurs de Fécamp.

Il se souvint des enterrements de campagne, crut sentir une bouffée de calvados et prononça très sérieusement :

— Les hommes vont tous être saouls ce soir.

— C'est assez probable ! concéda Castaing un peu surpris par le cours des pensées du fameux commissaire.

Il n'y avait pas de moules au menu, et ils mangèrent des sardines à l'huile et du céleri rémoulade comme hors-d'œuvre.

2

Les débuts de Valentine

Il poussa la barrière, qui n'était pas fermée, et, ne voyant pas de sonnette, pénétra dans le jardin. Nulle part encore il n'avait vu une telle profusion de plantes dans un espace aussi restreint. Les buissons fleuris étaient si serrés qu'ils donnaient l'impression d'une jungle et, dans le moindre espace laissé libre, jaillissaient des dahlias, des lupins, des chrysanthèmes, d'autres fleurs que Maigret ne connaissait que pour les avoir vues reproduites en couleurs vives sur les sachets de graines, dans les vitrines ; et on aurait dit que la vieille dame avait tenu à utiliser tous les sachets.

Il ne voyait plus la maison dont, de la route, il avait aperçu le toit d'ardoise au-dessus de la verdure. Le chemin zigzaguait et, à certain moment, il dut prendre à droite au lieu de prendre à gauche, car il émergea, après quelques pas, dans une cour aux larges dalles roses sur laquelle donnaient la cuisine et la buanderie.

Là, une forte paysanne vêtue de noir, les cheveux noirs à peine mêlés d'argent, la chair et le regard durs, était occupée à battre un matelas. Autour d'elle, en plein air, s'étalait pêle-mêle le mobilier d'une chambre à coucher, la table de nuit ouverte, les rideaux et les couvertures qui pendaient sur une corde à linge, une chaise à fond de paille, le lit démonté.

La femme le regardait sans interrompre son travail.

— Mme Besson est ici ?

Elle se contenta de lui désigner des fenêtres à petits carreaux entourées de vigne vierge ; en s'approchant des vitres, il vit Valentine dans son salon. Elle ne savait pas qu'il était là, ne s'attendant pas à le voir arriver par la cour, et elle était visiblement en train de se préparer à le recevoir. Ayant posé sur un guéridon un plateau en argent avec un flacon de cristal et des verres, elle prenait du recul pour juger de l'effet produit, puis se regardait elle-même et arrangeait ses cheveux devant un miroir ancien au cadre sculpté.

— Vous n'avez qu'à frapper, dit la paysanne, sans aménité.

Il n'avait pas remarqué qu'une des fenêtres était une porte-fenêtre, et il y frappa. Valentine se retourna, surprise, trouva tout de suite un sourire à son intention.

— Je savais bien que vous viendriez, mais j'espérais vous accueillir à la grande entrée, pour autant qu'on puisse employer le mot « grand » quand il s'agit de cette maison.

Dès le premier abord, il eut à nouveau la même impression qu'à Paris. Elle était si vive, si pétillante qu'elle faisait penser à une femme encore jeune, et même très jeune, déguisée en vieille dame pour un spectacle d'amateurs. Et pourtant elle ne tentait pas de se rajeunir. Au contraire, la coupe de sa robe de soie noire, l'arrangement de sa coiffure, le large ruban de velours qu'elle portait autour du cou, tout cela était bien de son âge.

Et, en l'observant de près, il distinguait les fines rides de la peau, le flétrissement du cou, une certaine sécheresse des mains qui ne trompe pas.

— Voulez-vous me confier votre chapeau, monsieur le commissaire, et voir s'il y a ici un fauteuil à votre taille ? Vous devez vous sentir mal à l'aise dans ma maison de poupée, n'est-ce pas ?

Ce qui faisait son charme, c'était peut-être qu'elle paraissait toujours se moquer d'elle-même.

— On a dû vous dire, ou on vous dira, que je suis maniaque, et c'est vrai que je suis bourrée de manies. Vous ne pouvez pas savoir comme les manies occupent, quand on vit seule. Si vous essayiez ce fauteuil-ci, près de la fenêtre ? Faites-moi le plaisir de fumer votre pipe. Mon mari fumait le cigare du matin au soir, et rien n'imprègne la maison comme la fumée de cigare. Entre nous, je crois qu'il n'aimait pas ça. Il ne s'est mis au cigare que très tard, bien après la quarantaine, exactement quand la crème « Juva » est devenue célèbre.

Et vite, comme pour excuser sa rosserie :

— Nous avons chacun nos faiblesses. Je suppose que vous avez pris le café à l'hôtel ? Peut-être me permettrez-vous de vous servir un calvados qui a un peu plus de trente ans ?

Il avait compris que c'étaient ses yeux qui, autant que sa vivacité, lui donnaient cet air de jeunesse. Ils étaient d'un bleu plus clair que le ciel de septembre au-dessus de la mer et gardaient toujours une expression étonnée, émerveillée, l'expression qu'on imagine à « Alice au pays des merveilles ».

— J'en prendrai une goutte aussi pour ne pas vous laisser boire seul, à condition que cela ne vous choque pas. Vous voyez que je ne cache pas mes menus défauts. Vous trouvez la maison sens dessus dessous. Je suis à peine rentrée de l'enterrement de cette pauvre Rose. J'ai eu toutes les peines du monde à décider la mère Leroy à venir me donner un coup de main. Je suppose que vous avez compris que ce sont les meubles de la chambre de Rose que vous avez vus dehors. J'ai horreur de la mort, monsieur le commissaire, et de tout ce qui s'y rapporte. Tant que la maison n'aura pas été nettoyée de fond en comble et aérée pendant quelques jours, il me semble que j'y sentirai une odeur de mort.

Des fuseaux de soleil, passant entre les branches d'un tilleul, pénétraient dans la pièce à travers les petits carreaux et mettaient sur les objets des taches sautillantes.

— Je ne me doutais pas qu'un jour le fameux commissaire Maigret serait assis dans ce fauteuil.

— Au fait, ne m'avez-vous pas dit que vous aviez gardé des articles à mon sujet ?

— C'est exact. Il m'est arrivé souvent d'en découper, comme, jeune fille, je découpais le feuilleton dans le journal de mon père.

— Vous les avez ici ?

— Je pense que je vais les trouver.

Il avait senti une hésitation dans sa voix. Elle se dirigea avec trop de naturel vers un secrétaire ancien, dont elle fouilla en vain les tiroirs, puis vers un bahut sculpté.

— Je crois que je les ai mis dans ma chambre.

Elle voulait monter l'escalier.

— Ne vous dérangez pas.

— Mais si ! Je tiens à les retrouver. Je devine ce que vous pensez. Vous vous figurez que je vous ai dit cela à Paris pour vous flatter et vous décider à venir. C'est vrai qu'il m'arrive de mentir, comme à toutes les femmes, mais je vous jure que ce n'est pas le cas.

Il l'entendit aller et venir au premier étage et, quand elle redescendit, elle joua assez gauchement la comédie de la déception.

— Entre nous, Rose n'avait pas beaucoup d'ordre, c'était même ce que j'appelle un brouillon. Demain, j'irai fouiller le grenier. En tout cas, je mettrai la main sur ces papiers avant que vous quittiez Étretat. Maintenant, je suppose que vous avez des tas de questions à me poser, et je vais m'asseoir tranquillement dans mon fauteuil de grand-mère. À votre santé, monsieur Maigret.

— À votre santé, madame.

— Vous ne me trouvez pas trop ridicule ?

Il fit poliment non de la tête.

— Vous ne m'en voulez pas de vous avoir arraché à votre Quai des Orfèvres ? C'est drôle que mon beau-fils ait eu la même idée que moi, n'est-ce pas ? En député qu'il est, et qu'il est tellement fier d'être, il s'y est pris autrement et s'est adressé au ministre.

Dites-moi franchement : est-ce à cause de lui ou de moi que vous êtes venu ?

— À cause de vous, certainement.

— Vous croyez que j'ai quelque chose à craindre ? C'est drôle ! Je ne parviens pas à prendre cette menace au sérieux. On prétend que les vieilles femmes sont peureuses ; je me demande pourquoi, car combien de vieilles femmes, comme moi, vivent seules dans des endroits isolés ? Rose couchait ici, mais c'était elle qui avait peur et venait m'éveiller la nuit quand elle croyait avoir entendu du bruit. S'il y avait un orage, elle refusait de quitter ma chambre et restait toute la nuit en chemise dans ma bergère à marmotter des prières et à trembler.

» Si je n'ai jamais eu peur, c'est peut-être parce que je ne vois pas qui pourrait m'en vouloir. Je ne suis même plus riche. Tout le monde, dans le pays, sait que je vis d'une modeste rente viagère qui a survécu au naufrage. Cette maison aussi est en viager, et personne n'en héritera. Je ne pense pas avoir jamais fait de mal à personne…

— Pourtant Rose est morte.

— C'est vrai. Tant pis si vous me trouvez stupide ou égoïste, mais à mesure que le temps passe, et à présent qu'elle est enterrée, je parviens difficilement à y croire. Tout à l'heure, sans doute visiterez-vous la maison. Vous voyez la salle à manger, à côté. Cette autre porte donne sur la chambre d'amis, où ma fille a dormi. En dehors de la cuisine, de la buanderie et de la remise à outils, c'est tout pour le rez-de-chaussée, et l'étage est encore plus petit, car il n'y a rien au-dessus de la cuisine et de la buanderie.

— Votre fille vient souvent vous voir ?

Elle eut une petite moue comme résignée.

— Une fois par an, le jour de mon anniversaire. Le reste du temps, je ne la vois ni n'entends parler d'elle. Elle ne m'écrit guère non plus.

— Elle est mariée à un dentiste, je crois ?

— Je suppose qu'il vous va falloir connaître toute l'histoire de la famille, et c'est normal. Est-ce que vous aimez la franchise, monsieur Maigret, ou préférez-vous que je vous réponde en femme bien élevée ?

— La question est-elle nécessaire ?

— Vous n'avez pas encore vu Arlette ?

— Pas encore.

Elle alla chercher dans un tiroir de vieilles enveloppes qui contenaient des photographies, chaque enveloppe étant réservée à une certaine catégorie de portraits.

— Tenez ! La voilà à dix-huit ans. On prétend qu'elle me ressemble et, pour ce qui est des traits, je suis bien obligée de le reconnaître.

C'était frappant, en effet. Aussi menue que sa mère, la jeune fille avait la même finesse de traits et surtout les mêmes grands yeux clairs.

— Comme on dit vulgairement, on lui donnerait le Bon Dieu sans confession, n'est-ce pas ? Ce pauvre Julien y a cru et l'a épousée malgré mes avertissements, car c'est un brave garçon, un travailleur ; il est parti de rien, a eu beaucoup de mal à terminer ses études et travaille dix heures par jour et plus dans son cabinet à bon marché de la rue Saint-Antoine.

— Vous pensez qu'ils ne sont pas heureux ?

— Il est peut-être heureux, après tout. Il y a des gens qui font leur bonheur tout seuls. Chaque dimanche, il va planter son chevalet quelque part au bord de la Seine, et il peint. Ils ont un canoë du côté de Corbeil.

— Votre fille aime son mari ?

— Regardez ses photos et répondez vous-même. Peut-être est-elle capable d'aimer quelqu'un, mais pour ma part, je ne m'en suis jamais aperçue. Quand je travaillais à la pâtisserie des demoiselles Seuret – on a dû déjà vous en parler – il lui arrivait de me lancer :

» — Si tu crois que c'est agréable d'avoir une mère qui vend des gâteaux à mes petites amies !

» Elle avait sept ans quand elle parlait ainsi. Nous vivions toutes les deux dans une petite chambre, au-dessus d'une boutique d'horlogerie qui existe encore.

» Lorsque je me suis remariée, sa vie a changé…

— Cela vous ennuierait-il de parler d'abord de votre premier mari ?

» Comme d'autres le feront probablement, j'aime autant tenir les renseignements de vous.

Elle lui remplit son verre, pas choquée du tout par la question.

— Autant commencer par mes parents, dans ce cas. Je suis née Fouque, un nom que vous trouverez encore dans le pays. Mon père était pêcheur ici, à Étretat. Ma mère faisait des journées dans des maisons comme celle-ci, pendant l'été seulement, car, en ce temps-là, personne ne restait l'hiver. J'ai eu trois frères et une sœur, qui sont tous morts. Un de mes frères a été tué pendant la guerre de 1914, et l'autre a succombé aux suites d'un accident de bateau. Ma sœur s'est mariée et est morte en couches. Quant à mon troisième frère, Lucien, qui travaillait à Paris comme garçon coiffeur, il a mal tourné et s'est fait descendre d'un coup de couteau dans un café des environs de la Bastille.

» Je n'en ai pas honte. Je n'ai jamais renié mes origines. Si j'avais eu honte, je ne serais pas venue finir mes jours ici, où tout le monde est au courant.

— Vous avez travaillé, du vivant de vos parents ?

— J'ai été bonne d'enfants à quatorze ans, puis femme de chambre à l'*Hôtel de la Plage.* Ma mère est morte, à cette époque, d'un cancer au sein. Mon père, lui, vécut assez vieux, mais il buvait tellement, dans les derniers temps, que c'était comme s'il n'existait plus. J'ai rencontré un jeune homme de Rouen qui était employé au bureau de poste, Henri Poujolle, et l'ai épousé. Il était gentil, très doux, bien élevé, et je ne savais pas encore ce que le rose bonbon de ses joues signifiait. Pendant quatre ans, j'ai joué à la petite madame, dans un appartement de trois pièces, puis à la maman. J'allais le chercher au bureau en poussant la voiture de Bébé. Le dimanche nous achetions un gâteau chez les demoiselles Seuret.

» Une fois l'an, nous nous rendions à Rouen, chez mes beaux-parents, qui tenaient une petite épicerie dans la haute ville.

» Puis Henri s'est mis à tousser, et il est parti en quelques mois, me laissant seule avec Arlette.

» J'ai changé de logement, me contentant d'une seule chambre. Je suis allée trouver les demoiselles Seuret, qui m'ont engagée comme vendeuse.

» On prétend que j'étais fraîche et jolie, et que cela attirait les clients.

» Un jour, au magasin, j'ai fait la connaissance de Ferdinand Besson.

— Vous aviez quel âge ?

— Quand nous nous sommes mariés, quelques mois plus tard, j'avais trente ans.

— Et lui ?

— Cinquante-cinq ans environ. Il était veuf depuis plusieurs années, avec deux garçons de seize et dix-huit ans, et c'est ce qui m'a fait le plus drôle d'effet, car il me semblait toujours qu'ils allaient tomber amoureux.

— Ils ne l'ont pas été ?

— Théo, peut-être, au début. Puis il m'a prise en grippe, mais je ne lui en ai jamais voulu. Vous connaissez l'histoire de Besson ?

— Je sais qu'il était le propriétaire des produits « Juva ».

— Alors vous vous imaginez quelqu'un d'extraordinaire ? Or la vérité est très différente. C'était un petit pharmacien du Havre, un tout petit pharmacien de quartier, à la boutique étroite et sombre, avec un bocal vert et un bocal jaune à la vitrine. Lui-même, à quarante ans, comme vous allez le voir sur sa photo, avait plutôt l'air d'un employé du gaz, et sa femme ressemblait à une femme de ménage.

» À cette époque-là, il n'existait pas autant de spécialités qu'aujourd'hui, et il lui arrivait de faire toutes sortes de préparations pour ses clients. C'est ainsi qu'il a composé une crème pour une jeune fille qui avait toujours des boutons sur la figure. Elle s'en est bien trouvée. Cela s'est su dans le quartier, puis en ville.

» Un beau-frère de Besson lui a conseillé de lancer le produit sous un nom prestigieux et, à eux deux, ils ont trouvé l'étiquette. C'est le beau-frère qui a mis les premiers fonds.

» Presque du jour au lendemain, cela a été la fortune. Il a fallu créer des laboratoires, d'abord au Havre, puis à Pantin, dans la banlieue de Paris. On a lu le nom « Juva » dans tous les journaux, puis il a surgi sur les murs, en lettres énormes.

» Vous ne pouvez vous figurer ce que ces produits-là rapportent, une fois lancés.

» La première femme de Besson n'en a guère profité, car elle est morte peu de temps après.

» Lui s'est mis à changer de vie. Quand je l'ai rencontré, c'était déjà un homme très riche, mais qui n'avait pas l'habitude de l'argent et qui ne savait pas trop qu'en faire.

» Je crois que c'est à cause de cela qu'il m'a épousée.

— Que voulez-vous dire ?

— Qu'il avait besoin d'une jolie femme à parer et à exhiber. Les Parisiennes lui faisaient peur. Les grandes bourgeoises du Havre l'impressionnaient. Il s'est senti plus à son aise avec une fille rencontrée derrière le comptoir d'une pâtisserie. Je pense même qu'il n'était pas fâché que je sois veuve, que j'aie moi-même un enfant.

» Je ne sais pas si vous me comprenez ?

Il comprenait, mais, ce qui l'étonnait, c'est qu'elle l'eût si bien compris et qu'elle en convînt si gentiment.

— Tout de suite après notre mariage, il a acheté un hôtel particulier, avenue d'Iéna, et, quelques années plus tard, le château d'Anzi, en Sologne. Il me couvrait de bijoux, m'envoyait chez les couturiers, me conduisait au théâtre et aux courses. Il a même fait construire un yacht, dont il ne s'est jamais servi, car il souffrait du mal de mer.

— Vous croyez qu'il était heureux ?

— Je ne sais pas. À son bureau, rue Tronchet, il l'était probablement, parce qu'il était entouré d'inférieurs. Je crois qu'ailleurs il avait toujours l'impression qu'on se moquait de lui. Pourtant c'était un brave homme, aussi intelligent que la plupart de ceux qui brassent des affaires. Peut-être avait-il commencé trop tard à avoir beaucoup d'argent.

» Il s'est mis en tête de devenir un grand capitaine d'industrie et, à côté de la crème « Juva », qui était une mine d'or, il a voulu créer d'autres produits : un dentifrice, un savon, que sais-je, pour la publicité desquels il a dépensé des millions. Il a édifié des usines non seulement pour les produits eux-mêmes, mais pour les emballages, et Théo, qui est entré dans l'affaire, voyait peut-être encore plus grand que lui.

» Cela a duré vingt-cinq ans, monsieur Maigret. Maintenant, j'en garde à peine le souvenir, tellement cela a passé vite. Nous étions toujours pressés. Nous allions de notre maison de Paris à notre château, et de là à Cannes ou à Nice, pour revenir à Paris dare-dare, avec deux autos dont une emmenait les bagages, le maître d'hôtel, les femmes de chambre, la cuisinière.

» Puis il a décidé de faire un voyage chaque année, et nous sommes allés à Londres et en Écosse, en Turquie, en Égypte, toujours en courant, parce que ses affaires le réclamaient, toujours avec de pleines malles de robes et mes bijoux que, dans chaque ville, il fallait mettre en sûreté dans une banque.

» Arlette s'est mariée, je n'ai jamais su pourquoi. Ou plutôt je n'ai jamais su pourquoi elle a soudain épousé ce garçon que nous ne connaissions même pas, alors qu'elle aurait pu choisir parmi les jeunes gens riches qui fréquentaient notre maison.

— Votre mari n'avait-il pas un faible pour votre fille ?

— Avouez que vous vous demandez si ce n'était pas plus qu'un faible, n'est-ce pas ? Je me le suis demandé aussi. Cela paraît naturel qu'un homme d'un certain âge, vivant avec une jeune fille qui n'est pas la sienne, en devienne amoureux. Je les ai observés tous les deux. C'est exact qu'il la comblait de cadeaux et qu'il faisait tous ses caprices. Je n'ai jamais rien découvert d'autre. Non ! Et j'ignore pourquoi Arlette s'est mariée, à vingt ans, avec le premier venu. Je comprends beaucoup de gens, mais je n'ai jamais compris ma propre fille.

— Vous vous entendiez bien avec vos beaux-fils ?

— Théo, l'aîné, n'a pas tardé à me battre plutôt froid, mais Charles s'est toujours comporté avec moi comme si j'étais sa mère. Théo ne s'est jamais marié. Il a vécu, en somme, pendant un certain nombre d'années, la vie que son père n'a pas pu vivre, faute d'y être préparé. Pourquoi me regardez-vous comme ça ?

Toujours à cause du contraste. Elle parlait légèrement, un sourire épars sur ses traits, avec la même expression candide dans ses yeux clairs, et il s'étonnait des paroles qu'elle prononçait.

— J'ai eu le temps de réfléchir, vous savez, depuis cinq ans que je vis seule ici ! Théo, donc, fréquentait les champs de courses, le *Maxim's*, le *Fouquets*, tous les endroits à la mode, et passait ses étés à Deauville. À cette époque-là, il tenait table ouverte, toujours entouré de jeunes gens qui avaient de grands noms, mais pas d'argent. Il continue à mener la même vie, ou plutôt à fréquenter les mêmes endroits, mais c'est son tour d'être désargenté et de se faire inviter. Je ne sais pas comment il s'y prend.

— Vous n'avez pas été surprise de le savoir à Étretat ?

— Il y a longtemps que nous ne nous parlons plus. Je l'ai aperçu en ville, il y a deux semaines, et j'ai pensé qu'il était de passage. Puis, dimanche, Charles me l'a amené, en nous demandant à tous les deux de faire la paix, et je lui ai tendu la main.

— Il ne vous a fourni aucune raison de sa présence ici ?

— Il a simplement dit qu'il éprouvait le besoin de se reposer. Mais vous m'avez coupé le fil. J'en étais à l'époque où mon mari vivait encore, et les dix dernières années n'ont pas toujours été drôles.

— Quand vous a-t-il acheté cette maison ?

— Avant le commencement de la dégringolade, alors que nous avions l'hôtel particulier de Paris, le château, et tout le tremblement. J'avoue que c'est moi qui lui ai demandé d'avoir un pied-à-terre ici, où je me sens plus chez moi qu'ailleurs.

Eut-il un involontaire sourire ? Elle dit très vite :

— Je sais ce que vous pensez, et vous n'avez peut-être pas tout à fait tort. À Anzi, je jouais à la châtelaine, comme Ferdinand me priait de le faire. Je présidais toutes les bonnes œuvres, toutes les cérémonies, mais personne ne savait qui j'étais. Cela m'a paru injuste qu'on ne me voie pas sous mon nouveau jour dans la ville où j'ai été pauvre et humiliée. Ce n'est peut-être pas joli, mais je crois que c'est humain.

» Autant le dire moi-même, puisque tout le monde vous le dira et que certains, justement, non sans ironie, m'appellent la Châtelaine.

» Derrière mon dos, ils préfèrent m'appeler simplement Valentine !

» Je n'ai jamais rien connu aux affaires, mais il est évident que Ferdinand a trop entrepris, pas toujours à propos, peut-être pas tant pour épater les autres que pour se prouver à lui-même qu'il était un grand financier.

» On a commencé par vendre le yacht, puis le château. Un soir qu'après le bal je lui remettais mes perles pour les placer dans le coffre, il m'a dit avec un sourire amer :

» — Cela vaut mieux, en effet, pour les gens. Mais ce ne serait pas un grand malheur qu'on les vole, car ce ne sont plus que des répliques.

» Il est devenu taciturne, solitaire. La crème « Juva » gardait seule quelque valeur, tandis que les affaires nouvelles s'écroulaient les unes après les autres.

— Il aimait ses fils ?

— Je ne sais pas. Cela vous semble drôle que je vous réponde ça ? On imagine que les parents aiment leurs enfants. Cela paraît naturel. Je me demande maintenant si le contraire n'est pas plus fréquent qu'on ne pense.

» Il a certainement été flatté de voir Théo reçu dans des cercles fermés où il n'osait pas rêver d'être reçu lui-même. Il a dû se rendre compte, d'autre part, que Théo n'avait aucune valeur personnelle et que ses idées prestigieuses étaient pour beaucoup dans la dégringolade.

» Quant à Charles, il ne lui a jamais pardonné d'être un mou, car il affectait une extrême horreur pour les mous, les faibles.

— Parce qu'il en était un, au fond, est-ce bien ce que vous voulez dire ?

— Oui. Toujours est-il que ses dernières années ont été tristes, à voir crouler son domaine pièce par pièce. Peut-être m'aimait-il vraiment ? Ce n'était pas un homme expansif, et je ne me souviens pas de l'avoir entendu m'appeler « chérie ». Il a voulu que je sois à l'abri du besoin et a mis cette maison en viager, m'a assuré une petite rente avant de mourir. C'est à peu près tout ce qu'il a laissé. Ses enfants n'ont eu que quelques souvenirs sans valeur, tout comme ma fille, avec qui il n'a fait aucune distinction.

— Il est mort ici ?

— Non. Il est mort tout seul, dans une chambre d'hôtel, à Paris, où il était allé dans l'espoir de négocier une nouvelle affaire. Il avait soixante-dix ans. À présent, vous commencez à connaître la famille. Je ne sais pas au juste ce que fait Théo, mais il a toujours une petite auto ; il est bien habillé et vit dans les endroits élégants. Quant à Charles, qui a quatre enfants et une femme pas fort agréable, il a essayé plusieurs métiers sans succès. Sa marotte était de fonder un journal. Cela a raté à Rouen et au Havre. Alors, il s'est mis, à Fécamp, dans une affaire d'engrais tirés des déchets de poisson, puis, comme cela ne marchait pas trop mal, il s'est inscrit sur je ne sais quelle liste pour les élections.

» Il a été élu par le plus grand des hasards, et le voilà député depuis deux ans.

» Ils ne sont des saints ni les uns ni les autres, mais ils ne sont pas non plus méchants.

» S'ils n'ont pas pour moi un amour aveugle, je ne pense pas non plus qu'ils me détestent, et ma mort ne leur serait profitable ni aux uns ni aux autres.

» Les bibelots que vous voyez ne feraient pas une grosse somme dans une salle des ventes, et c'est, avec les répliques de mes anciens bijoux, tout ce qui m'appartient en propre.

» Quant aux gens du pays, ils se sont habitués à la vieille femme que je suis et me considèrent un peu comme faisant partie du paysage.

» Presque tous ceux que j'ai connus dans ma jeunesse ont disparu. Il reste quelques vieilles personnes, comme l'aînée des demoiselles Seuret, à qui je rends visite de temps en temps.

» Que quelqu'un puisse avoir l'idée de m'empoisonner, cela me paraît tellement impossible, tellement absurde que je suis un peu gênée de vous voir ici et que j'ai honte, à présent, d'être allée vous chercher à Paris.

» Vous avez dû me prendre pour une vieille toquée, avouez-le !

— Non.

— Pourquoi ? Qu'est-ce qui vous fait penser que c'était sérieux ?

— La Rose est morte !

— C'est vrai.

Elle jeta un coup d'œil par la fenêtre, vit les meubles éparpillés dans la cour, les couvertures qui pendaient sur la corde à linge.

— Votre jardinier est ici aujourd'hui ?

— Non. C'était hier son jour.

— La femme de ménage a descendu seule les meubles ?

— Nous les avons démontés et descendus à nous deux, ce matin, de bonne heure, avant que je me rende à Yport.

Ils étaient lourds et l'escalier était étroit, avec un tournant difficile.

— Je suis plus forte qu'il n'y paraît, monsieur Maigret. J'ai l'air d'avoir des os d'oiseau, et en effet ils ne sont pas gros. Mais Rose, malgré toute sa chair, n'était pas plus vigoureuse que moi.

Elle se leva pour lui remplir son verre et prit elle-même une goutte du vieux calvados doré dont le parfum imprégnait la pièce.

Elle fut surprise par la question que Maigret lui posa alors, tranquillement, en tirant doucement sur sa pipe.

— Croyez-vous que votre gendre – Julien Sudre, n'est-ce pas ? – soit un mari complaisant ?

Étonnée, elle rit.

— Je ne me suis jamais posé la question.

— Vous ne vous êtes jamais demandé non plus si votre fille avait un ou des amants ?

— Mon Dieu, je n'en serais pas surprise.

— Il y avait un homme ici, dans la chambre d'amis, avec votre fille, la nuit de dimanche à lundi.

Elle fronça les sourcils, réfléchit.

— Je comprends, à présent.

— Qu'est-ce que vous comprenez ?

— Certains détails qui ne m'avaient pas frappée sur le moment. Toute la journée, Arlette a été distraite, préoccupée. Après le déjeuner, elle a proposé d'aller promener les enfants de Charles sur la plage et a paru déçue quand il a voulu y aller lui-même. Lorsque je lui ai demandé pourquoi son mari ne l'avait pas accompagnée, elle m'a répondu qu'il avait un paysage à finir au bord de la Seine.

» — Tu restes à coucher ?

» — Je ne sais pas. Je ne crois pas. Il vaut peut-être mieux que je prenne le train du soir.

» J'ai insisté. Plusieurs fois, je l'ai surprise regardant par la fenêtre, et je me souviens maintenant qu'à la tombée de la nuit une auto est passée à deux ou trois reprises, presque au pas, sur la route.

— De quoi avez-vous parlé ?

— C'est difficile à dire. Mimi avait à soigner son bébé, qu'il a fallu changer plusieurs fois. Elle a dû aussi préparer le biberon, calmer Claude, qui a cinq ans, et qui abîmait les plates-bandes. On a parlé des enfants, naturellement. Arlette a fait remarquer à Mimi que le dernier avait dû être une surprise pour elle, après cinq ans, alors que l'aîné a déjà quinze ans, et Mimi a répondu que Charles n'en faisait jamais d'autres, que ce n'était pas lui qui avait les ennuis…

» Vous voyez ça d'ici ! On a échangé des recettes de cuisine.

— Arlette n'est-elle pas montée dans votre chambre, après le dîner ?

— Oui. Je voulais lui montrer une robe que je me suis fait faire récemment, et je l'ai essayée devant elle.

— Où se tenait-elle ?

— Elle était assise sur le lit.

— Est-elle restée seule ?

— Peut-être quelques instants, pendant que je prenais la robe dans la petite pièce qui me sert de lingerie. Mais je n'imagine pas Arlette versant du poison dans la bouteille de médicament. Il aurait fallu d'ailleurs qu'elle ouvre la pharmacie, et celle-ci se trouve dans la salle de bains. Je l'aurais entendue. Pourquoi Arlette aurait-elle fait ça ? Ainsi, ce pauvre Julien est cocu ?

— Un homme a rejoint Arlette dans sa chambre après minuit et a dû s'en aller précipitamment par la fenêtre quand il a entendu les gémissements de Rose.

Elle ne put s'empêcher de rire.

— Cela tombait mal !

Mais cela ne lui faisait pas peur rétrospectivement.

— Qui est-ce ? Quelqu'un d'ici ?

— Quelqu'un qui l'a amenée de Paris en auto, un certain Hervé Peyrot, qui est dans les vins.

— Jeune ?

— Une quarantaine d'années.

— Cela m'étonnait aussi qu'elle vienne par le train, alors que son mari a une voiture et qu'elle conduit. Tout cela est drôle, monsieur Maigret. Au fond, je suis contente que vous soyez là. L'inspecteur a emporté le verre et la bouteille de médicament, ainsi que divers objets qui se trouvaient dans ma chambre et dans la salle de bains. Je suis curieuse de savoir ce que les gens du laboratoire découvriront. Il est venu également des policiers en civil, qui ont pris des photos. Si la Rose n'avait pas été si têtue, aussi ! Je lui ai dit que le médicament avait un drôle de goût et, une fois derrière la porte, elle n'en a pas moins avalé ce qui restait dans le verre. Elle n'avait pas besoin de somnifère, je vous assure. Combien de fois, à travers la cloison, l'ai-je entendue ronfler, à peine couchée ! Peut-être aimeriez-vous visiter la maison ?

Il s'y trouvait depuis une heure à peine, et il lui semblait déjà qu'il la connaissait, qu'elle lui était familière. La rigide silhouette de la femme de ménage – une veuve, certainement – s'encadra dans la porte.

— Est-ce que vous mangerez le reste de ragoût ce soir, ou est-ce que je le donne au chat ?

Elle disait cela presque méchamment, sans un sourire.

— Je le mangerai, madame Leroy.

— J'ai fini dehors. Tout est propre. Quand vous voudrez m'aider à remonter les meubles…

Valentine sourit en coin à Maigret.

— Tout à l'heure.

— C'est que je n'ai plus rien à faire.

— Alors, reposez-vous un moment.

Et elle le précéda dans l'escalier étroit qui sentait l'encaustique.

3

Les amants d'Arlette

— Passez me voir quand il vous plaira, monsieur Maigret. C'est bien le moins que je sois toujours à votre disposition, après vous avoir demandé de venir de Paris. Vous ne m'en voulez pas trop de vous avoir dérangé pour cette histoire abracadabrante ?

C'était dans le jardin, au moment de la quitter. La veuve Leroy attendait toujours sa patronne pour l'aider à remonter les meubles dans la chambre de Rose. Un instant, Maigret avait failli offrir un coup de main, tant on voyait mal Valentine coltiner de lourds fardeaux.

— Je suis surprise maintenant d'avoir tant insisté pour que vous veniez, car je n'ai même pas peur.

— Mme Leroy va coucher chez vous ?

— Oh ! non, elle sera partie dans une heure. Elle a un fils de vingt-quatre ans qui travaille au chemin de fer et qu'elle dorlote comme un bébé. C'est parce qu'il va bientôt rentrer qu'elle ne tient pas en place.

— Vous dormirez seule dans la maison ?

— Ce ne sera pas la première fois.

Il avait traversé le jardinet, poussé la barrière qui grinçait un peu. Le soleil déclinait du côté de la mer et inondait le chemin de lumière jaune, déjà rougeâtre. C'était une vraie route comme dans son enfance, non goudronnée, où les pieds butaient dans la poussière moelleuse, avec des haies et des orties en bordure.

Un tournant s'amorçait, un peu plus bas, et c'est à ce tournant qu'il aperçut, venant en sens inverse, une silhouette de femme qui montait lentement la pente.

Elle était à contre-jour, vêtue de sombre, et il la reconnut sans l'avoir jamais vue, c'était incontestablement Arlette, la fille de la vieille dame. Elle paraissait moins petite et moins menue que sa mère, mais elle avait la même délicatesse, semblait faite, comme elle, d'une matière fine et précieuse, et elle avait les mêmes yeux immenses, d'un bleu irréel.

Reconnut-elle le commissaire, dont la photographie avait paru si souvent dans les journaux ? Se dit-elle simplement, en voyant sur ce chemin un inconnu vêtu en citadin, que cela ne pouvait être qu'un policier ?

Il sembla à Maigret que, pendant le court moment qu'ils mirent à se croiser, elle hésitait à lui adresser la parole. Il hésita, lui aussi. Il avait envie de lui parler, mais le moment et le lieu étaient mal choisis.

Ils ne firent donc que se regarder en silence, et les yeux d'Arlette n'exprimaient aucun sentiment. Ils étaient graves, avec quelque chose d'absent, d'impersonnel. Maigret se retourna alors qu'elle avait disparu derrière la haie, puis il continua son chemin jusqu'aux premières rues d'Étretat.

Il rencontra l'inspecteur Castaing devant un étalage de cartes postales.

— Je vous attendais, commissaire. On vient de m'apporter les rapports. Je les ai en poche. Vous voulez les lire ?

— J'aimerais, avant tout, m'asseoir à une terrasse et boire un verre de bière fraîche.

— Elle ne vous a rien offert ?

— Elle m'a offert un calvados tellement vieux, tellement fameux que cela m'a donné soif de quelque chose de plus vulgaire et de plus désaltérant.

Ce soleil qui, dès le milieu de l'après-midi, descendait sous forme d'une énorme boule rouge, annonçait l'arrière-saison, comme aussi les baigneurs plus rares qui portaient déjà des vêtements de laine et qui, chassés de la plage par la fraîcheur, ne savaient que faire dans les rues.

— Arlette vient d'arriver, dit Maigret quand ils furent installés devant un guéridon, place de la Mairie.

— Vous l'avez vue ?

— Je suppose que, cette fois, elle est venue par le train.

— Elle s'est rendue chez sa mère ? Vous lui avez parlé ?

— Nous n'avons fait que nous croiser, à une centaine de mètres de *La Bicoque*.

— Vous croyez qu'elle va y coucher ?

— Cela me paraît probable.

— Il n'y a personne d'autre dans la maison, n'est-ce pas ?

— Il n'y aura, cette nuit, que la mère et la fille.

Cela préoccupait l'inspecteur.

— Vous n'allez pas me condamner à lire tous ces papiers ? fit Maigret en repoussant la grosse enveloppe jaune bourrée de documents. Parlez-moi du verre, d'abord. C'est vous qui l'avez trouvé et emballé ?

— Oui. Il était dans la chambre de la bonne, sur la table de nuit. J'ai demandé à Mme Besson si c'était bien le verre qui avait contenu le médicament. Il paraît qu'on ne peut pas s'y tromper, parce que c'est un verre légèrement teinté, le seul qui reste d'un service ancien.

— Empreintes ?

— Celles de la vieille dame et celles de Rose.

— La bouteille ?

— J'ai trouvé la bouteille de somnifère dans la pharmacie de la salle de bains, à la place qu'on m'a désignée. Elle ne porte que les empreintes de la vieille dame. À propos, vous avez visité sa chambre ?

Castaing avait été surpris, lui aussi, comme Maigret, en entrant dans la chambre de Valentine. Celle-ci l'avait ouverte au commissaire avec une simplicité enjouée, sans un mot, mais elle devait savoir l'effet que la pièce produirait.

En effet, si le reste de la maison était joli, de bon goût, marqué d'une certaine recherche, on ne s'attendait cependant pas à se trouver soudain dans une chambre de grande coquette, toute tendue de satin crème. Au milieu de l'immense lit, un chat persan au pelage bleuté faisait la sieste, et il avait à peine entrouvert ses yeux dorés en l'honneur de l'intrus.

— C'est peut-être un cadre un peu ridicule pour une vieille femme, n'est-ce pas ?

Quand ils étaient passés dans la salle de bains aux carreaux jaunes, elle avait ajouté :

— Cela tient probablement à ce que, jeune fille, je n'ai jamais eu ma chambre, que je couchais avec mes sœurs dans une mansarde et qu'il fallait aller nous laver dans la cour, sur la margelle du puits. Avenue d'Iéna, Ferdinand m'avait aménagé une salle de bains en marbre rose, où tous les accessoires étaient de vermeil, et où l'on descendait dans la vasque par trois marches.

La chambre de Rose était vide, avec un courant d'air qui gonflait les rideaux de cretonne comme des crinolines, un plancher ciré, un papier à fleurs sur les murs.

— Que dit le médecin légiste ?

— L'empoisonnement est indiscutable. Arsenic à forte dose. Le somnifère n'est pour rien dans la mort de la domestique. Le rapport ajoute que le liquide devait avoir un goût très amer.

— Valentine l'a dit aussi.

— Et la Rose a bu quand même. Regardez la personne qui vient sur l'autre trottoir et se dirige vers la papeterie. C'est Théo Besson.

C'était un homme grand et osseux, aux traits vigoureusement dessinés, qui paraissait la cinquantaine. Il portait un vêtement de tweed de couleur rouille qui faisait très anglais. Il était tête nue, les cheveux gris et clairsemés.

Il aperçut les deux hommes. Il connaissait déjà l'inspecteur et, sans doute, reconnut-il le commissaire

Maigret. Comme Arlette l'avait fait, il hésita, esquissa un léger salut de tête et pénétra dans la papeterie.

— Vous l'avez questionné ?

— Incidemment. Je lui ai demandé s'il n'avait aucune déclaration à me faire et s'il comptait rester longtemps à Étretat. Il ma répondu qu'il n'avait pas l'intention de quitter la ville avant la fermeture de l'hôtel, le 15 septembre.

— À quoi passe-t-il ses journées ?

— Il marche beaucoup, le long de la mer, tout seul, d'un grand pas régulier, comme les gens d'un certain âge qui veulent se tenir en forme.

» Il se baigne, vers onze heures, et traîne, le reste du temps, au bar du casino ou dans les bistros.

— Il boit beaucoup ?

— Une dizaine de whiskies par jour, mais je ne pense pas qu'il s'enivre. Il lit quatre ou cinq journaux. Parfois il joue, sans jamais s'asseoir à une des tables.

— Rien d'autre dans ces rapports ?

— Rien d'intéressant.

— Théo Besson n'a pas revu sa belle-mère depuis dimanche ?

— Pas que je sache.

— Qui l'a revue ? Donnez-moi donc un résumé de la journée de lundi. J'ai à peu près celle du dimanche, mais je vois mal le déroulement de celle du lundi.

Il connaissait l'emploi du temps de Valentine le mardi. Elle le lui avait dit. Elle avait quitté *La Bicoque* de bonne heure, laissant Mme Leroy seule, et avait pris le premier train pour Paris. Un taxi l'avait conduite quai des Orfèvres, où elle avait eu son entretien avec le commissaire.

— Vous êtes ensuite allée voir votre fille ? lui avait-il demandé tout à l'heure.

— Non. Pourquoi ?

— Vous n'allez jamais la voir quand vous êtes à Paris ?

— Rarement. Ils ont leur vie, et j'ai la mienne. En outre, je n'aime pas le quartier Saint-Antoine où ils habitent, ni leur appartement de petits bourgeois.

— Qu'est-ce que vous avez fait ?

— J'ai déjeuné dans un restaurant de la rue Duphot, où j'ai toujours aimé manger, j'ai fait deux ou trois emplettes dans le quartier de la Madeleine, et j'ai repris mon train.

— Votre fille vous savait à Paris ?

— Non.

— Votre beau-fils Charles non plus ?

— Je ne lui ai pas parlé de mon idée.

Il avait envie, maintenant, de savoir ce qui s'était passé le lundi.

— Quand je suis arrivé, vers huit heures, dit Castaing, j'ai trouvé la maison dans une certaine effervescence, comme vous pouvez le penser.

— Qui s'y trouvait ?

— Mme Besson, bien entendu.

— Dans quelle tenue ?

— Dans sa tenue habituelle. Sa fille était là aussi, non coiffée, en pantoufles. Le docteur Jolly leur tenait compagnie, un homme d'un certain âge, un ami de la famille, calme, pondéré, et le vieux jardinier venait d'arriver. Quant à Charles Besson, il me précédait de quelques pas.

— Qui vous a donné les renseignements ?

— Valentine. De temps en temps, le docteur l'interrompait pour lui demander un détail important. Elle m'a dit que c'était elle qui avait fait téléphoner à son beau-fils pour l'avertir. Il était très ému, très « catastrophé ». Il a paru soulagé de voir que les journalistes n'étaient pas encore sur place et que la population ne savait rien. Vous venez de rencontrer son frère. Il lui ressemble, en plus gros et en plus mou.

» Le fait qu'il n'y a pas le téléphone dans la maison a compliqué mon travail, car j'ai dû appeler plusieurs fois Le Havre et, chaque fois, j'ai été obligé de venir en ville.

» Le docteur, qui avait des malades à voir, est parti le premier.

— Les parents de la Rose n'étaient pas prévenus ?

— Non. On ne paraissait pas penser à eux. C'est moi qui suis allé les mettre au courant, à Yport. Le père était en mer. C'est un frère qui m'a accompagné, avec sa mère.

— Comment cela s'est-il passé ?

— Plutôt mal. La mère a regardé Mme Besson comme si elle la rendait responsable de ce qui était arrivé et ne lui a pas adressé la parole. Quant au frère, à qui Charles Besson disait je ne sais quoi, il s'est emballé.

» — Il faudra bien qu'on sache la vérité, et ne comptez pas que je laisserai étouffer l'affaire parce que vous avez le bras long !

» Ils voulaient emporter le corps à Yport. J'ai eu du mal à les convaincre qu'il fallait tout d'abord le transporter au Havre pour l'autopsie.

» Sur ces entrefaites, le père est arrivé, en vélo. Il n'a rien dit à personne. C'est un petit, trapu, très fort, très charpenté. Dès que le corps a été chargé dans le fourgon, il a emmené sa famille. Charles Besson a proposé de les reconduire dans sa voiture, mais ils ont refusé, et ils sont partis tous les trois à pied, le vieux poussant sa bicyclette.

» Je ne peux pas vous garantir l'ordre chronologique exact de ce que je vous raconte. Des voisins ont commencé à arriver, puis des gens de la ville ont envahi le jardin. J'étais en haut, avec Cornu, de l'Identité Judiciaire, qui prenait des photos et relevait les empreintes.

» Quand je suis redescendu, vers midi, je n'ai plus vu Arlette, et sa mère m'a appris qu'elle était repartie pour Paris, par crainte que son mari s'inquiétât.

» Charles Besson est resté jusqu'à trois heures de l'après-midi et est rentré à Fécamp.

— Il vous a parlé de moi ?

— Non. Pourquoi ?

— Il ne vous a pas dit qu'il comptait demander au ministre de me charger de l'enquête ?

— Il ne m'a parlé de rien, sinon qu'il ferait le nécessaire auprès des journaux. Je ne vois rien d'autre lundi. Ah si ! Dans la soirée, j'ai aperçu dans la rue Théo Besson, qu'on m'avait désigné, et je me suis arrêté pour échanger quelques mots avec lui.

» — Vous êtes au courant de ce qui est arrivé à *La Bicoque ?*

» — On m'en a parlé.

» — Vous n'avez aucun renseignement qui puisse m'aider dans mon enquête ?

» — Absolument aucun.

» Il était très froid, lointain. C'est alors que je lui ai demandé s'il comptait quitter Étretat et qu'il m'a répondu ce que vous savez. Maintenant, si vous n'avez pas besoin de moi ce soir, je vais rentrer au Havre pour rédiger mon rapport. J'ai promis à ma femme de dîner avec elle si possible, car nous avons des amis à la maison.

Il avait laissé sa voiture devant l'hôtel, et Maigret l'accompagna par les rues paisibles où parfois, à un tournant, on découvrait un pan de mer.

— Cela ne vous inquiète pas un peu qu'Arlette couche chez sa mère cette nuit et que les deux femmes soient seules dans la maison ?

On le sentait préoccupé et peut-être, à cause du calme de Maigret trouva-t-il que celui-ci prenait légèrement la chose.

À mesure que le soleil devenait plus rouge, que les toits des maisons semblaient flamber, la mer prenait, par places, une couleur d'un vert glacé, et on aurait dit que le monde, du côté opposé au couchant, commençait à se figer dans une éternité inhumaine.

— À quelle heure voulez-vous que je vienne demain matin ?

— Pas avant neuf heures. Peut-être pourriez-vous téléphoner de ma part à la P. J., afin d'avoir tous les renseignements possibles sur Arlette Sudre et sur son mari. J'aimerais savoir aussi quelle est la vie de Charles Besson quand il est à Paris et, ma foi, tant que vous y êtes, demandez des tuyaux sur Théo. Tâchez de parler à Lucas. Je n'aime pas téléphoner ces choses-là d'ici.

La plupart des passants se retournaient sur eux et on les épiait par les vitres des devantures. Maigret ignorait encore ce qu'il ferait de sa soirée, et par quel bout il prendrait l'enquête. De temps en temps, il se répétait machinalement :

« La Rose est morte. »

C'était la seule personne dont il ne savait encore rien, sinon qu'elle était dodue et qu'elle avait de gros seins.

— Au fait, demanda-t-il à Castaing, qui poussait le démarreur, elle devait avoir des objets personnels dans sa chambre, chez Valentine. Qu'est-ce qu'on en a fait ?

— Ses parents les ont fourrés dans sa valise qu'ils ont emportée.

— Vous avez demandé à les voir ?

— Je n'ai pas osé. Si vous allez là-bas, vous comprendrez. Leur accueil n'a rien d'amical. Ils vous regardent d'un air méfiant et se regardent les uns et les autres avant de répondre par monosyllabes.

— J'irai sans doute les voir demain.

— Cela m'étonnerait que Charles Besson ne vienne pas vous rendre visite. Puisqu'il a tant fait que de déranger le ministre pour vous avoir dans l'affaire !

Castaing lâcha sa petite auto sur la route du Havre, et Maigret, avant d'entrer à son hôtel, se dirigea vers le casino, dont la terrasse dominait la plage. C'était machinal. Il obéissait à cette sorte d'impulsion qui pousse les gens des villes, quand ils sont au bord de la mer, à aller regarder le soleil se coucher.

En effet, ce qu'il restait de baigneurs à Étretat était là, des jeunes filles en robes claires, quelques vieilles dames, à guetter le fameux rayon vert qui jaillirait des flots à l'instant précis où la boule rouge plongerait derrière l'horizon.

Maigret s'en fit mal aux yeux, ne vit pas le rayon vert et entra au bar, où une voix familière lui lança :

— Qu'est-ce que ce sera, commissaire ?

— Tiens ! Charlie !

Un barman qu'il avait connu dans un établissement de la rue Daunou et qu'il était surpris de retrouver ici.

— Je ne me doutais pas que ce serait vous qui viendriez vous occuper de cette histoire. Qu'est-ce que vous en pensez ?

— Et vous ?

— Je pense que la vieille dame a eu une fameuse chance et que la boniche a joué de malheur.

Maigret but un calvados, parce qu'il était en Normandie et qu'il avait commencé. Charlie s'occupa d'autres clients. Théo Besson vint s'asseoir sur un des hauts tabourets et déploya un journal de Paris qu'il venait probablement d'aller chercher à la gare.

À part quelques petits nuages qui restaient roses, le monde, dehors, avait perdu toute couleur, avec l'infini indifférent du ciel formant couvercle sur l'infini de la mer.

« La Rose est morte. »

Morte d'avoir bu un médicament qui ne lui était pas destiné et dont elle n'avait aucun besoin.

Il traîna encore un peu, alourdi par le calvados, puis se dirigea vers son hôtel, dont la façade, dans le crépuscule, était d'un blanc crayeux. Il passa entre les plantes vertes du perron, poussa la porte et suivit la carpette rouge jusqu'au bureau, où il comptait prendre sa clef. Le gérant se pencha sur lui, confidentiel :

— Il y a une dame qui vous attend depuis un bon moment.

Et du regard, il lui désignait un coin du hall, aux fauteuils recouverts de velours rouge.

— Je lui ai dit que je ne savais pas quand vous rentreriez, et elle m'a répondu qu'elle attendrait. C'est…

Il balbutia un nom si bas que Maigret n'entendit pas. Mais, en se retournant, il reconnut Arlette Sudre qui, à ce moment, se leva de son fauteuil.

Mieux que l'après-midi, il remarqua son élégance, peut-être parce qu'elle était seule ici en tenue de ville, avec un chapeau très parisien qui fait penser à un cinq à sept dans le quartier de la Madeleine.

Il s'avança vers elle, pas trop à son aise.

— C'est moi que vous attendez, je pense ? Commissaire Maigret.

— Comme vous le savez, je suis Arlette Sudre.

Il fit signe de la tête qu'en effet il ne l'ignorait pas. Puis tous deux se turent un moment. Elle regarda autour d'elle, afin de lui faire comprendre qu'il était difficile de parler dans ce hall, où un vieux couple les dévisageait en tendant l'oreille.

— Je suppose que vous désirez me parler en particulier ? Malheureusement, nous ne sommes pas au Quai des Orfèvres. Je ne vois pas où…

Il regardait autour de lui, lui aussi. Il ne pouvait pas l'inviter à monter dans sa chambre. On voyait les serveuses mettre les couverts dans la salle à manger prévue pour deux cents personnes et où il n'y avait guère qu'une vingtaine de dîneurs.

— Peut-être le plus simple serait-il que vous mangiez un morceau avec moi ? Je pourrais choisir une table isolée…

Plus à son aise que lui, elle accepta la proposition, naturellement, sans le remercier, et le suivit dans la salle encore vide.

— On peut dîner ? demanda-t-il à la serveuse.

— Dans quelques minutes. Vous pouvez déjà vous asseoir. Deux couverts ?

— Un instant. Est-il possible d'avoir quelque chose à boire ?

Il se tourna, interrogateur, vers Arlette.

— Martini, dit-elle du bout des lèvres.

— Deux martinis.

Il se sentait toujours gêné, et cela ne venait pas seulement de ce qu'un homme, le dimanche précédent, avait passé une partie de la nuit dans la chambre d'Arlette. Celle-ci était le type même de la jolie femme avec qui un homme dîne en bonne fortune, en tête à tête, épiant les gens qui entrent avec la crainte d'être reconnu. Et il allait dîner ici, avec elle.

Elle ne l'aidait pas, le regardait tranquillement, comme si c'était à lui de parler et non à elle.

— Ainsi, vous êtes revenue de Paris ! dit-il, de guerre lasse.

— Vous devez deviner pourquoi ?

Probablement était-elle plus jolie que sa mère n'avait jamais été, mais, contrairement à Valentine, elle ne faisait rien pour plaire, restait distante, sans mettre de chaleur dans son regard.

— Si vous ne le savez pas encore, je vais vous le dire.

— Vous voulez parler d'Hervé ?

On leur apportait les martinis, et elle trempa les lèvres dans le sien, tira un mouchoir de son sac en daim noir, saisit machinalement un bâton de rouge, mais ne s'en servit pas.

— Qu'est-ce que vous comptez faire ? questionna-t-elle en le regardant droit dans les yeux.

— Je ne comprends pas bien la question.

— Je n'ai pas beaucoup l'expérience de ces sortes de choses, mais il m'est arrivé de lire les journaux. Lorsqu'un accident comme celui de dimanche soir survient, la police, d'habitude, fouille la vie privée de tous ceux qui y sont mêlés de près ou de loin, et il n'est pas beaucoup plus avantageux d'être innocent que coupable. Comme je suis mariée et que j'ai beaucoup d'affection pour mon mari, je vous demande ce que vous comptez faire.

— Au sujet du mouchoir ?

— Si vous voulez.

— Votre mari n'est pas au courant ?

Il vit sa lèvre frémir, d'impatience ou de colère, et elle laissa tomber :

— Vous parlez comme ma mère.

— Parce que votre mère a pensé que votre mari était peut-être au courant de votre vie extraconjugale ?

Elle eut un petit rire méprisant.

— Vous choisissez vos mots avec soin, n'est-ce pas ?

— Si vous le préférez, je ne les choisirai plus. D'après ce que vous venez de me dire, votre mère a pensé que votre mari était ce qu'on appelle un mari complaisant.

— Si elle ne l'a pas pensé, elle l'a dit.

— Comme je ne le connais ni d'Ève ni d'Adam, je n'ai pas eu l'occasion de me faire une opinion. Maintenant…

Elle avait toujours les yeux fixés sur lui, et il éprouva le besoin d'être méchant :

— Maintenant, ne vous en prenez qu'à vous-même si cette idée vient à quelqu'un. Vous avez trente-huit ans, je pense ? Vous êtes mariée depuis l'âge de vingt ans. Il est assez difficile de croire que votre expérience de dimanche est la première du genre.

Elle répliqua du tac au tac :

— Ce n'est pas la première, en effet.

— Vous aviez une seule nuit à passer dans la maison de votre mère, et vous avez éprouvé le besoin d'y introduire votre amant.

— Peut-être n'avons-nous pas souvent l'occasion de passer la nuit ensemble ?

— Je ne juge pas. Je constate. De là à penser que votre mari est au courant…

— Il ne l'était pas et il ne l'est pas encore. C'est pour cela que je suis revenue après être partie précipitamment.

— Pourquoi êtes-vous partie dès lundi midi ?

— Je ne savais pas ce que Hervé était devenu après avoir quitté la maison au moment où Rose a commencé à gémir. J'ignorais ce que mon mari ferait en apprenant la nouvelle. J'ai voulu éviter qu'il vienne ici.

— Je comprends. Et, une fois à Paris, vous vous êtes inquiétée ?

— Oui. J'ai téléphoné à Charles, qui m'a appris que vous vous chargiez de l'enquête.

— Cela vous a rassurée ?

— Non.

— Je peux servir, messieur-dame ?

Il fit signe que oui, et ils ne reprirent l'entretien qu'une fois le potage sur la table.

— Mon mari saura-t-il ?

— C'est improbable. Pas si ce n'est pas indispensable.

— Vous me soupçonnez d'avoir tenté d'empoisonner ma mère ?

Sa cuiller resta un moment en suspens, et il la regarda avec une stupeur mêlée d'une pointe d'admiration.

— Pourquoi me demandez-vous cela ?

— Parce que j'étais la seule personne dans la maison à pouvoir mettre du poison dans le verre. Plus exactement, j'étais la seule qui se trouvait encore dans la maison quand c'est arrivé.

— Vous voulez dire que Mimi aurait pu le faire avant son départ ?

— Mimi ou Charles, ou même Théo. Seulement, c'est fatalement à moi qu'on pensera.

— Pourquoi fatalement ?

— Parce que tout le monde est persuadé que je n'aime pas ma mère.

— Et c'est vrai ?

— C'est à peu près vrai.

— Cela vous ennuierait beaucoup que je vous pose quelques questions ? Remarquez que je ne le fais pas officiellement. C'est vous qui êtes venue au-devant de moi.

— Vous me les auriez quand même posées un jour ou l'autre, n'est-ce pas ?

— C'est possible, et même probable.

Le couple de vieux mangeait à trois tables d'eux, et il y avait ailleurs une femme d'âge moyen qui couvait du regard son fils de dix-huit ans, qu'elle servait comme un enfant. On riait haut et fort à une table de jeunes filles, par vagues, aurait-on dit.

Maigret et sa compagne parlaient à mi-voix, sur un ton en apparence tranquille, indifférent, tout en mangeant.

— Il y a longtemps que vous n'aimez pas votre mère ?

— Depuis le jour où j'ai compris qu'elle ne m'avait jamais aimée, que je n'avais été qu'un accident et qu'elle considérait que je lui avais gâché sa vie.

— Cela s'est passé quand, cette découverte ?

— Alors que j'étais encore petite fille. J'ai tort, d'ailleurs, de parler de moi en particulier. Je devrais dire que maman n'a jamais aimé personne, pas même moi.

— Elle n'a pas aimé votre père non plus ?

— Du jour où il a été mort, il n'a plus été question de lui. Je vous défie de trouver une seule photographie de mon père dans la maison. Vous l'avez visitée, tout à l'heure. Vous avez vu la chambre de maman. Aucun détail ne vous a frappé ?

Il fit un effort de mémoire, avoua :

— Non.

— C'est peut-être que vous n'avez pas beaucoup fréquenté les maisons des vieilles femmes. Dans la plupart, vous verrez sur les murs et sur les meubles des quantités de photographies.

Elle avait raison. Pourtant, il se souvenait d'un portrait, un portrait de vieillard, dans un magnifique cadre en argent, sur la table de nuit de la chambre.

— Mon beau-père, répondit-elle à l'objection. D'abord, on l'a surtout mis là à cause du cadre. Ensuite, il est quand même l'ex-propriétaire des produits « Juva », ce qui compte. Enfin, il a passé la moitié de sa vie à faire les quatre volontés de ma mère et à lui donner tout ce qu'elle a eu. Avez-vous vu un portrait de moi ? En avez-vous vu de mes beaux-frères ? Charles, par exemple, a la manie de faire photographier ses enfants à tous les âges et d'envoyer des épreuves à la famille. Chez maman, tous ces portraits-là sont dans un tiroir, avec des bouts de crayon, de vieilles lettres, des bobines, que sais-je ? Mais il y a sur les murs des photos d'elle, de ses autos, de son château, de son yacht, de ses chats, surtout de ses chats.

— Je vois, en effet, que vous ne l'aimez pas !

— Je crois que je ne lui en veux même plus.

— De quoi ?

— Peu importe. Cependant, si on a essayé de l'empoisonner…

— Pardon. Vous venez de dire *si*.

— Mettons que ce soit une façon de parler. Encore qu'avec maman on ne sache jamais.

— Voulez-vous insinuer qu'elle aurait pu faire semblant d'être empoisonnée ?

— Cela ne tiendrait pas debout, en effet, surtout qu'il y avait du poison dans le verre, et en quantité suffisante pour tuer, puisque la pauvre Rose est morte.

— Vos beaux-frères et votre belle-sœur partageaient votre... mettons votre indifférence, sinon votre aversion, pour votre mère ?

— Ils n'ont pas les mêmes raisons que moi. Mimi ne l'aime pas beaucoup parce qu'elle pense que, sans elle, mon beau-père n'aurait pas perdu sa fortune.

— C'est exact ?

— Je ne sais pas. Il est certain que c'est pour elle qu'il a dépensé le plus d'argent et que c'est surtout elle qu'il voulait étonner.

— Quelles étaient vos relations avec votre beau-père ?

— Presque tout de suite après son mariage maman m'a mise dans une pension très chic, très chère, en Suisse, sous prétexte que mon père était tuberculeux et que mes poumons devaient être surveillés.

— Sous prétexte ?

— Je n'ai jamais toussé de ma vie. Seulement, la présence d'une grande fille la gênait. Peut-être aussi était-elle jalouse.

— De quoi ?

— Ferdinand avait tendance à me gâter, à me dorloter. Quand je suis revenue à Paris, à dix-sept ans, il s'est mis à tourner autour de moi avec insistance.

— Vous voulez dire... ?

— Non. Pas tout de suite. J'avais dix-huit ans et demi quand c'est arrivé, un soir que je m'habillais pour le théâtre ; il est entré dans ma chambre alors que je n'étais pas tout à fait prête.

— Que s'est-il passé ?

— Rien. Il a perdu la tête, et je l'ai giflé. Alors il est tombé à mes genoux et s'est mis à pleurer en me suppliant de ne rien dire à maman, de ne pas partir. Il m'a juré qu'il avait eu un instant de folie et qu'il ne recommencerait plus jamais.

Elle ajouta froidement :

— Il était ridicule, en habit, avec son plastron qui avait jailli du gilet. Il a dû se relever précipitamment parce que la femme de chambre entrait.

— Vous êtes restée ?

— Oui.

— Vous étiez amoureuse de quelqu'un ?

— Oui.

— De qui ?

— De Théo.

— Et il était amoureux de vous ?

— Il ne faisait pas attention à moi. Il avait sa garçonnière au rez-de-chaussée, et je savais que, malgré la défense de son père, il y introduisait des femmes. J'ai passé des nuits à l'épier. Il y en avait une, une petite danseuse du Châtelet, qui, à une certaine époque, venait presque chaque nuit. Je me suis cachée dans l'appartement.

— Et vous lui avez fait une scène ?

— Je ne sais pas ce que j'ai fait exactement, mais elle est partie, furieuse, et je suis restée seule avec Théo.

— Et alors ?

— Il ne voulait pas. Je l'ai presque forcé.

Elle parlait à mi-voix, sur un ton si naturel que c'était un peu hallucinant, surtout dans ce cadre pour petits bourgeois en vacances, avec la serveuse en robe noire et en tablier blanc qui les interrompait de temps en temps.

— Après ? répéta-t-il.

— Il n'y a pas eu d'après. Nous nous sommes évités.

— Pourquoi ?

— Lui, sans doute, parce qu'il était gêné.

— Et vous ?

— Parce que j'étais dégoûtée des hommes.

— C'est pour cela que vous vous êtes mariée si brusquement ?

— Pas tout de suite. Pendant plus d'un an, j'ai couché avec tous les hommes qui m'approchaient.

— Par dégoût ?

— Oui. Vous ne pouvez pas comprendre.

— Ensuite ?

— J'ai compris que cela tournerait mal ; j'étais écœurée, j'ai voulu en finir.

— En vous mariant ?

— En essayant de vivre comme tout le monde.

— Et vous avez continué, une fois mariée ?

Elle le regarda gravement, prononça :

— Oui.

Il y eut un long silence, pendant lequel on entendit le rire des jeunes filles à l'autre table.

— Dès la première année ?

— Dès le premier mois.

— Pourquoi ?

— Je ne sais pas. Parce que je ne peux pas faire autrement. Julien ne s'en est jamais douté, et j'accepterais n'importe quoi pour qu'il continue de l'ignorer.

— Vous l'aimez ?

— Tant pis si cela vous fait rire. *Oui !* C'est, en tout cas, le seul homme que je respecte. Vous avez d'autres questions à me poser ?

— Quand j'aurai digéré tout ce que vous venez de me dire, j'en aurai probablement.

— Prenez votre temps.

— Vous comptez passer la nuit à *La Bicoque ?*

— Il n'y a pas moyen de faire autrement. Les gens ne comprendraient pas que j'aille à l'hôtel, et je n'ai pas de train avant demain matin.

— Vous vous êtes disputées, votre mère et vous ?

— Quand ?

— Cet après-midi.

— Nous nous sommes dit quelques vérités, froidement, comme d'habitude. C'est devenu presque un jeu dès que nous sommes ensemble.

Elle n'avait pas pris de dessert et, avant de se lever de table, elle se passait son bâton de rouge sur les lèvres, en se regardant dans un petit miroir, secouait une minuscule houppette de poudre.

Ses yeux étaient les plus clairs du monde, plus clairs, d'un bleu plus limpide encore que ceux de Valentine, mais aussi vides que le ciel, tout à l'heure, quand Maigret y avait en vain cherché le rayon vert.

4

Le sentier de la falaise

Maigret se demandait si la fin du repas marquerait aussi la fin de leur entretien ou s'ils allaient le reprendre ailleurs, et Arlette était occupée à allumer une cigarette quand le gérant s'approcha du commissaire et lui parla à voix exagérément basse, si basse que Maigret dut le faire répéter.

— On vous demande au téléphone.

— Qui ?

Alors le gérant regarda la jeune femme d'une façon significative, si bien que tous deux se méprirent. Les traits d'Arlette se durcirent, sans perdre pourtant leur expression indifférente.

— Voulez-vous me dire qui me demande à l'appareil ? fit le commissaire avec impatience.

Et l'homme, vexé, comme obligé malgré lui de lâcher un secret d'État :

— M. Charles Besson.

Maigret sourit furtivement à Arlette, qui avait dû croire qu'il s'agissait de son mari, se leva en questionnant :

— Vous m'attendez ?

Et après qu'elle eut battu des paupières en signe d'assentiment, il se dirigea vers la cabine, accompagné par le gérant qui expliquait :

— J'aurais mieux fait de vous passer une note, n'est-ce pas ? Il vaut mieux que je m'excuse de la faute d'un de mes employés. Il paraît que M. Besson vous a appelé deux ou trois fois pendant la journée, et on a oublié de vous en avertir quand vous êtes rentré pour dîner.

Une voix sonore, au bout du fil, une de ces voix qui font vibrer les appareils.

— Commissaire Maigret ? Je suis désolé, confus. Je ne sais pas comment me faire pardonner, mais peut-être ne m'en voudrez-vous pas trop quand je vous aurai appris ce qui m'arrive.

Maigret n'eut pas le temps de placer un mot. La voix enchaînait :

— Je vous arrache à vos travaux, à votre famille. Je vous fais venir à Étretat et ne suis même pas là pour vous accueillir. Sachez, en tout cas, que j'avais l'intention de me trouver à la gare ce matin, que j'ai essayé en vain de joindre le chef de gare au bout du fil pour qu'il vous passe un message. Allô !...

— Oui.

— Figurez-vous que, la nuit dernière, j'ai dû partir précipitamment pour Dieppe, où la mère de ma femme était à la mort.

— Elle est morte ?

— Cet après-midi seulement et, comme elle n'a que des filles et que je me trouvais être le seul homme dans la maison, j'ai été forcé de rester. Vous savez comment ces choses-là se passent. Il faut penser à tout. Il y a des imprévus. Je ne pouvais pas vous téléphoner de la maison où la mourante ne supportait pas le moindre bruit, et je me suis échappé par trois fois pendant quelques minutes pour vous appeler d'un bar voisin. Cela a été horrible.

— Elle a beaucoup souffert ?

— Pas spécialement, mais elle se voyait mourir.

— Quel âge avait-elle ?

— Quatre-vingt-huit ans. Maintenant, je suis rentré à Fécamp, où je m'occupe des enfants, car j'ai laissé ma femme là-bas. Elle n'a que le bébé avec elle. Si vous le désirez, cependant, je peux prendre ma voiture et aller vous voir dès ce soir. Autrement, dites-moi à quelle heure, demain matin, je vous dérangerai le moins, et je me ferai un devoir d'être là-bas.

— Vous avez une communication à me faire ?

— Vous voulez dire au sujet de ce qui s'est passé dimanche ?

» Je ne sais rien de plus que ce que vous avez appris. Ah ! je voulais cependant vous annoncer que j'ai obtenu de tous les journaux normands, tant du Havre que de Rouen, qu'ils ne parlent pas de l'affaire. Par le fait, il n'en sera pas question à Paris non plus. Cela n'a pas été sans peine. J'ai dû me rendre personnellement à Rouen, mardi matin. Ils ont signalé la chose en trois lignes, disant qu'on suppose qu'il s'agit d'un accident.

Il soufflait enfin, mais le commissaire n'avait rien à dire.

— Vous êtes bien installé ? On vous a donné une bonne chambre ? J'espère que vous allez tirer au clair cette histoire navrante. Je ne sais pas si vous vous levez de bonne heure. Voulez-vous que je sois à votre hôtel à neuf heures ?

— Si cela vous arrange.

— Je vous remercie et vous présente encore une fois toutes mes excuses.

Quand Maigret sortit de la cabine, il aperçut Arlette qui restait seule dans la salle à manger, les coudes sur la table, tandis que l'on desservait.

— Il a dû aller à Dieppe, dit-il.

— Elle est morte, enfin ?

— Elle était malade ?

— Il y a vingt ou trente ans qu'elle se prétendait mourante. Charles doit être enchanté.

— Il ne l'aimait pas ?

— Il va être tiré d'affaire pour un bout de temps, car il fera un gros héritage. Vous ne connaissez pas Dieppe ?

— Assez peu.

— Les Montet possèdent à peu près le quart des maisons de la ville. Il va être riche, mais il trouvera bien le moyen de perdre tout cet argent dans quelque affaire extravagante. À moins que Mimi ne le laisse pas faire, car, après tout, c'est son argent à elle, et je la crois capable de se défendre.

C'était curieux : elle disait ces choses-là sans animosité ; on ne sentait pas de méchanceté dans sa voix, pas d'envie ; on aurait dit qu'elle parlait simplement des gens tels qu'elle les voyait et ils apparaissaient sous un jour plus cru que sur les photos du Service anthropométrique.

Maigret s'était rassis en face d'elle et avait bourré sa pipe, qu'il hésitait à allumer.

— Vous me direz quand je commencerai à vous gêner.

— Vous ne paraissez pas pressée de rentrer à *La Bicoque*.

— Je ne le suis pas.

— De sorte que vous préférez n'importe quelle compagnie ?

Il savait que ce n'était pas cela, que, maintenant qu'elle avait commencé à parler d'elle, elle avait probablement envie d'en dire davantage. Mais, dans cette salle démesurée où on venait d'éteindre les trois quarts des lampes et où le personnel leur faisait comprendre qu'ils gênaient, il était difficile de reprendre l'entretien là où ils l'avaient laissé.

— Voulez-vous que nous allions ailleurs ?

— Où ? Dans un bar, nous risquons de rencontrer Théo, que je préférerais éviter.

— Vous l'aimez encore ?

— Non. Je ne sais pas.

— Vous lui en voulez ?

— Je ne sais pas. Venez. Nous pourrons toujours marcher.

Dehors, ils trouvèrent la nuit sombre, avec du brouillard qui mettait un large halo autour des rares lampes électriques. On entendait beaucoup plus que pendant la journée le bruit régulier de la mer, qui devenait un vacarme.

— Me permettez-vous de continuer mes questions ?

Elle avait des talons très hauts, et il évitait pour elle les rues sans trottoirs, surtout celles aux gros pavés inégaux où elle se tordait les chevilles.

— C'est pour cela que je suis ici. Il faudra bien que vous les posiez un jour ou l'autre, n'est-ce pas ? J'aimerais rentrer demain à Paris l'esprit tranquille.

C'était rarement arrivé à Maigret, depuis son adolescence, d'errer ainsi, le soir, dans les rues sombres et froides d'une petite ville en compagnie d'une jolie femme, et il éprouvait presque un sentiment de culpabilité. Les passants étaient rares. On entendait leurs pas longtemps avant de distinguer leur silhouette, et la plupart se retournaient sur ce couple attardé, peut-être aussi les observait-on derrière les rideaux des fenêtres éclairées.

— C'était dimanche l'anniversaire de votre mère, si j'ai bien compris.

— Le 3 septembre, oui. Mon beau-père avait fait de ce jour-là quelque chose d'aussi important qu'une fête nationale et n'admettait pas que quelqu'un de la famille y manquât. Nous avons gardé l'habitude de nous réunir autour de ma mère. C'est devenu une tradition, vous comprenez ?

— Sauf Théo ; à ce que vous m'avez dit tout à l'heure.

— Sauf Théo, depuis la mort de son père.

— Vous avez apporté des cadeaux ? Puis-je savoir lesquels ?

— Par une curieuse coïncidence, nous avons apporté presque le même cadeau, Mimi et moi : un col de dentelle. C'est difficile d'offrir quelque chose à ma mère, qui a eu tout ce qu'elle a pu désirer, les objets les plus chers et les plus rares. Lorsqu'on lui donne une babiole, elle éclate de rire, un rire qui fait mal, et remercie avec une effusion exagérée. Comme elle raffole des dentelles, nous y avons pensé l'une et l'autre.

— Pas de chocolats, de bonbons, de friandises ?

— Je devine ce que vous pensez. Non. L'idée ne viendrait à personne de lui offrir des chocolats ou des sucreries, qu'elle a en horreur. Voyez-vous, maman est une de ces femmes d'apparence fragile et délicate qui préfèrent un hareng grillé ou mariné, un bocal de cornichons ou un beau morceau de lard salé à toutes les friandises.

— Et vous ?

— Non.

— Quelqu'un, dans la famille, a-t-il jamais soupçonné ce qui s'est passé jadis entre votre beau-père et vous ?

— Franchement, je n'en suis pas sûre, mais je jurerais que maman a toujours été au courant.

— Par qui l'aurait-elle été ?

— Elle n'a besoin de personne. Excusez-moi d'avoir encore l'air de médire, mais elle a toujours écouté aux portes. C'est une manie. Elle m'a épiée avant d'épier Ferdinand. Elle épiait tout ce qui vivait dans la maison, dans *sa* maison, y compris le maître d'hôtel, le chauffeur et les bonnes.

— Pourquoi ?

— Pour savoir. Parce que c'était *chez elle*.

— Et vous croyez qu'elle a su aussi, pour Théo ?

— J'en suis à peu près sûre.

— Elle ne vous en a jamais rien dit, n'y a fait aucune allusion ? Vous n'aviez pas vingt ans, n'est-ce pas ? Elle aurait pu vous mettre en garde.

— Pour quelle raison ?

— Lorsque vous avez annoncé votre intention d'épouser Julien Sudre, n'a-t-elle pas essayé de vous en détourner ? En somme, à cette époque-là, cela pouvait passer pour une mésalliance. Ferdinand Besson était à son apogée. Vous viviez dans le luxe et vous épousiez un dentiste sans fortune et sans avenir.

— Maman n'a rien dit.

— Et votre beau-père ?

— Il n'a pas osé. Il était gêné vis-à-vis de moi. Je crois qu'il avait des remords. Au fond, je pense que c'était un fort honnête homme et même un homme scrupuleux. Il a dû être persuadé que j'agissais ainsi à cause de lui. Il a voulu me donner une dot importante, que Julien a refusée.

— Sur votre conseil ?

— Oui.

— Votre mère n'a jamais rien soupçonné ?

— Non.

Ils se trouvaient maintenant dans un sentier qui gravissait la falaise d'amont ; ils voyaient à intervalles réguliers le phare d'Antifer fouillant le ciel, et ils entendaient quelque part le son lugubre de la sirène de brume. Une forte odeur de varech montait jusqu'à eux. Malgré ses talons hauts et ses vêtements de Parisienne, Arlette ne manifestait pas de fatigue, ne se plaignait pas du froid.

— Je passe à une autre question, plus personnelle.

— Je prévois à peu près toutes les questions que vous me posez.

— Quand avez-vous su que vous ne pouviez pas avoir d'enfants ? Avant de vous marier ?

— Oui.

— Comment ?

— Vous avez oublié ce que je vous ai avoué tout à l'heure ?

— Je n'ai pas oublié, mais…

— Non, je n'ai pris de précautions d'aucune sorte et je n'ai pas permis aux hommes d'en prendre.

— Pourquoi ?

— Je ne sais pas. Peut-être par une sorte de propreté.

Il lui sembla qu'elle avait rougi dans l'obscurité, et il y avait eu quelque chose de différent dans le son de sa voix.

— Comment avez-vous su de façon certaine ?

— Par un jeune médecin, un interne de Lariboisière.

— Qui était votre amant ?

— Comme les autres. Il m'a examinée et m'a fait examiner par des camarades.

Il hésita, gêné par la question qui lui venait aux lèvres. Elle le sentit.

— Dites ! Au point où j'en suis…

— Cette réunion avec ses amis, se passait-elle sur un plan strictement médical, ou bien…

— *Ou bien*, oui !

— Je comprends, maintenant.

— Que j'aie éprouvé le besoin d'arrêter tout ça, n'est-ce pas ?

Elle parlait toujours avec le même sang-froid, d'une voix égale, comme s'il n'avait pas été question d'elle, mais d'un cas pathologique.

— Posez l'autre question.

— Mon Dieu, oui. Au cours de ces… de ces expériences amoureuses, ou plus tard, avec votre mari ou avec d'autres, avez-vous déjà éprouvé la…

— … jouissance normale ? C'est ce que vous vouliez dire ?

— J'allais employer le mot satisfaction.

— Ni l'un ni l'autre. Voyez-vous, vous n'êtes pas le premier à me demander ça. S'il m'arrive de suivre un passant dans la rue, il m'arrive aussi de coucher avec des gens intelligents et même des gens, des hommes supérieurs…

— Hervé Peyrot en est un ?

— C'est un imbécile et un fat.

— Quelle serait votre réaction si votre mère, tout à coup, vous disait qu'elle est au courant de cette partie de votre vie ?

— Je lui répondrais de se mêler de ses affaires.

— Supposez que, croyant que c'est son devoir, espérant vous sauver, elle vous annonce qu'elle va en parler à votre mari ?

Un silence. Elle s'était arrêtée de marcher.

— C'est là que vous vouliez en venir ? dit-elle avec un reproche dans la voix.

— J'y suis venu sans le vouloir.

— Je ne sais pas. Je vous ai dit que pour rien au monde je ne voudrais que Julien sache.

— Pourquoi ?

— Vous n'avez pas compris ?

— Parce que vous craignez de lui faire de la peine ?

— Il y a de cela. Julien est heureux. C'est un des hommes les plus heureux que je connaisse. On n'a pas le droit de lui voler son bonheur. Puis…

— Puis ?…

— C'est probablement le seul homme qui me respecte, qui me traite autrement que… que ce que vous savez.

— Et vous avez besoin de cela ?

— Peut-être.

— De sorte que si votre mère…

— Si elle me menaçait de me salir à ses yeux, je ferais n'importe quoi pour l'en empêcher.

— Y compris la tuer ?

— Oui.

Elle ajouta :

— Je puis vous affirmer que le cas ne s'est pas encore présenté.

— Pourquoi dites-vous *pas encore ?*

— Parce que, maintenant, non seulement elle sait, mais elle tient une preuve. Elle m'a parlé d'Hervé cet après-midi.

— Que vous a-t-elle dit ?

— Vous seriez sans doute fort étonné si je vous répétais les paroles qu'elle a prononcées. Voyez-vous, avec ses airs de petite marquise, maman est restée très peuple, très fille de pêcheur, et, dans l'intimité, elle se montre volontiers mal embouchée. Elle m'a dit que j'aurais pu me contenter d'aller faire la grue ailleurs que sous son toit, en ajoutant, pour désigner ce qui s'est passé entre Hervé et moi, les mots les plus orduriers. Elle a parlé de Julien dans des termes aussi brutaux, employant pour lui un nom de poisson, car elle est persuadée qu'il est au courant et en profite...

— Vous l'avez défendu ?

— J'ai ordonné à ma mère de se taire.

— Comment ?

— En la regardant dans les yeux et en lui disant que je *voulais* qu'elle se taise. Comme elle continuait, je l'ai giflée, et elle en a été si stupéfaite qu'elle s'est calmée subitement.

— Elle vous attend ?

— Elle ne se couchera sûrement pas avant mon retour.

— Vous tenez vraiment à aller dormir chez elle ?

— Vous connaissez la situation, et vous devez admettre qu'il m'est difficile de faire autrement. Il faut que je sois sûre, avant de partir, qu'elle ne dira rien à Julien, qu'elle ne fera rien qui puisse l'inquiéter.

Après un silence, devinant peut-être l'anxiété de Maigret, elle eut un petit rire sec.

— Ne craignez rien. Il n'y aura pas de drame !

Ils étaient arrivés tout en haut de la falaise, et une masse laiteuse de brouillard s'interposait entre eux et la mer dont on entendait le martèlement sur les rochers.

— Nous pouvons prendre à droite pour redescendre. Le chemin est meilleur et nous mène presque en face de *La Bicoque*. Vous êtes sûr que vous n'avez plus de question à me poser ?

La lune devait s'être levée au-delà de la brume qui, maintenant, était faiblement lumineuse, et, quand

Arlette s'arrêta, il vit la tache claire de son visage, avec le large trait saignant de la bouche.

— Pas pour le moment, répondit-il.

Alors, toujours immobile devant lui, elle ajouta d'une voix différente, qui faisait mal à entendre :

— Et… vous ne voulez pas en profiter, comme les autres ?

Il faillit faire le même geste qu'elle avait eu le jour même pour sa mère, la gifler comme une petite fille perverse. Il se contenta de lui saisir le bras entre deux doigts durs, et il la força à s'engager dans la descente.

— Remarquez que, ce que j'en disais, c'était pour vous.

— Taisez-vous !

— Avouez que vous êtes tenté.

Il serra son bras davantage, méchamment.

— Vous êtes sûr que vous n'aurez pas de regrets ?

Sa voix avait monté d'un ton, s'était faite cruelle, sarcastique.

— Réfléchissez bien, commissaire !

Il la lâcha brusquement, bourra sa pipe en continuant son chemin sans plus se préoccuper d'elle. Il entendit qu'elle s'arrêtait de nouveau, puis se remettait en route lentement et marchait enfin à pas précipités, pour le rejoindre.

Le visage de Maigret, à ce moment, était éclairé par la lueur de l'allumette qu'il tenait au-dessus du fourneau de sa pipe.

— Je vous demande pardon. Je viens de me conduire comme une idiote.

— Oui.

— Vous m'en voulez beaucoup ?

— Ne parlons plus de cet incident.

— Vous croyez vraiment que j'ai voulu ?

— Non.

— Ce que j'ai voulu, après avoir été forcée de m'humilier comme je l'ai fait, c'est de vous faire mal à mon tour, vous humilier.

— Je sais.

— Cela m'aurait vengée, de vous voir couché sur moi comme une bête.

— Venez.

— Avouez que vous croyez que j'ai essayé de tuer ma mère ?

— Pas encore.

— Vous voulez dire que vous n'en êtes pas sûr ?

— Je veux dire, tout simplement, ce que les mots signifient, c'est-à-dire que je ne sais rien.

— Lorsque vous me croirez coupable, vous me le direz ?

— C'est probable.

— Vous me le direz seul à seule ?

— Je vous le promets.

— Mais je ne suis pas coupable.

— Je le souhaite.

Il en avait assez, maintenant, de cette conversation trop tendue. L'insistance d'Arlette l'agaçait. Il lui semblait qu'elle apportait trop de complaisance à s'analyser et à se salir.

— Maman n'est pas couchée.

— Comment le savez-vous ?

— La petite lumière que vous voyez est celle du salon.

— À quelle heure est votre train, demain ?

— J'aurais aimé prendre celui de huit heures du matin. À moins que vous me reteniez ici. Dans ce cas, je téléphonerai à Julien que maman a besoin de moi.

— Il sait que vous détestez votre mère ?

— Je ne la déteste pas. Je ne l'aime pas, un point, c'est tout. Je pourrai prendre le train de huit heures ?

— Oui.

— Je ne vous reverrai pas avant mon départ ?

— Je n'en sais encore rien.

— Peut-être voudrez-vous vous assurer, avant mon départ, que maman est bien vivante ?

— Peut-être.

Ils venaient de dévaler une pente plus raide, une sorte de talus, et ils se trouvaient sur la route, à cinquante mètres de la barrière de *La Bicoque.*

— Vous n'entrez pas ?

— Non.

On ne pouvait voir les fenêtres, dont on ne faisait que deviner la lumière à travers l'épais rideau d'arbustes.

— Bonsoir, monsieur Maigret !

— Bonsoir !

Elle hésitait à s'en aller.

— Vous m'en voulez toujours ?

— Je ne sais pas. Allez dormir !

Et, enfonçant les mains dans ses poches, il s'éloigna à grands pas dans la direction de la ville.

Des pensées confuses roulaient dans sa tête et, maintenant qu'il l'avait quittée, cent questions lui venaient, qu'il n'avait pas eu l'idée de lui poser. Il se reprochait de lui avoir permis de s'en aller le lendemain matin et fut sur le point de revenir sur ses pas pour lui donner l'ordre de rester.

N'avait-il pas eu tort aussi de laisser les deux femmes ensemble pendant la nuit ? La scène de l'après-midi n'allait-elle pas se reproduire avec une acuité nouvelle, une violence plus dangereuse ?

Il se réjouissait de revoir Valentine, de lui parler, d'être à nouveau assis dans son salon minuscule au milieu des bibelots innocents.

À neuf heures, il rencontrerait ce bruyant Charles Besson, qui allait lui casser les oreilles.

La ville était comme morte, et le casino, faute de clients, avait déjà éteint ses lumières. À un coin de la rue, il n'y avait qu'un bar éclairé, un bistro plutôt, qui devait rester ouvert l'hiver pour les gens du pays.

Maigret marqua un temps d'arrêt sur le trottoir, parce qu'il avait soif. Dans la lumière jaunâtre qui régnait à l'intérieur, il aperçut la silhouette qui lui devenait familière de Théo Besson, toujours aussi anglais d'aspect dans un complet de tweed.

Il tenait un verre à la main, parlait à quelqu'un debout à côté de lui, un homme assez jeune, en costume noir, comme les paysans en portent le dimanche, avec une chemise blanche et une cravate sombre, un garçon au teint violemment coloré, à la nuque tannée.

Maigret tourna le bec-de-cane, s'approcha du comptoir sans les regarder et commanda un demi.

Maintenant, il les voyait tous les deux dans le miroir qui se trouvait derrière les bouteilles, et il crut surprendre un regard de Théo qui ordonnait à son interlocuteur de se taire.

De sorte que le silence pesa dans le bar où, le patron compris, ils n'étaient que quatre, plus un chat noir couché en rond sur une chaise devant le poêle.

— Nous avons encore du brouillard, finit par dire le tenancier. C'est la saison qui veut ça. Les journées n'en sont pas moins ensoleillées.

Le jeune homme se retourna pour dévisager Maigret qui vidait sa pipe en la frappant contre son talon et qui écrasait les cendres chaudes dans la sciure. Il y avait une expression arrogante dans son regard, et il faisait penser à ces coqs de village qui, ayant quelques verres dans le nez un soir de noce ou d'enterrement, cherchent à provoquer une bagarre.

— Ce n'est pas vous qui êtes venu de Paris ce matin ? questionna le patron, pour parler.

Maigret se contenta de faire signe que oui, et le jeune faraud le regarda plus fixement encore.

Cela dura quelques minutes, pendant lesquelles Théo Besson, lui, se contenta de considérer mollement les bouteilles devant lui. Il avait le teint, les yeux, surtout les poches sous les yeux, de ceux qui boivent beaucoup, régulièrement, dès leur réveil. Il en avait aussi l'expression indifférente et la démarche un peu molle.

— La même chose ! commanda-t-il.

Le patron regarda le jeune homme, qui fit un signe d'acquiescement. Ils étaient donc ensemble.

Théo but son verre d'un trait. L'autre l'imita et, quand l'aîné des Besson eut jeté quelques billets sur le comptoir, ils sortirent tous deux, non sans que le jeune homme se fût retourné deux fois sur le commissaire.

— Qui est-ce ?

— Vous ne le connaissez pas ? C'est M. Théo, le beau-fils de Valentine.

— Et le jeune ?

— Un des frères de la Rose, qui est morte, la pauvre fille, en prenant le poison destiné à sa patronne.

— Le frère aîné ?

— Henri, oui, qui fait le hareng à Fécamp.

— Ils sont entrés ici ensemble ?

— Je crois, oui. Attendez. À ce moment, il y avait plusieurs personnes au bar. En tout cas, s'ils ne sont pas entrés ensemble, ils se sont suivis de près.

— Vous ne savez pas de quoi ils ont parlé ?

— Non. D'abord, il y avait du bruit, plusieurs conversations à la fois. Puis je suis descendu pour mettre un tonneau en perce.

— Vous les aviez déjà vus ensemble auparavant ?

— Je ne pense pas. Je n'en suis pas sûr. Mais, ce que j'ai vu, c'est M. Théo avec la demoiselle.

— Quelle demoiselle ?

— La Rose.

— Vous les avez vus dans la rue ?

— Je les ai vus ici, à mon bar, au moins deux fois.

— Il lui faisait la cour ?

— Cela dépend de ce que vous appelez faire la cour. Ils ne se sont pas embrassés et il n'avait pas les mains sur elle, si c'est ce que vous voulez dire. Mais ils bavardaient gentiment, ils riaient et j'ai bien compris qu'il s'arrangeait pour la faire boire. Ce n'était pas difficile, avec la Rose, qui éclatait de rire après un verre de vin et qui était paf après le second.

— Il y a combien de temps de cela ?

— Attendez. La dernière fois, c'était il y a environ une semaine. Tenez ! c'était mercredi, car c'est le jour où ma femme est allée au Havre, et elle y va tous les mercredis.

— Et la première fois ?

— Peut-être une semaine ou deux avant.

— M. Théo est un bon client ?

— Ce n'est pas mon client en particulier. Il est le client de tous ceux qui servent à boire. Il n'a rien à faire de toute la journée, et il se promène. Seulement il ne peut pas voir un café ou un bar ouvert sans y entrer pour un moment. Il n'est jamais bruyant. Il ne s'en prend à personne. Quelquefois, le soir, il a un cheveu sur la langue et il y a des mots qu'il a de la peine à prononcer, mais c'est tout.

Le patron eut l'air, soudain, de regretter d'en avoir trop dit.

— J'espère que vous ne le soupçonnez pas d'avoir voulu empoisonner sa belle-mère ? S'il y en a un auquel je me fierais, c'est celui-là. D'ailleurs, les gens qui boivent comme il le fait ne sont jamais dangereux. Les pires, ce sont ceux qui s'enivrent une fois à l'occasion et qui ne savent plus ce qu'ils font.

— Vous avez souvent vu le frère de la Rose ?

— Rarement. Ceux d'Yport ne viennent pas volontiers à Étretat. Ce sont des gens à part. Ils se rendent plus facilement à Fécamp, qui est tout près, et davantage dans leur genre. Un petit calvados, pour faire passer la bière ? C'est ma tournée.

— Non. Un autre demi.

La bière n'était pas bonne, et Maigret la garda sur l'estomac une partie de la nuit, eut des réveils brusques, des rêves pénibles, dont il ne se souvint même pas, mais qui lui laissèrent une impression d'accablement. Quand il se leva enfin, la corne de brume lançait toujours ses appels rauques du côté de la mer, et la marée devait être haute, car l'hôtel frémissait à chaque coup de bélier des vagues.

5

Les opinions d'un brave homme

Il n'y avait déjà presque plus de brouillard entre la terre et le soleil, mais la mer, très calme, à peine soulevée par une respiration lente, continuait à fumer, et des arcs-en-ciel brillaient dans ce nuage ténu.

Quant aux maisons de la ville, elles commençaient à se dorer au soleil nouveau, et l'air était frais, d'une fraîcheur savoureuse qu'on respirait par tous les pores. Les étalages de légumiers sentaient bon, des bouteilles de lait attendaient encore sur les seuils et, dans les boulangeries, c'était l'heure chaude et croustillante.

Cette fois encore, cela ressemblait à un souvenir d'enfance, à une image du monde tel qu'on voudrait qu'il soit, tel qu'on se figure volontiers qu'il est. Étretat apparaissait, candide, innocent, avec ses maisons trop petites, trop jolies, trop fraîchement peintes pour un drame, et les falaises émergeaient de la brume exactement comme sur les cartes postales exposées à la porte du bazar ; le boucher, le boulanger, la marchande de légumes auraient pu devenir les personnages d'un conte pour enfants.

Était-ce une particularité de Maigret ? Ou bien d'autres, qui avaient les mêmes nostalgies, évitaient-ils de l'avouer ? Il aurait tant voulu que le monde soit comme on le découvre quand on est petit. Dans son esprit, il disait : « Comme sur les images. »

Et pas seulement les décors extérieurs, mais les gens, le père, la mère, les enfants sages, les bons grands-parents à cheveux blancs…

Pendant tout un temps, par exemple, quand il débutait dans la police, Le Vésinet avait représenté à ses yeux l'endroit le plus harmonieux du monde. Ce n'était qu'à deux pas de Paris, mais, avant 1914, les autos étaient rares. Les gros bourgeois avaient encore leur maison de campagne au Vésinet, des maisons en briques, larges et confortables, aux jardins bien entretenus, garnis de jets d'eau, d'escarpolettes et de grosses boules argentées. Les valets de chambre portaient des gilets rayés de jaune et les bonnes des bonnets blancs et des tabliers ornés de dentelle.

Il semblait que ne pouvaient habiter là que des familles heureuses et vertueuses, pour qui tout était paix et joie, et il avait été secrètement déçu quand une affaire malpropre avait éclaté dans une de ces villas aux allées ratissées – le meurtre sordide d'une belle-mère, pour des questions d'intérêt.

Maintenant, bien sûr, il savait. Il passait sa vie, en quelque sorte, à voir l'envers du décor, mais il gardait le regret enfantin d'un monde « comme sur les images ».

La petite gare était jolie, peinte à l'aquarelle par un bon élève, avec un petit nuage encore rose presque au-dessus de sa cheminée. Il retrouvait le train-jouet, l'homme qui poinçonnait les billets – gamin, il avait rêvé de poinçonner un jour les billets de chemin de fer – et il voyait arriver Arlette aussi fine, aussi élégante que la veille dans sa robe de Parisienne, portant à la main un sac de voyage en crocodile.

Tout à l'heure, il avait failli aller à sa rencontre sur le chemin poudreux qui devait sentir bon les haies et les herbes folles, mais il avait eu peur de paraître courir à un rendez-vous. En descendant ce chemin à petits pas, perchée sur ses hauts talons, elle devait faire très « jeune dame du château ».

Pourquoi la réalité est-elle toujours si différente ? Ou alors pourquoi met-on dans la tête des enfants l'illusion d'un monde qui n'existe pas, que toute leur vie ils tenteront de confronter avec cette réalité ?

Elle le vit tout de suite, qui l'attendait sur le quai, près du kiosque à journaux, et elle lui sourit en tendant son billet à l'employé, d'un sourire un peu las. Elle paraissait fatiguée. On lisait une certaine anxiété dans son regard.

— Je pensais bien que vous seriez là, dit-elle.

— Comment cela s'est-il passé ?

— Cela a été plutôt pénible.

Elle cherchait un compartiment des yeux, car les wagons étaient sans couloir. Il n'y avait qu'un seul compartiment de première classe où elle n'eût pas de compagnon.

— Votre mère ?

— Elle est vivante. En tout cas, elle vivait quand je suis partie.

Ils n'avaient que quelques instants avant le départ du train et, sa mallette posée sur la banquette, elle se tenait debout à côté du marchepied.

— Vous avez encore eu une discussion ?

— Nous ne nous sommes pas couchées avant le milieu de la nuit. Il faut que je vous dise quelque chose, monsieur Maigret. Ce n'est qu'une impression, mais cela me tracasse. Rose est morte, mais j'ai l'intuition que ce n'est pas fini, qu'un autre drame se prépare.

— À cause de ce que votre mère vous a dit ?

— Non. Je ne sais pas à cause de quoi.

— Vous croyez qu'elle est toujours menacée ?

Elle ne répondit pas. Ses yeux clairs regardaient vers le kiosque.

— L'inspecteur est là, qui vous attend, remarqua-t-elle, comme si le charme était rompu.

Et elle monta dans son compartiment, cependant que le chef de gare portait son sifflet à ses lèvres et que la locomotive commençait à cracher de la vapeur.

Castaing était là, en effet. Il était arrivé plus tôt qu'il l'avait annoncé la veille et, ne trouvant pas Maigret à l'hôtel, avait pensé à le chercher à la gare. C'était un peu gênant. Pourquoi, au fait, était-ce gênant ?

Le train partait, tout doucement, s'arrêtait dans une grande secousse après quelques mètres, cependant que le commissaire serrait la main de l'inspecteur.

— Du nouveau ?

— Rien de spécial, répondit Castaing. Mais j'étais inquiet, sans raison précise. J'ai rêvé des deux femmes, la mère et la fille, seules dans la petite maison.

— Laquelle tuait l'autre ?

Ce fut au tour de Castaing d'être confus.

— Comment savez-vous ? Dans mon rêve, c'était la mère qui tuait la fille. Et devinez avec quoi. Avec une bûche prise dans l'âtre !

— Charles Besson doit arriver à neuf heures. Sa belle-mère est morte. Lucas ne vous a pas encore téléphoné des renseignements ?

— Assez peu, mais il rappellera le bureau quand il en aura davantage, et j'ai laissé des instructions pour qu'on nous touche à votre hôtel.

— Rien sur Théo ?

— Il a eu plusieurs fois des ennuis pour des chèques sans provision. Il a toujours fini par payer avant de comparaître. La plupart de ses amis sont riches. Ce sont des gens qui font la noce et aiment avoir du monde avec eux. De temps en temps, il accroche une petite affaire, sert surtout d'intermédiaire dans quelques transactions.

— Pas de femmes ?

— Il ne paraît pas très porté sur les femmes. Il a parfois une amie, jamais pour longtemps.

— C'est tout ?

Un petit bar sentait si bon le café et le « fil-en-six » qu'ils ne résistèrent ni l'un ni l'autre, entrèrent et s'accoudèrent devant de grosses tasses qui fleuraient l'alcool.

— Ce n'est pas tant mon rêve qui m'a inquiété, continua l'inspecteur à mi-voix, qu'un raisonnement que je me suis tenu avant de m'endormir. Je l'ai même tenu à ma femme, car je pense mieux tout haut que tout bas, et elle a été de mon avis. Il y a cinq ans maintenant que le vieux Besson, Ferdinand, est mort, n'est-ce pas ?

— À peu près.

— Et depuis, à ce que nous sachions, la situation n'a pas changé. Or c'est seulement dimanche dernier que quelqu'un a essayé d'empoisonner Valentine. Remarquez qu'on a choisi le seul jour où il y a assez de gens dans la maison pour disperser les soupçons.

— Cela se tient. Ensuite ?

— Ce n'est pas Valentine qui est morte, mais la pauvre Rose. Donc, si on avait une raison de supprimer Valentine, cette raison existe encore. Donc, tant que nous ne connaîtrons pas cette raison…

— La menace est toujours présente, c'est ce que vous voulez dire ?

— Oui. Peut-être cette menace est-elle plus grave que jamais, justement à cause de votre présence. Valentine n'a pas de fortune. Ce n'est donc pas pour l'argent qu'on a tenté de la tuer. N'est-ce pas parce qu'elle sait quelque chose qu'on veut l'empêcher de révéler ? Dans ce cas…

Maigret écoutait ce raisonnement sans avoir l'air trop emballé. Il regardait dehors cette lumière si savoureuse du matin, surtout quand l'humidité de la nuit met encore comme un frémissement dans les rayons de soleil.

— Lucas n'a pas parlé de Julien ?

— Les Sudre vivent en très petits bourgeois, dans une maison de rapport à loyers modérés. Appartement de cinq pièces. Ils ont une bonne, une voiture et passent leurs week-ends à la campagne.

— Je le savais.

— Hervé Peyrot, le marchand de vins, est riche. Il a une grosse affaire quai de Bercy et perd le plus clair de son temps avec les femmes, tous les genres de femmes ; il possède trois autos, dont une Bugatti.

« Plage de famille », avait-il lu quelque part sur un prospectus. Et c'était vrai. Des mamans avec des enfants, des maris qui venaient les rejoindre le samedi soir ; de vieux messieurs et de vieilles dames qui avaient leur bouteille d'eau minérale et leur boîte de pilules sur leur table à l'hôtel et qui se retrouvaient dans les mêmes fauteuils du casino ; la pâtisserie des demoiselles Seuret, où on allait manger des gâteaux et des glaces ; les vieux pêcheurs, toujours les mêmes, qu'on photographiait, à côté des bateaux tirés sur les galets…

Ferdinand Besson, lui aussi, avait été un vieux monsieur à l'air respectable, et Valentine était la plus adorable des vieilles dames ; Arlette, ce matin, aurait pu servir de modèle pour une carte postale, son mari était un brave petit dentiste, et Théo était le type même du gentleman à qui on pardonne de boire un peu trop parce qu'il est toujours si calme et si distingué.

Charles Besson arrivait à son tour, qui avait une femme, quatre enfants, dont un bébé de quelques mois, et qui, en attendant que ses vêtements de deuil fussent prêts, venait de coudre un crêpe à sa manche, parce que sa belle-mère était morte.

Il était député, tutoyait déjà le ministre. Lors de sa campagne électorale, il devait serrer familièrement les mains, embrasser les marmots, trinquer avec les pêcheurs et les paysans.

Lui aussi était ce qu'on appelle un bel homme – ce que la mère de Maigret, par exemple, aurait appelé un bel homme – grand et large d'épaules, un peu gras, bedonnant, les yeux presque naïfs et la lèvre charnue sous les moustaches.

— Je ne vous ai pas fait attendre, commissaire ? Bonjour, Castaing. Content de vous rencontrer à nouveau.

Sa voiture avait été récemment repeinte à neuf.

— Pas de mauvaises nouvelles ?

— Rien.

— Ma belle-mère ?

— Semble aller très bien. Arlette vient de partir.

— Ah ! elle était revenue ? C'est gentil de sa part. J'ai bien pensé qu'elle viendrait consoler sa mère.

— Vous permettez un instant, monsieur Besson ?

Et Maigret prit Castaing à part, l'envoya à Yport, éventuellement à Fécamp.

— Excusez-moi. J'avais des instructions à lui donner. Je vous avoue que je ne sais pas trop où vous recevoir. À cette heure, ma chambre ne doit pas être faite.

— Je boirais volontiers quelque chose. Après quoi, si le grand air ne vous effraie pas, nous pourrions nous asseoir à la terrasse du casino. J'espère que vous ne m'en voulez pas trop de n'avoir pas été ici pour vous accueillir ? Ma femme est terriblement affectée. Sa sœur vient d'arriver de Marseille, où elle est la femme d'un armateur. Elles ne sont plus que deux. Les Montet n'ont pas eu de garçon, et c'est sur moi que les complications vont retomber.

— Vous vous attendez à des complications ?

— Je n'ai pas de mal à dire de ma belle-mère Montet. C'était une femme méritante mais, surtout sur le tard, elle avait ses manies. Vous a-t-on dit que son mari était entrepreneur de constructions ? Il a bâti la moitié des maisons de Dieppe et de nombreux bâtiments publics. Le plus clair de la fortune qu'il a laissée est en immeubles. Ma belle-mère les gérait personnellement depuis la mort de son mari. Or elle n'a jamais accepté de faire des réparations. D'où un nombre incalculable de procès avec les locataires, avec la municipalité et même avec le fisc.

— Une question, monsieur Besson. Votre belle-mère Montet et Valentine se voyaient-elles ?

Maigret buvait à nouveau un café arrosé, en observant son interlocuteur qui, de près, paraissait plus mou, plus inconsistant.

— Malheureusement non. Elles n'ont jamais accepté de se rencontrer.

— Ni l'une ni l'autre ?

— C'est-à-dire que c'est la mère de ma femme qui refusait de voir Valentine. C'est une histoire ridicule. Quand je lui ai présenté Mimi, Valentine a regardé ses mains avec attention et a dit quelque chose comme :

» — Sans doute n'avez-vous pas les mains de votre père ?

» — Pourquoi ?

» — Parce que j'imagine que des mains de maçon, cela doit être plus grand et plus large que ça.

» C'est idiot, vous voyez ! Mon beau-père a débuté comme maçon, en effet, mais l'a été très peu de temps. Il n'en était pas moins resté assez mal embouché. Je crois qu'il le faisait exprès, car il était très riche ; il était devenu un personnage important à Dieppe et dans toute la région, et cela l'amusait de choquer les gens par sa tenue et par son langage.

» Quand ma belle-mère a appris cela, elle s'est piquée au jeu.

» — Cela vaut mieux que d'être la fille d'un pêcheur, qui est mort de s'être enivré dans tous les bistros !

» Puis elle a parlé du temps où Valentine était vendeuse à la pâtisserie Seuret.

— En l'accusant de n'avoir pas eu une conduite exemplaire ?

— Oui. Elle a souligné la différence d'âge entre elle et son mari. Bref, elles ont toujours refusé de se voir.

Il ajouta en haussant les épaules :

— Il y a des histoires de ce genre dans toutes les familles, n'est-ce pas ? N'empêche que chacune dans son genre est une brave femme.

— Vous aimez beaucoup Valentine ?

— Beaucoup. Elle a toujours été très gentille avec moi.

— Et votre femme ?

— Mimi l'apprécie moins, naturellement.

— Elles se disputent ?

— Elles se voient peu, une fois par an en moyenne. Avant de venir, je recommande toujours à Mimi d'être patiente, en lui faisant remarquer que Valentine est une vieille personne. Elle promet, mais il y a toujours des propos aigres-doux.

— Dimanche dernier aussi ?

— Je ne sais pas. Je suis allé me promener avec les enfants.

À propos d'enfants, qu'est-ce que ceux-là pensaient de leur père ? Probablement, comme la plupart des enfants, que c'était un homme fort, intelligent, capable de les protéger et de les guider dans l'existence. Ils ne voyaient pas, eux, que c'était un mou, mal ajusté à la réalité.

Mimi devait dire :

— Il est si bon !

Parce qu'il aimait tout le monde, contemplait le déroulement de la vie avec de gros yeux naïfs et gourmands. Il aurait voulu, en effet, être fort, être intelligent, être le meilleur des hommes !

Et il avait ses idées, il était plein d'idées. S'il ne les réalisait pas toutes, et si, quand il les avait réalisées, cela avait généralement abouti à des fiascos, c'était que les événements étaient contre lui.

Mais n'était-il pas parvenu à se faire nommer député ? Maintenant, on allait reconnaître sa valeur. Le pays tout entier entendrait parler de lui, en ferait un ministre, un grand homme d'État.

— Quand vous étiez jeune, il ne vous est jamais arrivé d'être amoureux de Valentine ? Elle n'avait guère que dix ans de plus que vous.

Il prenait un air offensé, indigné.

— Jamais de la vie !

— Et après, vous n'avez pas été amoureux d'Arlette ?

— J'ai toujours pensé à elle comme à une sœur.

Celui-là voyait encore l'univers et les hommes comme sur une image. Il tirait un cigare de sa poche, étonné que Maigret n'en fumât pas un aussi, l'allumait avec soin, méticuleusement, et aspirait lentement la fumée, qu'il regardait ensuite monter dans l'air doré.

— Vous voulez que nous allions nous asseoir sur la terrasse ? Il y a de bons fauteuils, face à la plage. Nous verrons la mer.

Il vivait toute l'année près de la mer, mais éprouvait toujours le même plaisir à la regarder, d'un fauteuil confortable – bien vêtu, bien rasé, avec toutes les apparences d'un homme important et prospère.

— Et votre frère Théo ?

— Vous me demandez s'il a été amoureux de Valentine ?

— Oui.

— Certainement pas. Je n'ai jamais rien remarqué de ce genre.

— Et d'Arlette ?

— Encore moins. J'étais encore un gamin que Théo avait déjà des aventures, surtout avec ce que j'appelle des « petites femmes ».

— Arlette n'en était pas amoureuse non plus ?

— Peut-être a-t-elle « flambé », comme dit ma femme en parlant des amourettes de petites filles. Vous savez comment ça va. C'est sans conséquence. La preuve, c'est qu'elle n'a pas tardé à se marier.

— Vous n'en avez pas été surpris ?

— De quoi ?

— De son mariage avec Julien Sudre.

— Non. Peut-être un tout petit peu, parce qu'il n'était pas riche et que nous nous imaginions qu'Arlette ne pouvait pas vivre sans luxe. Il y a eu un temps où elle était assez snob. Cela lui a passé. Je crois qu'avec Julien cela a été le grand amour. Il a été très chic. Mon père a voulu donner une dot importante, car, à cette époque-là, nous étions fort riches, et il l'a refusée.

— Elle aussi ?

— Oui. De sorte que, du jour au lendemain, elle a dû s'habituer à une existence modeste. Nous avons été forcés de nous y faire aussi, mais plus tard.

— Votre femme et Arlette s'entendent bien ?

— Je crois que oui. Encore qu'elles soient très différentes. Mimi a des enfants, toute une maison à tenir. Elle sort peu.

— Elle n'aimerait pas sortir ? Elle n'a jamais souhaité que vous viviez à Paris ?

— Elle a horreur de Paris.

— Elle ne regrette pas Dieppe non plus ?

— Peut-être un peu. Malheureusement, maintenant que je suis député, nous ne pouvons pas aller y vivre. Mes électeurs ne comprendraient pas.

Les paroles de Charles Besson étaient en parfaite harmonie avec le décor, avec la mer d'un bleu de carte postale, avec les falaises qui commençaient à scintiller, avec les baigneurs qui venaient prendre leur place les uns après les autres comme pour une photographie.

En fin de compte, est-ce que tout cela existait ou n'était-ce qu'un faux-semblant ? Était-ce ce gros garçon content de soi qui avait raison ?

Est-ce que, oui ou non, la Rose était morte ?

— Vous n'avez pas été surpris, dimanche, de trouver votre frère ici ?

— Un peu, au premier abord. Je le croyais à Deauville, ou plutôt, comme nous voilà au début de septembre et que la chasse est ouverte, dans quelque château de Sologne. Théo, vous savez, est resté mondain. Quand il avait encore de la fortune, il menait la vie à grandes guides et traitait ses amis largement. Ceux-ci s'en souviennent et le reçoivent à leur tour.

Les choses changeaient tout de suite d'aspect ! Quelques mots, et ce n'était plus du même Théo qu'il s'agissait.

— Il a des ressources ?

— Des ressources financières ? Je ne sais pas. Très peu, s'il en a. Mais il n'a pas de frais. Il est célibataire.

Une petite pointe d'envie quand même, dans la voix du gros homme encombré de ses quatre gosses.

— Il est toujours très élégant, mais c'est parce qu'il garde ses vêtements longtemps. Il est fréquemment invité dans la haute société. Je pense qu'il fait, à l'occasion, de petites affaires. Vous savez que c'est un garçon très intelligent et que, s'il avait voulu…

Charles aussi, sans doute, s'il avait voulu…

— Il a tout de suite accepté de vous suivre chez Valentine ?

— Pas tout de suite.

— Il vous a dit pourquoi il était ici ?

— J'espère, commissaire, que vous ne soupçonnez pas Théo ?

— Je ne soupçonne personne, monsieur Besson. Nous causons, simplement. J'essaie de me faire une idée aussi exacte que possible de la famille.

— Eh bien ! si vous voulez mon opinion, Théo, encore qu'il s'en défende, est un sentimental. Il a eu la nostalgie d'Étretat, où nous avons passé nos vacances étant enfants. Savez-vous que nous y venions déjà du vivant de ma mère ?

— Je comprends.

— Je lui ai fait remarquer qu'il n'avait aucune raison de rester brouillé avec Valentine et qu'elle ne lui en voulait pas non plus. Il a fini par me suivre.

— Comment s'est-il comporté ?

— En homme du monde. Un peu gêné, au début. Quand il a vu nos cadeaux, il s'est excusé d'avoir les mains vides.

— Et avec Arlette ?

— Quoi ? Il n'y a jamais rien eu entre lui et Arlette.

— De sorte que, lorsque vous avez dîné, la famille était au complet.

— Sauf Sudre, qui n'a pas pu venir.

— J'oubliais. Et vous n'avez rien remarqué, aucun petit détail qui puisse laisser soupçonner un drame ?

— Absolument rien. Or je suis assez observateur de nature.

Ballot, va ! Mais quel bonheur, parfois, d'être un ballot !

— Il faut dire que Mimi et moi avons été fort occupés par les enfants. À la maison, ils sont relativement calmes. Si on a le malheur de les sortir, ils s'énervent. Vous avez vu que la maison de Valentine est toute petite. La salle à manger était si pleine qu'on ne pouvait pas se tourner sur sa chaise. Le bébé, lui, qui dort la plupart du temps, en a profité pour crier pendant plus d'une heure, et cela nous résonnait dans les oreilles. Il a fallu coucher le gamin sur le lit de ma belle-mère, et on ne savait que faire des aînés.

— Vous connaissiez bien la Rose ?

— Je l'ai vue chaque fois que je suis venu à *La Bicoque*. Elle avait l'air d'une brave fille, un peu renfermée, comme beaucoup de gens de par ici. Mais quand on les connaît…

— Vous l'avez donc vue en tout une demi-douzaine de fois ?

— Un peu plus.

— Vous avez eu des conversations avec elle ?

— Comme on en a avec une domestique, sur le temps, sur la cuisine. Elle était bonne cuisinière. Je me demande ce que Valentine, qui est gourmande, va faire à présent. Voyez-vous, commissaire, depuis que je vous écoute et que je réponds à vos questions, j'ai un peu peur que vous fassiez fausse route.

Maigret ne broncha pas, continua à tirer doucement sur sa pipe en regardant un navire minuscule qui gravitait insensiblement sur la courbe de l'horizon.

— C'est d'ailleurs parce que je le prévoyais, je veux dire parce que je prévoyais dans quel sens la police orienterait ses recherches que je me suis adressé au ministre et que je lui ai demandé la faveur de vous voir prendre l'enquête en main.

— Je vous en remercie.

— Pas du tout ! C'est moi qui vous remercie d'être venu.

» Bien que j'aie toujours été un homme fort occupé, il m'est arrivé, comme à tout le monde, de lire des romans policiers.

» Inutile de vous demander si vous les prenez au sérieux. Dans les romans policiers, chacun a quelque chose à cacher, chacun a la conscience plus ou moins trouble, et on s'aperçoit que les gens les plus simples en apparence ont en réalité une existence compliquée.

» Maintenant que vous connaissez un peu la famille, je veux croire que vous comprenez qu'aucun de nous n'avait de raison d'en vouloir à ma belle-mère, surtout de lui en vouloir assez pour envisager de sang-froid de la tuer.

» De l'arsenic a été retrouvé dans l'estomac de la Rose, et il me semble indiscutable, si j'ai bien compris ce qu'on m'a dit, qu'il était dans le verre de médicament destiné à Valentine.

» Je ne discute pas les conclusions des experts, qui doivent connaître leur métier, encore qu'on les ait vus souvent se tromper, et même ne pas être d'accord entre eux.

» Vous avez rencontré Arlette. Vous avez aperçu Théo. Vous me voyez. Quant à Mimi, sans le malheur qui vient de s'abattre sur elle, je vous l'aurais amenée, et vous vous seriez rendu compte qu'elle ne ferait de mal à personne.

» Nous étions tous heureux, dimanche. Et je prétends, même si on doit rire de moi, que seul un accident a pu occasionner la catastrophe.

» Est-ce que vous croyez aux fantômes ?

Il était enchanté de son apostrophe, qu'il lançait avec un sourire entendu, comme il aurait lancé, à la Chambre, une colle à son adversaire.

— Je n'y crois pas.

— Moi non plus. Cependant, chaque année, quelque part en France, on découvre une maison hantée et pendant plusieurs jours, parfois plusieurs semaines, la population est en émoi. J'ai vu, dans une localité de ma circonscription, une véritable mobilisation de gendarmes et de policiers, avec des spécialistes, qui ne trouvaient aucune explication à l'agitation qui s'emparait, chaque nuit, de certains meubles. Or, invariablement, tout cela s'explique un beau jour, le plus souvent d'une façon si simple que l'histoire finit par un éclat de rire.

— Rose est morte, n'est-ce pas ?

— Je sais. Je ne vais pas jusqu'à prétendre qu'elle a pu s'empoisonner elle-même.

— Le docteur Jolly, qui l'a toujours soignée, affirme qu'elle était saine de corps et d'esprit. Rien, dans ses relations ni dans sa vie, ne permet de supposer qu'elle ait voulu se suicider. N'oubliez pas que le poison était dans le verre quand Valentine a voulu prendre son médicament, puisqu'elle l'a trouvé trop amer et ne l'a pas bu.

— D'accord. Je ne suggère rien. Je dis seulement ceci : aucune des personnes présentes n'avait intérêt à supprimer une vieille femme inoffensive.

— Savez-vous qu'il y avait, la nuit, un homme dans la maison ?

Il rougit un peu, fit un geste comme pour chasser une mouche importune.

— On me l'a appris. J'ai eu de la peine à le croire. Mais, après tout, Arlette a trente-huit ans. Elle est remarquablement belle et est soumise à plus de tentations que d'autres. Peut-être est-ce moins grave que nous le pensons ? J'espère, en tout cas, que Julien ne saura jamais.

— C'est probable.

— Voyez-vous, monsieur Maigret, soupçonner les personnes présentes, c'est ce que n'importe qui aurait fait. Mais vous, justement, d'après ce que je sais, vous irez au fond des choses ; vous irez plus loin que les apparences, et je suis persuadé que, comme pour les fantômes, vous allez découvrir une vérité toute simple.

— Que Rose n'est pas morte, par exemple ?

Charles Besson rit, pas trop sûr, pourtant, que c'était une plaisanterie.

— Et, d'abord, comment se procurer de l'arsenic ? Sous quelle forme ?

— N'oubliez pas que votre père était pharmacien, que Théo, à ce qu'on m'a dit, a fait des études de chimie, que vous-même avez, à un certain moment, travaillé au laboratoire, que tout le monde, en somme, dans la famille, a quelques connaissances pharmaceutiques.

— Je n'y avais pas pensé, mais cela ne change rien à mon raisonnement.

— Évidemment.

— Cela n'indique pas non plus que quelqu'un n'est pas venu du dehors.

— Un vagabond, par exemple ?

— Pourquoi pas ?

— Quelqu'un qui aurait attendu de voir la maison pleine pour s'introduire au premier étage par une fenêtre et verser du poison dans un verre ? Car c'est aussi un aspect important de la question. Le poison n'a pas été mis dans la bouteille de somnifère, où on n'en a pas trouvé trace, mais dans le verre.

— Vous voyez bien que c'est incohérent !

— La Rose est morte.

— Alors, qu'est-ce que vous en pensez ? Dites-moi votre opinion, d'homme à homme. Je vous promets bien entendu de ne rien faire, de ne rien répéter qui puisse gêner votre enquête. Qui ?

— Je ne sais pas.

— Pourquoi ?

— Je l'ignore encore.

— Comment ?

— Nous l'apprendrons quand j'aurai répondu aux deux premières questions.

— Vous avez des soupçons ?

Il était mal à l'aise, maintenant, dans son fauteuil, mâchonnant son bout de cigare éteint qui devait lui mettre de l'amertume à la bouche. Peut-être, comme cela arrivait à Maigret, se raccrochait-il à ses illusions, à l'image qu'il s'était faite de la vie et qu'on était en train de lui abîmer. C'était presque pathétique de le voir, anxieux, chaviré, guetter les moindres expressions du commissaire.

— On a tué, dit celui-ci.

— Cela paraît indiscutable.

— On ne tue pas sans raison, surtout par le poison, qui est incompatible avec un mouvement de colère ou de passion. Dans ma carrière, je n'ai pas vu un seul drame du poison qui ne fût un drame d'intérêt.

— Mais quel intérêt voulez-vous qu'il y ait, que diable ?

Il s'emportait, à la fin.

— Je ne l'ai pas découvert.

— Tout ce que ma belle-mère possède est en viager, à part quelques meubles et bibelots.

— Je sais.

— Je n'ai pas besoin d'argent, surtout à présent. Arlette non plus. Théo ne s'en soucie pas.

— On m'a répété tout cela.

— Alors ?

— Alors, rien. Je ne fais que commencer mon enquête, monsieur Besson. Vous m'avez appelé et je suis venu. Valentine, elle aussi, m'a demandé de m'occuper de l'affaire.

— Elle vous a écrit ?

— Ni écrit, ni téléphoné. Elle est venue me voir à Paris.

— Je savais qu'elle était allée à Paris, mais je croyais que c'était pour aller voir sa fille.

— Elle est venue à la P. J. et se trouvait dans mon bureau quand on m'a transmis la communication du ministre.

— C'est curieux.

— Pourquoi ?

— Parce que je ne me doutais pas qu'elle connût votre nom.

— Elle m'a dit qu'elle suivait la plupart de mes enquêtes dans les journaux et qu'elle avait découpé certains articles. Qu'est-ce qui vous chiffonne ?

— Rien.

— Vous préférez vous taire ?

— Rien de précis, je vous assure, sauf que je n'ai jamais vu ma belle-mère lire un journal. Elle n'est abonnée à aucun, a toujours refusé d'avoir un appareil de radio et n'a même pas le téléphone. Elle ne s'intéresse pas du tout à ce qui se passe ailleurs.

— Vous voyez que l'on peut faire des découvertes.

— À quoi celle-ci nous mène-t-elle ?

— Nous le saurons plus tard. Peut-être à rien. Vous n'avez pas soif ?

— Théo est toujours à Étretat ?

— Je l'ai encore aperçu hier au soir.

— Dans ce cas, nous avons des chances de le rencontrer au bar. Vous lui avez parlé ?

— Je n'en ai pas eu l'occasion.

— Je vous présenterai.

On sentait que quelque chose le tracassait et, cette fois, il se contenta de couper le bout de son cigare avec les dents, de l'allumer n'importe comment.

Des adolescents jouaient avec un gros ballon rouge dans les vagues…

6

La Rose et ses problèmes

Besson ne s'était pas trompé. Il n'y avait qu'une seule personne au bar, en dehors de Charlie, qui n'avait pas fini son mastic : c'était Théo qui, faute d'un partenaire, jouait tout seul au *poker dice.*

Charles s'avançait, heureux et fier de présenter son aîné, et celui-ci les regardait venir avec des yeux sans expression, descendait à regret de son tabouret.

— Tu connais le commissaire Maigret ?

Théo aurait pu dire « De nom seulement », ou « Comme tout le monde », n'importe quoi qui donne à entendre que ce n'était pas pour lui un nom quelconque, mais il se contenta, sans tendre la main, d'incliner le buste d'une façon très officielle en murmurant :

— Enchanté.

De près, il paraissait plus âgé, car on découvrait de fines rides qui ressemblaient à des craquelures. Il devait passer un long moment chaque matin au salon de coiffure et se faire donner des soins compliqués, probablement des massages faciaux, car il avait une peau de vieille coquette.

— Tu sais sans doute que, sur mon intervention et sur celle de Valentine, qui est allée à Paris tout exprès, le commissaire a accepté de s'occuper de l'enquête ?

Charles était un peu déçu de voir son frère les accueillir avec la froideur polie d'un souverain en voyage.

— Nous ne te dérangeons pas ?

— Pas du tout.

— Nous venons de passer une heure au soleil, sur la plage, et nous avons soif, Charlie !

Celui-ci adressa un clin d'œil amical à Maigret.

— Qu'est-ce que tu es en train de boire, Théo ?

— Scotch.

— Je déteste le whisky. Qu'est-ce que vous prendrez, commissaire ? Moi, ce sera un picon-grenadine.

Pourquoi Maigret en prit-il aussi ? Cela ne lui était pas arrivé depuis longtemps, et, pour quelque raison mystérieuse, cela lui rappela des vacances.

— Tu as revu Valentine, depuis dimanche ?

— Non.

Théo avait de grandes mains très soignées, mais blêmes, avec des poils roux et une grosse chevalière. Il ne portait pas un seul vêtement que l'on aurait trouvé dans un magasin ordinaire. On comprenait qu'il s'était créé un type, une fois pour toutes. Quelqu'un l'avait frappé, probablement un aristocrate anglais, et il avait étudié ses gestes, sa démarche, sa façon de s'habiller et jusqu'à ses expressions de physionomie. De temps en temps, avec nonchalance, il portait la main à sa bouche comme s'il allait bâiller, mais il ne bâillait pas.

— Tu restes encore longtemps à Étretat ?

— Je ne sais pas.

Charles s'efforçait de mettre quand même son frère en valeur, expliquait au commissaire :

— C'est un curieux garçon. Il ne sait jamais la veille ce qu'il fera le lendemain. Sans raison, comme ça, en sortant du *Fouquet's* ou du *Maxim's* il rentre boucler sa valise et prend l'avion pour Cannes ou pour Chamonix, pour Londres ou pour Bruxelles. N'est-ce pas Théo ?

Alors Maigret attaqua directement :

— Vous permettez que je vous pose une question, monsieur Besson ? Quand avez-vous eu rendez-vous avec Rose pour la dernière fois ?

Le pauvre Charles les regarda tous deux avec stupeur, ouvrit la bouche comme pour une protestation, eut l'air d'attendre une énergique dénégation de son aîné.

Or Théo ne nia pas. Il parut embêté, fixa un moment le fond de son verre avant de lever les yeux vers le commissaire.

— C'est une date exacte que vous désirez ?

— Autant que possible.

— Charles vous dira que je ne connais jamais la date et que, souvent, je me trompe sur le jour de la semaine.

— Il y a plus de huit jours ?

— À peu près huit jours.

— C'était un dimanche ?

— Non. S'il s'agissait d'un témoignage sous serment, j'y réfléchirais à deux fois, mais, à vue de nez, je réponds que c'était mercredi ou jeudi dernier.

— Vous avez eu de nombreux rendez-vous avec elle ?

— Je ne sais pas au juste. Deux ou trois.

— C'est chez votre belle-mère que vous avez fait sa connaissance ?

— On a dû vous dire que je ne voyais pas ma belle-mère. Lorsque j'ai rencontré cette fille, j'ignorais où elle travaillait.

— Où était-ce ?

— À la fête de Vaucottes.

— Tu te mets à courir les boniches ? plaisanta Charles, pour montrer que ce n'était pas une habitude de son aîné.

— Je regardais les courses en sac. Elle était à côté de moi, et je ne sais plus, d'elle ou de moi, qui a parlé le premier. En tout cas, elle a remarqué que ces fêtes de village étaient toutes les mêmes, que c'était idiot et qu'elle préférait s'en aller, et, comme j'allais partir moi-même, je lui ai poliment proposé une place dans ma voiture.

— C'est tout ?

— La même chose, Charlie !

Celui-ci, d'autorité, remplit les trois verres, et Maigret ne pensa pas à protester.

— Elle m'a raconté qu'elle lisait beaucoup, m'a parlé de ce qu'elle lisait, des ouvrages qu'elle ne pouvait pas comprendre et qui la troublaient. Dois-je considérer ceci comme un interrogatoire, monsieur le commissaire ? Remarquez que je m'y plierais docilement, mais, étant donné l'endroit…

— Voyons, Théo ! protesta Charles. Je te rappelle que c'est *moi* qui ai demandé à M. Maigret de venir.

— Vous êtes la première personne que je rencontre, ajouta le commissaire, qui paraisse connaître un peu cette fille, en tout cas la première à m'en parler.

— Que désirez-vous encore savoir ?

— Ce que vous pensez d'elle.

— Une petite paysanne qui avait trop lu et qui posait des questions biscornues.

— Sur quoi ?

— Sur tout, sur la bonté, sur l'égoïsme, sur les rapports des humains entre eux, sur l'intelligence, que sais-je ?

— Sur l'amour ?

— Elle m'a déclaré qu'elle n'y croyait pas et qu'elle ne s'abaisserait jamais à se livrer à un homme.

— Même mariée ?

— Elle considérait le mariage comme quelque chose de très sale, selon son expression.

— De sorte qu'il n'y a rien eu entre vous ?

— Absolument rien.

— Aucune privauté ?

— Elle me prenait la main, quand nous marchions, ou bien, quand il nous est arrivé de rouler en auto, s'appuyait un peu à mon épaule.

— Elle ne vous a jamais parlé de la haine ?

— Non. Ses marottes étaient l'égoïsme et l'orgueil, et elle prononçait ce dernier mot avec un fort accent normand. Charlie !

— En somme, intervint son frère, tu t'es amusé à faire une étude de caractère ?

Mais Théo ne se donna pas la peine de lui répondre.

— C'est tout, monsieur le commissaire ?

— Avant la mort de Rose, vous connaissiez déjà Henri ?

Cette fois, Charles s'agita avec une réelle inquiétude. Comment Maigret, qui ne lui avait parlé de rien, savait-il tout cela ? L'attitude de Théo commençait à lui paraître moins naturelle, et surtout son séjour prolongé à Étretat.

— Je ne le connaissais que de nom, car elle m'avait entretenu de toute sa famille, qu'elle n'aimait pas, bien entendu, sous prétexte qu'on ne la comprenait pas.

— C'est après sa mort que vous avez rencontré Henri Trochu ?

— Il m'a interpellé dans la rue, m'a demandé si j'étais bien celui qui sortait avec sa sœur, et il avait l'air de vouloir se battre. Je lui ai répondu posément et il s'est calmé.

— Vous l'avez revu ?

— Hier soir, en effet.

— Pourquoi ?

— Parce que nous nous sommes rencontrés.

— Il en veut à votre famille ?

— Il en veut surtout à Valentine.

— Pour quelle raison ?

— C'est son affaire. Je suppose que vous pouvez le questionner, comme vous me questionnez. Charlie !

Maigret venait de découvrir soudain à qui Théo s'efforçait laborieusement de ressembler : c'était au duc de Windsor.

— Deux ou trois questions encore, puisque vous avez l'amabilité de vous y prêter. Vous n'êtes jamais allé voir Rose à *La Bicoque* ?

— Jamais.

— Vous ne l'avez pas non plus attendue à proximité ?

— C'est elle qui venait ici.

— Ne s'est-elle pas enivrée en votre compagnie ?

— Après un verre ou deux, elle était très énervée.

— Elle ne manifestait pas l'intention de mourir ?

— Elle avait une peur bleue de la mort et, en auto, me suppliait toujours de ralentir.

— Elle aimait votre belle-mère ? Elle lui était dévouée ?

— Je ne crois pas que deux femmes qui vivent ensemble du matin au soir puissent s'aimer.

— Vous pensez qu'elles se haïssent fatalement ?

— Je n'ai pas prononcé ce mot-là.

— Au fait, intervint Charles Besson, cela me rappelle que je dois rendre visite à Valentine. Ce ne serait pas gentil d'être venu à Étretat et de ne pas avoir pris de ses nouvelles. Vous m'accompagnez, monsieur le commissaire ?

— Merci.

— Vous restez avec mon frère ?

— Je reste ici encore un moment.

— Vous n'avez plus besoin de moi aujourd'hui ? Demain, je serai à Dieppe, pour l'enterrement. À propos, Théo, ma belle-mère est morte.

— Mes compliments.

Il s'en alla, très rouge, sans qu'on pût savoir si c'était à cause des apéritifs ou de l'attitude de son frère.

— L'idiot ! murmura Théo entre ses dents. Ainsi, il vous a fait venir exprès de Paris ?

Il haussa les épaules, tendit la main vers les dés, comme pour faire comprendre qu'il n'avait plus rien à dire. Maigret prit son portefeuille dans sa poche, se tourna vers Charlie, mais Théo se contenta de murmurer à celui-ci :

— Mets ça sur mon compte.

En sortant du casino, Maigret aperçut la voiture de Castaing et, près de l'hôtel, l'inspecteur qui le cherchait.

— Vous avez un moment ? Nous prenons un verre ?

— J'aimerais autant pas. Je crois que je viens d'avaler trois apéritifs coup sur coup, et je préférerais me mettre tout de suite à table.

Il se sentait engourdi. Il avait tendance, tout à coup, à voir l'affaire sous un jour plutôt comique, et même Castaing, avec son air sérieux et affairé, lui apparaissait comme un personnage amusant.

— J'ai l'impression que vous feriez bien d'aller faire un tour à Yport. Depuis cinq ans que je suis dans le pays, je croyais connaître les Normands, mais je ne me sens pas de taille à me mesurer avec cette famille-là.

— Qu'est-ce qu'ils disent ?

— Rien. Ni oui ni non, ni ceci ni cela. Ils me regardent en dessous, ne m'offrent pas de m'asseoir, ont l'air d'attendre que je m'en aille.

Parfois ils se jettent des petits coups d'œil, comme s'ils se disaient :

» — On lui parle ?

» — Décide, toi !

» — Non, décide !

» Puis c'est la mère qui lâche un mot qui ne veut peut-être rien dire, mais qui est peut-être gros de sens.

— Quel genre de mot ?

— Par exemple : « Ces gens-là, cela se tient et il n'y en a pas un qui parlera. »

— Quoi encore ?

— « Ils devaient bien avoir une raison pour empêcher ma fille de venir ici. »

— Elle n'allait plus les voir ?

— Rarement, à ce que j'ai compris. Car, avec eux, on peut comprendre ce qu'on veut. On dirait que les mots n'ont pas le même sens qu'ailleurs. Ils en prononcent un et, tout de suite, se rétractent. Ce qui en ressort, c'est que nous sommes ici non pour découvrir la vérité, mais pour empêcher « *ces gens-là* » d'avoir des ennuis.

» Ils n'ont pas l'air de croire que la Rose est morte par erreur. À les entendre, c'est elle, et non Valentine, que l'on visait.

» Le père, quand il est rentré, m'a quand même offert un verre de cidre, parce que j'étais sous son toit, mais après avoir longtemps hésité. Le fils qui était présent, car il ne part pour la pêche que cette nuit, n'a pas trinqué avec nous.

— L'aîné, Henri ?

— Oui. Il n'a pas prononcé un mot. Je crois qu'il leur faisait signe de se taire. Peut-être que si je rencontrais le père à Fécamp, dans un bistro, avec quelques verres dans le nez, il en dirait davantage. Qu'est-ce que vous avez fait de votre côté ?

— J'ai bavardé avec les deux Besson, Charles d'abord, puis Théo.

Ils se mirent à table. Il y avait une bouteille de vin blanc devant eux, et l'inspecteur remplit les deux verres. Maigret n'y prit pas garde et, lorsqu'ils quittèrent la salle à manger, il fut tenté d'aller faire la sieste, fenêtres larges ouvertes sur le soleil et sur la mer.

Une pudeur le retint. Cela aussi était un héritage de son enfance, une sorte de sentiment du devoir qu'il exagérait volontiers, l'impression qu'il n'en faisait jamais assez pour gagner son pain, au point que, quand il était en vacances, ce qui ne lui arrivait pas tous les ans – exemple : cette année encore –, il n'était pas loin d'éprouver un sentiment de culpabilité.

— Qu'est-ce que je fais ? questionna Castaing, surpris de voir le commissaire somnolent et indécis.

— Ce que tu voudras, mon petit. Fouille. Je ne sais pas où. Peut-être que tu pourrais revoir le docteur ?

— Le docteur Jolly ?

— Oui. Et les gens ! N'importe qui ! Au petit bonheur. La vieille demoiselle Seuret est probablement bavarde et doit s'ennuyer toute seule.

— Je vous dépose quelque part ?

— Merci.

Il savait qu'il y avait un moment comme celui-là à passer au cours de chaque enquête, et que, comme par hasard – ou bien était-ce un instinct qui le poussait ? – presque chaque fois il lui arrivait de boire un peu trop.

C'était quand, comme il disait à part lui, cela « se mettait à grouiller ».

Au début, il ne savait rien, que des faits précis, ce qu'on écrit dans les rapports. Puis il se trouvait en présence de gens qu'il n'avait jamais vus, qu'il ne connaissait pas la veille, et il les regardait comme on regarde des photographies dans un album.

Il fallait faire connaissance aussi rapidement que possible, poser des questions, croire ou ne pas croire aux réponses, éviter d'adopter trop vite une opinion.

C'était la période où les gens et les choses étaient nets, mais un peu lointains, encore anonymes, impersonnels.

Puis, à un moment donné, comme sans raison, cela « se mettait à grouiller ». Les personnages devenaient à la fois plus flous et plus humains, plus compliqués surtout, et il fallait faire attention.

En somme, il commençait à les voir par le dedans, tâtonnait, mal à l'aise, avec l'impression qu'il ne faudrait plus qu'un petit effort pour que tout se précise et pour que la vérité apparaisse d'elle-même.

Les mains dans les poches, la pipe aux dents, il marchait lentement le long de la route poudreuse qui lui était déjà familière, et un détail le frappait, tout bête, mais qui avait peut-être son importance. Il était habitué à Paris, où l'on dispose de moyens de transport à tous les coins de rue.

Quelle distance y avait-il entre *La Bicoque* et le centre d'Étretat ? Environ un kilomètre. Valentine n'avait pas le téléphone. Elle n'avait plus d'auto. Il était probable qu'elle ne roulait pas à bicyclette.

C'était donc, pour la vieille dame, tout un trajet pour prendre contact avec d'autres humains, et elle devait être parfois des journées entières sans voir personne. Sa plus proche voisine était Mlle Seuret, qui avait près de quatre-vingt-dix ans et qui ne quittait sans doute plus son fauteuil.

Est-ce que Valentine faisait elle-même son marché ? Était-ce la Rose qui s'en chargeait ?

Il y avait de grosses mûres noires sur les haies, mais il ne s'arrêta pas pour en cueillir, pas plus qu'il ne s'arrêta pour couper une baguette, il en avait malheureusement passé l'âge. Cela l'amusait d'y penser. Il pensait également à Charles, à son frère Théo, se promettait d'aller, lui aussi, boire un verre de cidre chez les Trochu. Est-ce qu'on lui en offrirait ?

Il poussa la barrière peinte en vert et aspira l'odeur complexe de toutes les fleurs et de tous les arbustes du jardin, entendit un grattement régulier et, au détour du sentier, aperçut un vieillard en train de biner le pied des rosiers. C'était évidemment Honoré, le jardinier, qui venait travailler pour Valentine trois jours par semaine et qu'employait également Mlle Seuret.

L'homme se redressa pour regarder l'intrus, leva une main jusqu'à son front sans qu'on pût savoir si c'était pour saluer ou pour abriter les yeux du soleil.

C'était bien un jardinier « comme sur les images », presque bossu à force de s'être courbé sur la terre, aux petits yeux de fouine, l'air méfiant des bêtes qui sortent la tête de leur terrier.

Il ne dit rien, suivit Maigret du regard et, seulement quand il entendit s'ouvrir la porte, reprit son grattement monotone.

Ce n'était pas Mme Leroy qui s'était dérangée pour venir ouvrir, mais Valentine elle-même, avec l'air d'accueillir quelqu'un qu'elle connaissait depuis longtemps.

— J'ai eu de la visite aujourd'hui, annonça-t-elle, tout animée. Charles est venu me voir. Il paraissait déçu de la façon dont son frère vous a reçu.

— Il vous a parlé de notre conversation ?

— De quelle conversation ? Attendez. Il m'a surtout parlé de la vieille Mme Montet, qui est morte, ce qui va changer sa situation. Il est riche à présent, plus riche qu'il n'a jamais été, car la vieille chipie avait plus de soixante maisons à elle, sans compter les titres et plus que probablement un magot en pièces d'or. Qu'est-ce que vous prenez ?

— Un verre d'eau, aussi glacé que possible.

— À la condition que vous preniez un petit quelque chose avec. Faites cela pour moi. Je ne bois jamais seule. Ce serait affreux, n'est-ce pas ? Voyez-vous une vieille femme s'offrir des verres de calvados ? Mais, quand il vient quelqu'un, je vous avoue que je me réjouis de l'occasion.

Tant pis, après tout ! Il se sentait bien. Il avait un peu chaud, dans la pièce trop petite où les rayons du soleil l'atteignaient sur une épaule. Valentine, qui lui avait désigné son fauteuil, le servait, vive et alerte, une flamme presque gamine dans les yeux.

— Charles ne vous a parlé de rien d'autre ?

— À quel sujet ?

— Au sujet de son frère.

— Il m'a simplement dit qu'il ne comprenait pas Théo de s'être montré sous un mauvais jour, ajoutant qu'il avait l'air de le faire exprès. Il était dépité. Il admire énormément Théo, et il a très fort l'esprit de famille. Je parie que ce n'est pas lui qui vous a dit du mal de moi.

— C'est exact.

— Qui ?

Il n'y avait pas trois minutes qu'il était dans la maison, et c'était lui qui subissait, sans presque s'en rendre compte, un interrogatoire.

— Ma fille, n'est-ce pas ?

Mais elle disait cela en souriant.

— Ne craignez pas de la trahir. Elle n'a pas essayé de me le cacher. Elle m'a appris qu'elle vous avait mis au courant de tout ce qu'elle pensait.

— Je ne crois pas que votre fille soit très heureuse.

— Vous vous figurez qu'elle a envie de l'être ?

Elle souriait à son verre, à Maigret.

— Je ne sais pas si vous avez beaucoup fréquenté les femmes. La Rose, par exemple, aurait été horriblement malheureuse si elle n'avait pas eu sans cesse des problèmes à poser, des problèmes philosophiques, vous comprenez, auxquels elle se mettait soudain à penser, l'air buté, me répondant à peine quand je lui parlais, faisant la vaisselle à grand fracas, comme si on l'empêchait de découvrir une solution dont le sort du monde dépendait.

— Est-il exact qu'elle n'allait plus chez ses parents ?

— Elle y allait rarement parce que, chaque fois, il y avait des scènes.

— Pourquoi ?

— Vous ne devinez pas ? Elle leur arrivait avec ses problèmes, leur donnait des conseils d'après les derniers livres qu'elle avait lus et, naturellement, on la traitait de sotte.

— Elle n'avait pas d'amies ?

— Pour la même raison. Et, pour la même raison toujours, elle ne fréquentait pas les gars du pays, trop frustes et trop terre à terre à son gré.

— De sorte qu'en dehors de vous elle ne parlait pour ainsi dire à personne ?

— Elle faisait le marché, mais elle ne devait pas beaucoup desserrer les dents. Pardon ! J'oubliais le docteur. Car Rose avait découvert dans ma bibliothèque un livre de médecine dans lequel elle se plongeait de temps en temps, après quoi elle me posait des colles.

» — Avouez que vous savez que je n'en ai pas pour longtemps ?

» — Tu es malade, Rose ?

» Elle venait de se découvrir un cancer ou, de préférence, une maladie rare. Ça la travaillait quelques jours, puis elle me demandait une heure de liberté pour courir chez le médecin.

» Peut-être aussi était-ce l'occasion pour elle de parler de ses problèmes, car Jolly l'écoutait patiemment, sans rire, sans jamais la contredire.

— Elle passait ses soirées avec vous ?

— Jamais je ne l'ai vue s'asseoir dans le salon, et cela ne m'aurait d'ailleurs pas fait plaisir. Vous me trouvez vieux jeu ? Aussitôt après sa vaisselle, elle montait dans sa chambre et, sans se déshabiller, se couchait sur son lit avec un livre et fumait des cigarettes. Elle n'aimait certainement pas le goût du tabac. Elle ne savait pas fumer. Elle était sans cesse obligée de fermer les yeux, mais cela faisait partie de sa notion de la poésie. Je suis cruelle ? Pas autant que vous le pensez. Quand je montais, je la voyais apparaître, le visage congestionné, les yeux brillants, et elle attendait que je sois couchée pour me tendre mon médicament.

» — N'oubliez pas d'aérer votre chambre avant de vous mettre au lit.

» C'était ma phrase rituelle, à cause de la fumée de cigarettes qui s'infiltrait par-dessous les portes. Elle répondait :

» — Non, madame. Bonsoir, madame.

» Puis elle faisait autant de bruit en se déshabillant que doit en faire toute une chambrée.

Mme Leroy, elle aussi, faisait du bruit dans la cuisine, mais on aurait dit que c'était par plaisir, pour manifester son indépendance. Elle vint ouvrir la porte, revêche, avec un regard de poisson à Maigret qu'elle n'avait pas l'air de voir.

— Je mets la soupe au feu ?

— N'oubliez pas l'os à moelle.

Et se tournant vers le commissaire :

— En somme, en dehors de Julien, mon gendre, vous avez rencontré toute la famille. Ce n'est pas particulièrement brillant, mais ce n'est pas bien méchant non plus, n'est-ce pas ?

Il essayait, sans y parvenir, de se souvenir des phrases d'Arlette au sujet de sa mère.

— Je finirai par croire, comme ce brave Charles, qu'il y eut seulement un accident inexplicable. Vous voyez que je suis toujours en vie et, si quelqu'un a décidé, à un certain moment, de me supprimer – pourquoi, mon Dieu ? – il semble qu'il se soit découragé. Qu'en pensez-vous ?

Il ne pensait pas du tout. Il la regardait, les yeux un peu troubles, avec du soleil qui jouait entre eux deux. Un vague sourire flottait sur ses lèvres – Mme Maigret aurait dit qu'il était béat – tandis qu'il se demandait, sans rien prendre au tragique, comme un jeu, s'il était possible de démonter une femme comme celle-là.

Il prenait son temps, la laissait parler encore, portant parfois à ses lèvres son verre de calvados, et l'odeur fruitée de l'alcool devenait pour lui l'odeur de la maison, avec un fumet de bonne cuisine, une pointe d'encaustique et de « propre ».

Elle ne devait pas se fier aux bonnes pour le nettoyage, et il l'imaginait le matin, un bonnet sur la tête, prenant elle-même les poussières sur la multitude de bibelots fragiles.

— Vous me trouvez originale ? Allez-vous décider, comme certains dans le pays, que je suis une vieille folle ? Vous verrez plus tard ! Quand on devient vieux, on ne s'occupe plus de l'opinion des gens, et on fait ce qu'on a envie de faire.

— Vous n'avez pas revu Théo ?

— Non. Pourquoi ?

— Vous savez dans quel hôtel il est descendu ?

— Je crois lui avoir entendu dire dimanche qu'il avait sa chambre à l'*Hôtel des Anglais.*

— Non. C'est à l'*Hôtel de la Plage*.

— Pourquoi pensez-vous qu'il serait revenu me voir ?

— Je ne sais pas. Il connaissait bien la Rose.

— Théo ?

— Il est sorti plusieurs fois avec elle.

— Cela n'a pas dû arriver souvent, car elle ne sortait guère.

— Vous l'en empêchiez ?

— Je ne lui permettais évidemment pas de courir les rues le soir.

— Elle l'a pourtant fait. Combien de jours de sortie avait-elle ?

— Deux dimanches par mois. Elle partait après la vaisselle du déjeuner et, quand elle allait chez ses parents, ne rentrait que le lundi matin par le premier autobus.

— De sorte que vous étiez seule à la maison ?

— Je vous ai déjà dit que je n'ai pas peur. Vous prétendiez qu'il y avait quelque chose entre elle et Théo ?

— D'après lui, elle se contentait de lui parler, à lui aussi, de ses problèmes.

Et il ajouta un peu perfidement :

— … en le tenant par la main ou en posant la tête sur son épaule !

Elle rit, elle rit de si bon cœur qu'elle perdit le souffle.

— Dites-moi bien vite que ce n'est pas vrai.

— C'est absolument exact. C'est même la raison pour laquelle, aujourd'hui, Charles n'était pas très fier de son frère.

— Théo vous a parlé de ça devant lui ?

— Il a bien fallu. Il a compris que je savais.

— Et comment saviez-vous ?

— D'abord, parce que je l'ai rencontré hier en compagnie du frère de Rose.

— Henri ?

— Oui. Ils étaient en grande conversation dans un café de la ville.

— Où l'a-t-il connu ?

— Je l'ignore. D'après lui, Henri savait, lui aussi, et est venu lui demander des explications.

— C'est trop drôle ! Si ce n'était pas vous qui me l'affirmiez… Voyez-vous, monsieur Maigret, il faut connaître Théo pour apprécier le sel de ce que vous m'apprenez. C'est l'être le plus snob de la terre. C'est devenu presque sa seule raison d'être. Il s'ennuierait à mort n'importe où, pourvu que ce soit select, et ferait des centaines de kilomètres pour être vu en compagnie de quelqu'un de reluisant.

— Je le sais.

— Qu'il se promène avec la Rose la main dans la main… Écoutez ! Il y a un détail que vous ne connaissez pas, qu'on n'a pas dû penser à vous dire au sujet de ma bonne. C'est dommage que ses parents aient emporté ses effets. Je vous aurais montré ses robes, surtout ses chapeaux. Imaginez les couleurs les plus extravagantes, celles qui jurent le plus les unes avec les autres. Rose avait une très forte poitrine. Or, quand elle sortait, car je ne lui aurais pas permis de s'habiller comme cela ici, elle portait des vêtements si collants qu'elle en avait de la peine à respirer. Et, ces jours-là, elle m'évitait en partant et en rentrant, à cause de son maquillage, si outrancier, si maladroit qu'elle avait l'air d'une de ces filles qu'on rencontre au coin de certaines rues de Paris. Théo et elle. Seigneur !

Et elle riait à nouveau, plus nerveusement.

— Dites-moi, où allaient-ils ainsi ?

— Je sais seulement qu'ils se sont rencontrés à la fête de Vaucottes et qu'il leur est arrivé de boire un verre dans un petit café d'Étretat.

— Il y a longtemps ?

Il paraissait à moitié endormi, maintenant. Un vague sourire aux lèvres, il l'observait à travers ses cils.

— La dernière fois, c'était mercredi dernier.

— Théo vous l'a avoué ?

— Pas de fort bon gré, mais il l'a avoué quand même.

— On aura tout vu. J'espère, au moins, qu'il ne venait pas la retrouver dans ma maison, comme l'amant de ma fille, en passant par la fenêtre ?

— Il affirme que non.

— Théo... répétait-elle, encore incrédule.

Puis elle se leva pour remplir les verres.

— Je vois Henri, le dur de la famille, venant lui réclamer des comptes ! Mais...

Son visage passait de l'ironie au sérieux, puis à un air amusé.

— Ce serait le bouquet... Il y a deux mois, n'est-ce pas ? que Théo est à Étretat... Supposez... Non ! c'est trop extravagant...

— Vous pensez qu'il aurait pu lui faire un enfant ?

— Non ! Pardonnez-moi. Cela m'est passé par la tête, mais... Vous y aviez songé aussi ?

— Incidemment.

— Cela n'expliquerait d'ailleurs rien.

Le jardinier paraissait derrière la porte vitrée et attendait sans bouger, sûr qu'on finirait par le voir.

— Vous m'excusez un instant ? Il faut que j'aille lui donner des instructions.

Tiens ! Il y avait un tic-tac d'horloge auquel il n'avait pas encore pris garde, et il finit par identifier le bruit régulier qui venait du premier étage : c'était le ronron du chat, sans doute couché sur le lit de sa maîtresse, qui s'entendait à travers le plafond léger de cette maison-joujou.

Le soleil, que les carreaux découpaient en menus morceaux, dansait sur les bibelots, où il mettait des reflets, et dessinait sur le vernis de la table la forme très nette d'une feuille de tilleul. Mme Leroy, dans la cuisine, faisait assez de vacarme pour que l'on pût croire qu'elle changeait le mobilier de place. Le grattement reprit dans le jardin.

Maigret eut l'impression de n'avoir pas cessé d'entendre le grattement, et pourtant, quand il ouvrit les yeux, il fut surpris de voir le visage de Valentine à un mètre de lui.

Elle s'empressa de lui sourire, pour éviter qu'il se sente mal à l'aise, cependant qu'il murmurait, la bouche pâteuse :

— Je crois que j'ai sommeillé.

7

Les prédictions de l'almanach

Au moment de se quitter, Maigret et la vieille dame étaient d'humeur si enjouée qu'on aurait à peine été surpris de les voir se donner des claques dans le dos.

Est-ce que Valentine, une fois la porte refermée, avait gardé son sourire ? Ou bien, comme après certains fous rires, avait-elle soudain changé d'humeur en se retrouvant seule à seule avec la froide Mme Leroy ?

C'est un Maigret soucieux, en tout cas, au pas un peu lourd, qui avait regagné la ville et s'était dirigé vers la maison du docteur Jolly. À un certain moment, Castaing était sorti comme du mur, mais ce mur était un estaminet, point stratégique où l'inspecteur attendait depuis un bon moment en jouant aux cartes.

— J'ai vu le docteur, patron. Rose n'avait aucune maladie. Elle éclatait de santé. Elle allait quand même voir le médecin de temps en temps et, pour lui faire plaisir, il lui ordonnait des médicaments inoffensifs.

— Qui étaient… ?

— Des hormones. C'était elle qui en voulait, qui ne parlait plus que de ses glandes.

Et Castaing, marchant à côté du commissaire, de s'étonner.

— Vous y retournez ?

— Seulement une question à lui poser. Tu peux m'attendre.

C'était le premier jour qu'il tutoyait l'inspecteur, qui n'appartenait pas à son service, et c'était un signe. On apercevait une grosse maison carrée, aux murs couverts de lierre, dans un jardin aux allures de petit parc.

— C'est chez lui, dit Castaing. Mais il est dans le pavillon, à gauche, où il reçoit ses malades.

Le pavillon ressemblait à un hangar. Sans doute existait-il une Mme Jolly qui n'aimait pas les malades et les odeurs pharmaceutiques, et qui avait flanqué tout cela hors de chez elle.

— Arrangez-vous pour qu'il vous reconnaisse en ouvrant sa porte. Autrement, vous en avez pour des heures.

Les murs étaient blanchis à la chaux. Tout autour, sur des bancs, des femmes, des enfants, des vieillards attendaient. Il y avait bien douze personnes.

Un gamin avait un gros pansement autour de la tête, et une femme couverte d'un châle essayait en vain de faire taire un bébé dans ses bras. Tous les regards étaient tournés vers une porte, au fond, derrière laquelle on entendait un murmure de voix, et Maigret eut la chance de voir cette porte s'ouvrir presque tout de suite : une grosse fermière sortit, le docteur regarda autour de la pièce et aperçut le commissaire.

— Entrez donc, je vous en prie. Vous permettez un instant ?

Il comptait les patients, séparait le bon grain de l'ivraie, c'est-à-dire désignait trois ou quatre personnes auxquelles il annonçait :

— Je ne pourrai pas vous voir aujourd'hui. Revenez après-demain à la même heure.

Il refermait la porte.

— Allons à la maison. Vous prendrez bien un verre ?

— J'ai tout juste une question à vous poser.

— Mais, moi, je suis content de vous voir et je ne vous laisserai pas partir si vite.

Il ouvrait une porte latérale et, à travers le jardin, emmenait le commissaire vers la grosse maison carrée.

— C'est dommage que ma femme soit justement au Havre aujourd'hui. Elle aurait été si heureuse de faire votre connaissance !

C'était cossu, confortable, un peu sombre, à cause des grands arbres du jardin.

— L'inspecteur est venu tout à l'heure et je lui ai dit que, loin d'être malade, la Rose était bâtie pour faire une centenaire. J'ai rarement rencontré une famille aussi solide que la sienne. J'aurais voulu que vous voyiez sa charpente.

— Elle n'était pas enceinte ?

— Qu'est-ce que vous me demandez là ? C'est bien la dernière question que je me serais posée. Il n'y a pas longtemps qu'elle est venue, et elle ne m'a parlé de rien de semblable. Voilà à peu près trois mois, je lui ai fait un examen complet et je pourrais presque jurer qu'à ce moment-là elle n'avait jamais eu de rapports sexuels. Qu'est-ce que je vous offre ?

— Rien. Je sors de chez Valentine, où j'ai été obligé de boire plus que je n'aurais voulu.

— Comment va-t-elle ? Encore une qui est solide et qui pourrait se passer de médecin. Une femme attachante, n'est-ce pas ? Je l'ai connue avant son second mariage, et même avant le premier. C'est moi qui l'ai accouchée.

— Vous la jugez tout à fait normale ?

— Vous parlez du point de vue mental ? Parce qu'elle se montre parfois originale ? Méfiez-vous de ces gens-là, commissaire. Ce sont généralement les têtes les plus solides. Elle sait ce qu'elle fait, allez ! Elle l'a toujours su. Elle aime sa petite vie, sa petite maison, son petit confort. Peut-on lui en vouloir ? Je ne suis pas en peine pour elle, allez !

— Et la Rose ?

Maigret pensait aux malades qui attendaient, à la femme avec son bébé dans les bras, au gamin à la grosse tête. Mais le docteur, qui ne paraissait pas pressé, avait allumé un cigare, s'était installé dans un fauteuil comme si la conversation devait durer longtemps.

— Il existe en France des milliers de filles comme la Rose. Vous savez d'où elle sort. Elle a peut-être passé trois ans en tout à l'école de son village. Elle s'est trouvée soudain dans un autre milieu. On lui a trop parlé. Elle a trop lu. Savez-vous ce qu'elle m'a demandé lors d'une de ses visites ? Ce que je pensais des théories de Freud. Elle s'inquiétait aussi de savoir si son système glandulaire n'était pas déficient, que sais-je encore ?

» Je feignais de la prendre au sérieux. Je la laissais parler. Je lui ordonnais des médicaments qui lui faisaient autant d'effet que de l'eau.

— Elle était d'humeur chagrine ?

— Pas du tout. Elle était très gaie, au contraire, quand elle se laissait aller. Puis elle se mettait à penser, comme elle disait, et alors elle se prenait au sérieux. C'est chez Valentine qu'elle a dû dénicher Dostoïevski, et elle l'a lu de bout en bout.

— Aucune des drogues que vous lui avez ordonnées ne contenait de l'arsenic ?

— Aucune, rassurez-vous.

— Je vous remercie.

— Vous partez déjà ? Je voudrais tellement vous avoir pour un bon moment.

— Je reviendrai sans doute.

— Si vous me le promettez…

Il soupirait, vexé d'être obligé déjà de retourner à son travail.

Castaing attendait dehors.

— Qu'est-ce que vous faites, maintenant ?

— Je vais aller faire un tour à Yport.

— Je vous y conduis avec la Simca ?

— Non. Je me demande si tu ne ferais pas bien de téléphoner à ta femme pour lui annoncer que tu risques de rentrer tard, peut-être de ne pas rentrer du tout.

— Elle en a l'habitude. Comment allez-vous vous rendre là-bas ? Il n'y a pas d'autobus à cette heure-ci. Vous ne pouvez pas faire la route à pied.

— Je prendrai un taxi.

— Si l'un des deux est libre. Car il en existe tout juste deux, à Étretat. Tenez ! le bureau est au coin de cette ruelle. Que voulez-vous que je fasse pendant ce temps ?

— Tu vas te mettre à la recherche de Théo Besson.

— Ce ne sera pas difficile. Je n'ai qu'à faire le tour des bars. Ensuite ?

— Rien. Tu le surveilleras.

— Discrètement ?

— Peu importe s'il te voit. Ce qui compte, c'est que tu ne le quittes pas. S'il sortait de la ville en voiture, tu as ton auto. Gare-la non loin de la sienne, qui doit se trouver à l'hôtel. Dans ce cas, essaie de me laisser un mot ou d'envoyer un message à mon hôtel. Je ne pense pas qu'il aille loin.

— Si vous allez voir les Trochu, je vous souhaite bien du plaisir.

Le soleil commençait à se coucher quand Maigret quitta la ville dans un taxi dont le chauffeur se retournait sans cesse sur son siège pour lui parler. Le commissaire paraissait toujours somnoler, tirant parfois une bouffée de sa pipe, regardant la campagne qui devenait d'un vert sombre et triste, avec des lumières qui s'illuminaient dans les fermes et des vaches qui beuglaient aux barrières.

Yport n'était qu'un village de pêcheurs avec, comme partout au bord de la mer, quelques maisons où on louait des chambres aux estivants. Le chauffeur dut se renseigner, car il ne connaissait pas les Trochu. Il s'arrêta devant une maison sans étage autour de laquelle séchaient des filets.

— Je vous attends ?

— S'il vous plaît.

Un visage qu'on distinguait mal se profila à la fenêtre et, quand Maigret frappa à la porte peinte en brun, il entendit des bruits de fourchettes qui indiquaient que la famille était à table.

Ce fut Henri qui ouvrit la porte, la bouche pleine, et qui le regarda en silence sans l'inviter à entrer. Derrière lui flambait un feu d'âtre qui éclairait la pièce et au-dessus duquel pendait une grosse marmite. Il y avait un poêle à côté, un beau poêle presque neuf, mais on devinait que c'était un objet de luxe, dont on ne se servait qu'en de rares occasions.

— Je pourrais parler à votre père ?

Celui-ci le voyait aussi, mais n'avait encore rien dit. Ils étaient cinq ou six, assis autour d'une longue table sans nappe, avec des assiettes fumantes devant eux et, au milieu, un immense plat de pommes de terre et de morue à la crème. La mère tournait le dos à la porte. Un petit garçon blond se dévissait la tête pour apercevoir l'intrus.

— Fais entrer, Henri, dit enfin le père.

Et, s'essuyant les lèvres du revers de sa manche, il se leva si lentement que ce geste en devenait presque solennel. Il semblait dire aux autres, à sa couvée :

« — Ne craignez rien. Je suis là et il ne peut rien vous arriver. »

Henri ne reprit pas sa place et resta debout près d'un lit de fer, sous un chromo qui représentait *L'Angélus* de Millet.

— Je suppose que vous êtes le patron de celui qui est déjà venu ?

— Je suis le commissaire Maigret.

— Et qu'est-ce que vous nous voulez encore ?

Il avait une belle tête de marin, comme les peintres du dimanche les aiment, et, même chez lui, sa casquette ne le quittait pas. Il paraissait aussi large que haut, dans son chandail bleu qui exagérait l'épaisseur de son torse.

— Je m'efforce de découvrir qui a tué…

— … ma fille ! acheva Trochu, tenant à spécifier que c'était sa fille, et nulle autre, qui était morte.

— Exactement. Je regrette que cela m'oblige à vous déranger et je ne pensais pas vous trouver à table.

— À quelle heure mange-t-on la soupe, chez vous ? Plus tard, bien sûr, comme chez les gens qui ne se lèvent pas à quatre heures et demie du matin.

— Voulez-vous me faire le plaisir de continuer votre repas ?

— J'ai fini.

Les autres mangeaient toujours en silence, avec des gestes compassés, sans quitter Maigret des yeux, sans perdre un mot des paroles de leur père. Henri avait allumé une cigarette, peut-être d'un geste de défi. On n'avait pas encore offert une chaise au commissaire, qui paraissait énorme, dans la maison basse de plafond, où des saucisses pendaient aux poutres.

Il n'y avait pas seulement un, mais deux lits, dont un lit d'enfant, dans la pièce, et une porte ouverte laissait voir une chambre où il y en avait trois autres, mais pas de table de toilette, ce qui semblait indiquer que tout le monde allait se laver dehors, sur la margelle du puits.

— Vous avez repris les affaires de votre fille ?

— C'était mon droit, non ?

— Je ne vous le reproche pas. Cela m'aiderait peut-être dans ma tâche de savoir ce qu'elles contenaient exactement.

Trochu se tourna vers sa femme, dont Maigret vit enfin le visage. Elle paraissait jeune pour avoir une aussi nombreuse famille et de si grands enfants que la Rose et Henri. Elle était maigre, vêtue de noir, avec un médaillon au milieu de la poitrine.

Embarrassés, ils se regardaient, et les enfants s'agitaient sur leur banc.

— C'est qu'on a déjà fait le partage.

— Tous les objets ne se trouvent plus ici ?

— Jeanne, qui travaille au Havre, a emporté les robes et le linge qu'elle pouvait mettre. Elle n'a pas pu prendre les souliers, qui étaient trop petits pour elle.

— C'est moi qui les ai ! annonça une gamine d'environ quatorze ans, aux grosses tresses roussâtres.

— Tais-toi !

— Ce ne sont pas tant les vêtements qui m'intéressent que les menus objets. Il n'y avait pas de correspondance ?

C'est vers Henri, cette fois, que les parents se tournèrent, et Henri ne paraissait pas fort disposé à répondre. Maigret répéta sa question.

— Non, laissa-t-il tomber.

— Pas de carnet, non plus, pas de notes ?

— Je n'ai trouvé que l'almanach.

— Quel almanach ?

Il se décida à aller le chercher dans la chambre voisine. Maigret se souvenait, que, quand il était jeune et qu'il vivait à la campagne, lui aussi, il avait vu de ces almanachs, mal imprimés, sur du mauvais papier, avec des illustrations naïves. Il était surpris que cela existât encore.

Chaque jour du mois était suivi d'une prédiction. On lisait, par exemple :

« 17 août. Mélancolie.

18 août. Ne rien entreprendre. Ne pas voyager.

19 août. La matinée sera gaie, mais gare à la soirée. »

Il ne sourit pas, feuilletant gravement le petit livre qui avait été beaucoup manié. Mais il ne trouva rien de spécial au mois de septembre, ni à la fin du mois précédent.

— Vous n'avez pas trouvé d'autres papiers ?

Alors, la mère se décida à se lever à son tour, à prendre la parole, et on sentit que tous les siens étaient derrière elle, applaudissaient la réponse qu'ils attendaient.

— Croyez-vous vraiment que c'est ici que vous devez venir poser ces questions-là ? Je voudrais qu'on me dise enfin si c'est ma fille qui est morte, oui ou non. Dans ce cas, il me semble que ce n'est pas nous qu'il faut tracasser, mais d'autres, qu'on a soin de laisser tranquilles.

Il y avait comme un soulagement dans l'air. C'est tout juste si la gamine de quatorze ans ne battit pas des mains.

— Parce que nous sommes de pauvres gens, continua-t-elle, parce que certaines personnes font des manières…

— Je puis vous affirmer, madame, que je questionne indifféremment les riches et les pauvres.

— Et aussi ceux qui jouent les riches sans l'être ? Et celles qui font les grandes dames et sont sorties de plus bas que nous ?

Maigret ne broncha pas, espérant qu'elle continuerait, et elle le fit, après avoir regardé autour d'elle pour se donner du courage.

— Savez-vous ce que c'est, cette femme-là ? Moi, je vais vous le dire. Quand ma pauvre mère s'est mariée, elle a épousé un brave garçon qui avait été amoureux d'une autre pendant longtemps, de la mère de Valentine, justement, et elles habitaient toutes les deux presque porte à porte. Eh bien ! les parents du garçon n'ont jamais voulu qu'il l'épouse. C'est vous dire quelle sorte de fille c'était…

Si Maigret comprenait bien, c'était la mère de Valentine qui était une fille qu'on n'épouse pas.

— Elle s'est mariée, me direz-vous, mais elle n'a trouvé qu'un ivrogne, qu'un propre à rien, et c'est de ces deux-là que Madame est sortie !

Trochu, le père, avait tiré une courte pipe de sa poche et la bourrait dans une blague à tabac faite d'une vessie de porc.

— Je n'ai jamais été d'accord que ma fille travaille chez une femme pareille, qui a peut-être été pire que sa mère. Si on m'avait écoutée…

Un coup d'œil plein de reproches au dos de son mari, qui avait dû, jadis, permettre à Rose d'entrer au service de Valentine.

— Elle est méchante, par-dessus le marché. Ne souriez pas. Je sais ce que je dis. Elle vous a probablement eu avec ses faux airs. Je vous répète, moi, qu'elle est méchante, qu'elle envie tout le monde, qu'elle a toujours détesté ma Rose.

— Pourquoi votre fille est-elle restée chez elle ?

— Je me le demande encore. Car elle ne l'aimait pas, elle non plus.

— Elle vous l'a dit ?

— Elle ne m'a rien dit. Elle ne parlait jamais de ses patrons. À la fin, elle ne nous parlait pour ainsi dire plus du tout. Nous n'étions plus assez bons pour elle, vous comprenez ? Voilà ce que cette femme-là a fait. Elle lui a appris à mépriser ses parents, et cela je ne le lui pardonnerai jamais. Maintenant, Rose est morte, et l'autre est venue prendre des grands airs à son enterrement, alors que sa place serait peut-être en prison !

Son mari la regarda avec, cette fois, l'air de vouloir la calmer.

— En tout cas, ce n'est pas ici qu'il faut venir chercher ! conclut-elle avec force.

— Vous me permettez de dire un mot ?

— Laissez-le parler, intervint Henri à son tour.

— Nous ne sommes pas des magiciens, à la police. Comment pourrions-nous découvrir qui a commis un crime si nous ignorons pourquoi le crime a été commis ?

Il leur parlait doucement, gentiment.

— Votre fille a été empoisonnée. Par qui ? Je le saurai probablement quand je découvrirai *pourquoi* elle a été empoisonnée.

— Je vous dis que cette femme-là la détestait.

— Ce n'est peut-être pas suffisant. N'oubliez pas que tuer est un acte très grave, où on joue sa propre tête et en tout cas sa liberté.

— Les malins ne risquent pas grand-chose.

— Je crois que votre fils me comprendra quand j'ajouterai que d'autres personnes ont approché Rose.

Henri parut gêné.

— Et il en existe peut-être d'autres encore, que nous ne connaissons pas. C'est pourquoi j'espérais examiner ses affaires. Il aurait pu y avoir des lettres, des adresses, voire des objets qu'elle aurait reçus en cadeau.

À ce mot-là, le silence se fit, les regards s'échangèrent. Ils semblaient s'interroger les uns les autres, et enfin la mère dit, avec un reste de méfiance :

— Tu lui montres la bague ?

Elle s'adressait à son mari, qui se décida, comme à regret, à tirer un gros porte-monnaie usé de la poche de son pantalon. Il comportait de multiples compartiments, dont un fermait avec un bouton-pression. Il en tira un objet enveloppé de papier de soie qu'il tendit à Maigret. C'était une bague de style ancien, dont le chaton était orné d'une pierre verte.

— Je suppose que votre fille avait d'autres bijoux ?

— Il y en avait plein une petite boîte, des choses qu'elle s'était achetées elle-même dans les foires de Fécamp. On les a déjà partagées. Il en reste ici…

La gamine, sans rien dire, courut dans la chambre et en revint avec un bracelet d'argent garni de pierres bleues en porcelaine.

— C'est ma part ! dit-elle fièrement.

Tout cela ne valait pas lourd, des bagues, des médailles, des souvenirs de première communion.

— Cette bague-ci se trouvait avec les autres ?

— Non.

Le pêcheur se tourna vers sa femme, qui hésita encore un peu.

— Je l'ai trouvée tout au fond d'un soulier, dans une petite boule de papier de soie. C'étaient ses souliers du dimanche, qu'elle n'a pas portés plus de deux fois.

L'éclairage donné par le foyer n'était pas favorable à une expertise et Maigret n'était pas expert en pierres précieuses, mais il était flagrant que ce bijou-ci était d'une autre qualité que ceux dont on lui parlait.

— Je le dis, fit enfin Trochu, qui était devenu rouge. Cette chose-là me tracassait. Hier, je suis allé à Fécamp, et j'en ai profité pour entrer chez le bijoutier qui m'a vendu jadis nos alliances de mariage. J'ai écrit le mot qu'il m'a dit sur un morceau de papier. C'est une émeraude. Il a ajouté que cela valait aussi cher qu'un bateau et que, si je l'avais trouvée, je ferais mieux de la porter à la police.

Maigret se tourna vers Henri.

— C'est à cause de ça ? lui demanda-t-il.

Henri fit signe que oui. La mère questionna, méfiante :

— Qu'est-ce que vous manigancez, tous les deux ? Vous vous êtes déjà rencontrés ?

— Je pense qu'il est préférable de vous mettre au courant. J'ai aperçu votre fils en compagnie de Théo Besson. Cela m'a surpris, mais je comprends à présent. En effet, Théo est sorti deux ou trois fois en compagnie de Rose.

— C'est vrai ? demanda-t-elle à Henri.

— C'est vrai.

— Tu le savais ? Et tu ne disais rien ?

— Je suis allé lui demander si c'était lui qui avait donné une bague à ma sœur et ce qu'il y avait exactement entre eux.

— Qu'est-ce qu'il a répondu ?

— Il m'a demandé à voir la bague. Je ne pouvais pas la lui montrer, puisque papa l'avait en poche. Je lui ai expliqué comment elle était. Je ne savais pas encore que c'était une émeraude, mais il a dit tout de suite ce mot-là.

— C'est lui ?

— Non. Il m'a juré qu'il ne lui avait jamais fait de cadeau. Il m'a expliqué qu'elle était pour lui une camarade, avec qui il aimait bavarder, parce qu'elle était intelligente.

— Tu l'as cru ? Tu crois quelque chose qui vient de cette famille-là ?

Henri regarda le commissaire, continua :

— Il essaie de découvrir la vérité, lui aussi. Il prétend que ce n'est pas la police qui la trouvera. Il prétend même – sa lèvre trembla un peu – que c'est Valentine qui vous a fait venir et que c'est comme si vous étiez à son service.

— Je ne suis au service de personne.

— Je répète ses paroles.

— Tu es sûr, Henri,, que ce n'est pas lui qui a donné la bague à ta sœur ? questionna le père, embarrassé.

— Il m'a paru sincère. Il a ajouté qu'il n'était pas riche et que, même en revendant son auto, il ne pourrait pas acheter une bague comme celle-là, pour autant que la pierre soit authentique.

— D'où prétend-il qu'elle vienne ? fit Maigret à son tour.

— Il ne sait pas non plus.

— Rose allait-elle parfois à Paris ?

— Elle n'y a jamais mis les pieds de sa vie.

— Moi non plus, intervint la mère. Et je n'ai aucune envie d'y aller. C'est bien assez d'être obligée de faire parfois le voyage du Havre.

— Elle allait au Havre ?

— Il lui est arrivé de rendre visite à sa sœur.

— À Dieppe aussi ?

— Je ne crois pas. Qu'est-ce qu'elle serait allée faire à Dieppe ?

— La vérité, intervint à nouveau Mme Trochu, c'est que, les derniers temps, on ne savait à peu près plus rien d'elle. Quand elle venait nous voir, c'était en coup de vent, pour critiquer tout ce que nous faisions, tout ce que nous disions. Si elle ouvrait la bouche, elle ne parlait plus comme nous lui avons appris, mais employait des mots incompréhensibles.

— Elle était attachée à Valentine ?

— Vous voulez dire si elle l'aimait ? Mon idée, c'est qu'elle la détestait. Je l'ai compris à quelques mots qui lui ont échappé.

— Lesquels ?

— Cela ne me revient pas sur le moment, mais cela m'a frappée.

— Pourquoi restait-elle à son service ?

— C'est ce que je lui ai souvent demandé. Elle n'a pas répondu.

Trochu se décidait à accomplir la démarche que l'inspecteur Castaing avait annoncée pour la dernière heure.

— On ne vous a rien offert. Vous accepterez peut-être un verre de cidre ? Comme vous n'avez pas mangé, je ne vous propose pas d'alcool.

Il sortit pour aller le tirer au tonneau, dans le hangar, revint avec un plein broc en grès bleuâtre et prit une serviette dans un tiroir pour essuyer deux verres.

— Pouvez-vous me confier cette bague pendant un jour ou deux ?

— Elle n'est pas à nous. Je ne considère pas qu'elle a jamais appartenu à ma fille. Seulement, si vous l'emportez, il faudra me donner un reçu.

Maigret le rédigea sur un coin de la table, qu'on débarrassa à son intention. Il but le cidre, qui était un peu vert, mais dont il dit tout le bien possible, car Trochu le faisait lui-même chaque automne.

— Croyez-moi, disait la femme en le reconduisant vers la porte. C'est bien la Rose qu'on a voulu tuer. Et, si on essaie de faire croire le contraire, c'est qu'on a de bonnes raisons pour cela.

— J'espère que nous le saurons bientôt.

— Vous croyez que ce sera si vite que ça ?

— Peut-être plus vite que vous ne pensez.

Il avait poussé le papier de soie avec la bague dans la poche de son gilet. Il regardait le lit-cage dans lequel Rose avait sans doute dormi quand elle était petite, la chambre où elle avait couché plus tard avec ses sœurs, l'âtre devant lequel elle s'était accroupie pour faire la soupe.

S'il n'était plus tout à fait un ennemi, il restait un étranger, et on le regardait partir en gardant la réserve. Seul Henri accompagna le commissaire jusqu'à sa voiture.

— Cela ne vous ferait rien de m'emmener à Étretat ?

— J'en serais enchanté.

— Le temps de prendre ma casquette et mon sac.

Il l'entendit expliquer aux siens :

— Je profite de l'auto du commissaire. D'Étretat, j'irai directement à Fécamp pour m'embarquer.

Il revint avec un sac de toile à voile, qui devait contenir ses effets pour la pêche. L'auto démarra. En se retournant, Maigret vit encore des personnages se découper devant la porte restée ouverte.

— Vous croyez qu'il m'a menti ? questionna Henri en allumant une cigarette.

Ses vêtements répandaient dans la voiture une forte odeur de marée.

— Je ne sais pas.

— Vous allez lui montrer la bague ?

— Peut-être.

— Quand je suis allé le trouver, la première fois, c'était pour lui casser la gueule.

— Je l'ai bien compris. Ce que je me demande, c'est comment il s'y est pris pour vous retourner.

Henri se mit à réfléchir.

— Je me le demande aussi. Il n'est pas comme je me l'étais figuré, et je suis sûr qu'il n'a pas essayé de coucher avec ma sœur.

— D'autres ont essayé ?

— Le fils Babœuf, quand elle avait dix-sept ans, et je vous jure qu'il ne l'a pas emporté en paradis.

— Rose n'a jamais parlé de se marier ?

— Avec qui ?

Lui aussi devait avoir l'impression qu'il n'y avait personne pour sa sœur dans le pays.

— Vous avez envie de me dire quelque chose ?

— Non.

— Pourquoi m'avez-vous accompagné ?

— Je ne sais pas. J'ai envie de le revoir.

— Pour lui parler à nouveau de la bague ?

— De cela et de tout. Je n'ai pas d'instruction comme vous, mais je devine qu'il y a des choses pas naturelles.

— Vous espérez le trouver dans le petit bar où je vous ai aperçus tous les deux ?

— Là ou ailleurs. Mais je préférerais descendre de l'auto avant.

Il descendit en effet à l'entrée de la ville et s'éloigna, son sac sur l'épaule, après un vague merci.

Maigret passa d'abord à son hôtel, où il n'y avait pas de message pour lui, et il poussa ensuite la porte du bar de Charlie, au casino.

— Pas vu mon inspecteur ?

— Il est passé à l'heure de l'apéritif.

Charlie regarda l'horloge qui marquait neuf heures, ajouta :

— Il y a un bon bout de temps.

— Théo Besson ?

— Ils sont entrés et sortis l'un derrière l'autre.

Il montra d'un clin d'œil qu'il avait compris.

— Vous ne prenez rien ?

— Merci.

Henri semblait avoir fait inutilement le voyage à Étretat, car Maigret trouva Castaing en faction devant l'*Hôtel de la Plage*.

— Il est là ?

— Voilà un quart d'heure qu'il est monté dans sa chambre.

L'inspecteur désignait une lumière à une fenêtre du second étage.

8

La lumière du jardin

Deux ou trois fois, ce soir-là, Castaing regarda Maigret en coin en se demandant si celui-ci savait où il allait, s'il était vraiment le grand bonhomme à qui les jeunes inspecteurs s'efforçaient de ressembler ou si, aujourd'hui en tout cas, il n'était pas en train de battre un beurre, à tout le moins de se laisser pousser par les événements.

— Allons nous asseoir un moment, avait dit le commissaire quand il l'avait rejoint en face de l'hôtel où il faisait le guet.

Les citoyens vertueux qui protestent contre le nombre des débits de boisson ne se doutent pas que ceux-ci sont la providence des policiers. Comme par hasard, il y en avait un à cinquante mètres de l'*Hôtel de la Plage* et, en penchant la tête, on pouvait surveiller les fenêtres de Théo.

Castaing avait cru que le commissaire voulait lui parler, lui donner des instructions.

— J'ai envie d'un café arrosé, avoua Maigret. Il ne fait pas chaud, ce soir.

— Vous avez dîné ?

— Au fait, non.

— Vous n'allez pas dîner ?

— Pas maintenant.

Il n'était pourtant pas ivre. Il devait avoir beaucoup bu depuis le matin, ici et là, et c'est sans doute pourquoi il paraissait si pesant.

— Il est peut-être en train de se coucher, remarqua-t-il en regardant la fenêtre.

— Je continue quand même la planque ?

— Tu continues, fiston. Mais, du moment que tu ne quittes pas des yeux la porte de l'hôtel, qui est plus importante que la fenêtre, tu peux rester assis ici. Moi, je crois que je vais aller dire un petit bonsoir à Valentine.

Mais il resta assis un bon quart d'heure, sans rien dire, à regarder vaguement devant lui. Il se leva enfin en soupirant, s'en alla, la pipe aux dents, les mains dans les poches, dans les rues désertes, où Castaing entendit son pas s'éloigner.

Il était dix heures moins quelques minutes quand Maigret arriva devant la barrière de *La Bicoque*, sur la route qu'éclairait un croissant de lune entouré d'un épais halo. Il n'avait rencontré personne. Il n'y avait pas eu un chien pour aboyer, un chat pour bondir dans une haie à son passage. On entendait seulement, dans quelque mare, le chant rythmé des grenouilles.

En se soulevant sur la pointe des pieds, il essaya de voir s'il y avait encore de la lumière chez la vieille dame, crut en apercevoir au rez-de-chaussée et se dirigea vers la barrière, qui était ouverte.

Il faisait humide, dans le jardin, avec une forte odeur de terreau. On ne pouvait suivre le sentier sans accrocher quelques branches, et le froissement du feuillage devait s'entendre de l'intérieur.

Il atteignait la partie pavée, près de la maison, vit le salon éclairé et, dans celui-ci, Valentine, qui se levait de son fauteuil, l'oreille tendue, restait un instant immobile avant de se diriger vers le mur et, au moment où il s'y attendait le moins, d'éteindre la lumière.

Il éternua, juste à ce moment-là. Un grincement lui indiqua qu'on ouvrait un des battants de la fenêtre.

— Qui est là ?

— C'est moi, Maigret.

Un petit rire, non sans une pointe de nervosité, comme celui de quelqu'un qui, malgré tout, a eu peur.

— Excusez-moi. Je rallume tout de suite.

Et, plus bas, comme pour elle-même :

— Le plus bête, c'est que je ne retrouve pas le commutateur. Ah ! voilà…

Elle dut en tourner deux, car non seulement le salon fut à nouveau éclairé, mais une lampe s'alluma dans le jardin, presque au-dessus de la tête du commissaire.

— Je vais vous ouvrir la porte.

Elle était vêtue comme il avait l'habitude de la voir et, sur un guéridon, devant le fauteuil où il l'avait surprise, des cartes étaient étalées pour une réussite.

Elle trottait menu dans la maison vide, passait d'une pièce à l'autre, tournait une clef, tirait des verrous.

— Vous voyez que je ne suis pas si brave que je le prétends et que je me barricade. Je ne m'attendais pas à votre visite.

Elle ne voulait pas lui poser de questions, mais elle était intriguée.

— Vous avez un moment ? Entrez vous asseoir.

Et comme il jetait un coup d'œil aux cartes :

— Il faut bien s'amuser toute seule, n'est-ce pas ? Qu'est-ce que je vous offre ?

— Savez-vous que, depuis que je suis à Étretat, je bois du matin au soir ? Votre beau-fils Charles arrive le matin et me fait boire des picon-grenadine. Théo nous rejoint, et c'est pour offrir une tournée. Que je rencontre l'inspecteur, et nous entrons dans un café à bavarder. Je viens ici et la bouteille de calvados apparaît automatiquement sur la table. Le docteur n'est pas moins hospitalier. Les Trochu m'offrent du cidre.

— Ils vous ont bien reçu ?

— Pas trop mal.

— Ils vous ont appris quelque chose d'intéressant ?

— Peut-être. Il est difficile, avant la fin, de démêler ce qui est intéressant et ce qui ne l'est pas. Vous n'avez pas eu de visite depuis mon départ ?

— Personne. C'est moi qui en ai rendu une. Je suis allée dire bonsoir à la vieille demoiselle Seuret. Elle est si âgée, en effet, que tout le monde la croit morte et qu'on ne va plus la voir. C'est ma plus proche voisine. Je pourrais m'y rendre en sautant la haie, si j'en avais encore l'âge.

» Vous voyez. Maintenant, je suis seule. Mon dragon est parti depuis belle lurette. Mon intention était de reprendre une domestique qui couche à la maison, mais je me demande si je le ferai, tant je me sens bien toute seule.

— Vous n'avez pas peur ?

— Cela m'arrive, vous l'avez vu. Tout à l'heure, quand j'ai entendu vos pas, j'ai un peu perdu mon sang-froid. Je me suis demandé ce que je ferais si je recevais la visite d'un rôdeur. Vous allez me dire si mon plan est bon. D'abord éteindre la lumière dans la maison et ensuite allumer celle du dehors, de façon à voir sans être vue.

— La méthode me paraît excellente.

— Seulement, tout à l'heure, j'ai oublié d'allumer dehors. Il faudra que j'essaie d'y penser la prochaine fois et que je trouve le commutateur.

Il regarda ses pieds, constata qu'elle portait ses chaussures et non des pantoufles. Mais se permettait-elle, même chez elle, d'être en pantoufles, ailleurs que dans sa chambre à coucher ?

— Toujours rien de nouveau, monsieur Maigret ?

Il était assis dans ce qui était déjà un peu son fauteuil, et la pièce était encore plus intime le soir que pendant la journée, avec ses ronds de lumière tamisée sous les lampes et de larges pans de pénombre. Le chat était en bas, sur un des fauteuils, et il ne tarda pas à venir se frotter à la jambe du commissaire en tenant la queue dressée.

— Vous ne connaissez pas le langage des chats ? plaisanta-t-elle.

— Non. Pourquoi ?

— Parce qu'il est en train de vous demander une caresse. Vous étiez inquiet de mon sort ?

— J'ai voulu m'assurer que tout allait bien ici.

— Vous n'êtes pas encore rassuré ? Dites-moi ! J'espère que vous ne condamnez pas un pauvre inspecteur à passer la nuit sur la route pour me protéger ? Dans ce cas, il faudrait me le dire, et je lui installerais un lit de camp dans la cuisine.

Elle était très gaie, une petite flamme dans les yeux. Elle avait apporté la carafe, se servait un verre aussi plein qu'à lui.

— Votre femme ne se plaint pas de votre métier ?

— Elle a eu le temps de s'y habituer.

Engourdi, dans son fauteuil, il avait bourré une pipe, voyait l'heure à une pendule de bronze flanquée de deux amours joufflus.

— Vous faites beaucoup de réussites ?

— Il existe peu de jeux de cartes qui se jouent à une seule personne, vous savez.

— La Rose ne jouait pas ?

— J'ai essayé de lui apprendre la belote sans jamais y parvenir.

Elle dut se demander ce qu'il était venu faire. Peut-être, à certain moment, tant il paraissait éteint, craignit-elle qu'il s'assoupît dans son fauteuil, comme il l'avait fait l'après-midi.

— Je ferais mieux de regagner l'hôtel et mon lit, soupira-t-il.

— Un dernier verre ?

— Vous en prendrez un avec moi ?

— Oui.

— Alors, j'accepte. Je commence à connaître le chemin et ne risque plus de m'égarer. Je suppose que vous allez vous coucher, vous aussi ?

— D'ici une demi-heure.

— Somnifère ?

— Non. Je n'en ai pas acheté. Cela me fait un peu peur, maintenant.

— Vous dormez quand même ?

— Je finis par m'endormir. Les vieilles gens n'ont pas besoin de beaucoup de sommeil.

— À demain.

— À demain.

Il fit encore craquer des branches, et la barrière grinça légèrement. Il resta un moment, debout au bord de la route, à regarder le bout du toit et de la cheminée qui émergeaient de la verdure dans la lueur pâle de la lune.

Puis il releva le col de son veston, à cause de l'humidité froide, et se dirigea à grands pas vers la ville.

Il fit le tour des bistros encore ouverts, non pour y entrer, mais seulement pour jeter un coup d'œil à l'intérieur, surpris de ne pas voir Henri, qui devait être toujours à la recherche de Théo.

Henri savait-il que celui-ci était rentré à l'hôtel ? S'y était-il présenté pour le voir ?

Peut-être était-il reparti bredouille ? Maigret ignorait à quelle heure son bateau quittait le port, à Fécamp, pour quinze jours de pêche en mer du Nord.

Il entra un instant au bar du casino, qui était vide, et où Charlie était en train de faire sa caisse.

— Vous n'avez pas vu un pêcheur ?

— Le fils Trochu ? Il y a au moins une heure qu'il est passé. Il avait déjà du vent dans les voiles.

— Il n'a rien dit ?

— À moi, non. Il parlait tout seul. Il a failli oublier son sac ici et, en le jetant sur les épaules, il en a balayé le comptoir et cassé deux verres.

Castaing était à nouveau dehors, sans doute pour se tenir éveillé, et la lumière restait allumée dans la chambre de Théo.

— Vous n'avez pas rencontré le frère de Rose, patron ? Il est passé tout à l'heure en zigzaguant.

— Il est entré à l'hôtel ?

— Je ne sais même pas s'il a remarqué qu'il y avait un hôtel.

— Il t'a adressé la parole ?

— Je me suis collé contre le mur.

— De quel côté se dirigeait-il ?

— Il descendait la rue, puis, sans doute pour ne pas quitter le trottoir, il a tourné à droite. Qu'est-ce qu'on fait ?

— Rien.

— On reste ici ?

— Pourquoi pas ?

— Vous croyez qu'il va sortir ?

— Je ne le sais pas. C'est possible.

Alors, pour la seconde fois, Castaing se demanda si la réputation du commissaire n'était pas surfaite. En tout cas, il avait tort de boire.

— Va t'informer à l'hôtel si on est venu le demander et si on n'est pas monté chez lui…

Castaing revint quelques instants plus tard avec une réponse négative.

— Tu es sûr que, pendant que tu le suivais dans les bars, il n'a appelé personne ?

— Seulement pour commander à boire. Il me savait sur ses talons. Il me regardait de temps en temps d'un air hésitant. Je crois qu'il se demandait si ce ne serait pas plus simple de boire ensemble.

— On ne lui a pas remis de lettre ?

— Je n'ai rien vu de pareil. Vous ne pensez pas que vous feriez mieux d'aller manger un sandwich ?

Maigret ne parut pas entendre, prit une pipe froide dans sa poche et la bourra lentement. Le halo autour du croissant de lune allait s'épaississant et on voyait comme une fumée venir du large et envahir peu à peu les rues.

Ce n'était pas encore le vrai brouillard, car la sirène ne se mettait pas à hurler.

— Dans huit jours, remarqua Castaing, il n'y aura plus ici que les gens du pays. Le personnel des hôtels s'en ira dans le Midi pour commencer une nouvelle saison, avec de nouveaux clients.

— Quelle heure as-tu ?

— Onze heures moins vingt.

Quelque chose devait inquiéter Maigret qui, après un bon moment, annonça :

— Je te laisse un instant. Je passe à mon hôtel pour un coup de téléphone.

Il le donna de la cabine, appela, à Fécamp, le domicile de Charles Besson.

— Ici, Maigret. Je m'excuse de vous déranger. J'espère que vous n'étiez pas couché ?

— Non. Vous avez du nouveau ? Voilà maintenant ma femme qui a attrapé une bronchite et qui veut, quand même, assister demain à l'enterrement.

— Dites-moi, monsieur Besson. Votre femme n'a jamais possédé une bague ornée d'une grosse émeraude ?

— Une quoi ?

Il répéta.

— Non.

— Vous n'avez jamais vu de bague semblable autour de vous ? Arlette, par exemple ?

— Je ne pense pas !

— Je vous remercie.

— Allô ! monsieur Maigret…

— Oui.

— Quelle est cette histoire de bague ? Vous en avez trouvé une ?

— Je ne sais pas encore. Je vous en reparlerai un de ces jours.

— Tout va bien, là-bas ?

— Tout est calme en ce moment.

Maigret raccrocha, hésita, finit par demander le numéro d'Arlette, à Paris. Il eut la communication tout de suite, plus vite que la première. Ce fut une voix d'homme qui répondit, et c'était son premier contact avec Julien.

— Julien Sudre écoute, disait la voix calme et assez grave. Qui est à l'appareil ?

— Commissaire Maigret. Je voudrais dire un mot à Mme Sudre.

Il l'entendit qui disait sans se troubler :

— C'est pour toi. Le commissaire.

— Allô ! Il y a du nouveau ?

— Je ne crois pas. Pas encore. Je voudrais seulement vous poser une question. On ne vous a jamais volé de bijoux ?

— Pourquoi me demandez-vous ça ?

— Répondez.

— Non. Je ne crois pas.

— Vous en avez beaucoup ?

— Quelques-uns. Ils m'ont été donnés par mon mari.

— Avez-vous jamais possédé une bague ornée d'une émeraude de taille respectable ?

Il y eut un court silence.

— Non.

— Vous ne vous souvenez pas d'une bague de ce genre ?

— Je ne vois pas, non.

— Je vous remercie.

— Vous n'avez rien d'autre à me dire ?

— Rien ce soir.

Elle n'avait pas envie qu'il raccroche. Elle aurait voulu, cela se sentait, qu'il parlât encore. Peut-être aurait-elle aimé parler, elle aussi, mais elle ne pouvait le faire en présence de son mari.

— Rien de désagréable ? questionna-t-elle seulement.

— Rien. Bonne nuit. Je suppose que vous alliez vous coucher, tous les deux ?

Elle crut à de l'ironie et laissa sèchement tomber :

— Oui. Bonsoir.

Il n'y avait personne que le gardien de nuit dans le hall de l'hôtel. Tout au bout était le fauteuil dans lequel il avait trouvé Arlette qui l'attendait le premier soir. Il ne la connaissait pas encore, à ce moment-là. Il ne connaissait encore personne.

Il regretta de n'avoir pas emporté son pardessus, faillit téléphoner à Mme Maigret pour lui dire bonsoir, haussa les épaules et alla rejoindre Castaing, qui continuait mélancoliquement sa planque. Dans cet hôtel-ci aussi, le hall était désert. Presque toutes les fenêtres, à l'exception de deux ou trois, étaient obscures, et une lumière s'éteignit encore, mais pas chez Théo.

— Je me demande ce qu'il peut faire, murmura Castaing. Sans doute lit-il dans son lit ? À moins qu'il se soit endormi en oubliant d'éteindre ?

— Quelle heure ?

— Minuit.

— Tu es sûr que personne…

Et voilà que l'inspecteur se frappait le front, poussait un juron, grondait :

— Imbécile que je suis ! J'ai oublié de vous dire…

— Quoi ?

— Personne ne lui a parlé, c'est vrai. On ne lui a pas non plus remis de lettre. Mais, alors que nous étions au Bar de la Poste, le second où il est entré, le patron, à un certain moment, lui a lancé :

» — On vous demande au téléphone.

— Quelle heure était-il ?

— Un peu plus de huit heures.

— On n'a pas dit qui l'appelait ?

— Non. Il est entré dans la cabine. Je l'ai observé à travers la vitre. Ce n'était pas lui qui parlait. Il écoutait, en disant parfois : « Oui-oui… »

— C'est tout ?

— Je me demande comment cela a pu me sortir de la tête. J'espère que ce n'est pas grave, patron ?

— Nous allons le savoir. Quelle tête avait-il en sortant de la cabine ?

— Je ne pourrais pas dire exactement. Peut-être un peu surpris ? peut-être intrigué ? Mais pas fâché.

— Viens. Attends-moi dans le hall.

Il demanda au portier :

— La chambre de M. Besson ?

— Le 29, au second étage. Je crois qu'il dort. Il a recommandé de ne pas le déranger.

Maigret passa sans fournir d'explication, s'engagea dans l'escalier, s'arrêta pour souffler et fut bientôt devant la porte blanche qui portait le numéro 29 en chiffres de cuivre. Il frappa, et on ne répondit pas. Il frappa plus fort, longtemps, se pencha sur la rampe.

— Castaing ?

— Oui, patron.

— Demande un passe-partout. Ils doivent avoir un outil qui ouvre toutes les chambres.

Cela prit du temps. Maigret vida sa pipe sur le tapis, juste à côté d'un gros pot de faïence qui contenait du sable et des bouts de cigarettes.

Le portier marchait le premier, de mauvaise humeur.

— Comme vous voudrez ! Vous vous expliquerez demain avec le patron. Police ou pas police, ce ne sont pas des manières.

Il choisit une clef dans un trousseau qui pendait au bout d'une chaîne, mais, avant d'ouvrir, frappa discrètement, colla l'oreille à la porte.

On vit enfin la chambre qui était vide, et dont le lit n'avait pas été défait. Maigret ouvrit un placard, aperçut un costume bleu marine, des souliers noirs et une gabardine. Le rasoir, la brosse à dents étaient dans la salle de bains.

— Ce monsieur a le droit de sortir, n'est-ce pas ?

— Vous savez si son auto est au garage ?

— C'est facile à contrôler.

Ils redescendirent. Au lieu de se diriger vers la porte d'entrée, ils suivirent un couloir, franchirent quelques marches, et Maigret constata qu'une petite porte, qui n'était pas fermée à clef, donnait directement dans le garage.

Celui-ci était grand ouvert sur une place déserte.

— C'est celle-ci.

Le pauvre Castaing avait l'air d'un écolier qui se demande quelles seront les conséquences d'une bêtise.

— Où allons-nous ?

— Où est ta voiture ?

— En face de l'hôtel.

C'était à deux pas. Au moment où ils allaient s'y installer, le gardien de nuit se précipita sur le perron.

— Monsieur Maigret ! Monsieur Maigret !... On vient de téléphoner pour vous.

— Qui ?

— Je ne sais pas.

— Une femme ?

— C'était une voix d'homme. On vous demande de passer tout de suite chez la vieille dame. Il paraît que vous comprendrez.

Le trajet ne prit que quelques instants. Il y avait déjà une auto devant la barrière.

— La voiture du docteur, remarqua Castaing.

Mais, même en approchant de la maison, on n'entendait aucune voix. Toutes les pièces étaient éclairées, y compris celles de l'étage. Ce fut Théo Besson, très calme, qui ouvrit la porte, et le commissaire le regarda avec stupeur.

— Qui est blessé ?

Ses narines frémirent. Il reconnaissait, dans le salon, l'odeur de la poudre refroidie. Sur le guéridon, où les cartes étaient encore éparses, il y avait un gros revolver de l'armée.

Il passa dans la chambre d'amis où il entendait bouger, faillit renverser Valentine qui avait les mains pleines de linges sanglants et qui le regarda comme une somnambule.

Sur le lit qu'Arlette avait occupé, un homme était étendu, le torse nu. Il portait encore son pantalon, ses souliers. Le dos du docteur Jolly, penché sur lui, cachait son visage, mais le gros tissu bleu du pantalon avait déjà renseigné Maigret.

— Mort ? questionna-t-il.

Le docteur tressaillit, se retourna, se redressa comme avec soulagement.

— J ai fait ce que j'ai pu, soupira-t-il.

Il y avait une seringue hypodermique sur la table de nuit. La trousse du médecin, par terre, était ouverte et en désordre. On voyait du sang partout, et Maigret devait constater par la suite qu'il y en avait une traînée dans le salon, et, dehors, dans le jardin.

— Quand Valentine m'a téléphoné, je suis accouru tout de suite, mais il était déjà trop tard. Il a fallu que la balle se loge dans l'aorte ! Même une transfusion, si on avait pu la faire à temps, aurait été inutile.

— C'est vous qui avez alerté mon hôtel ?

— Oui, elle m'avait demandé de vous prévenir.

Elle était tout près d'eux, dans l'encadrement de la porte, du sang sur les mains, du sang sur sa robe.

— C'est épouvantable, dit-elle. Je me doutais peu de ce qui arriverait quand vous êtes venu ce soir. Tout cela parce que j'ai encore oublié de pousser le second commutateur, celui qui allume la lampe du jardin.

Il évitait de la regarder, poussait un soupir en apercevant le visage d'Henri Trochu, qui était mort à son tour. Peut-être pensait-il déjà à ce qu'il allait dire à la famille, aux réactions de celle-ci ?

— Je vais vous expliquer.

— Je sais.

— Vous ne pouvez pas savoir. J'étais montée. J'étais dans mon lit.

C'était la première fois, au fait, qu'il la voyait en négligé. Ses cheveux étaient sur des bigoudis, et elle avait glissé en hâte une robe sur ses vêtements de nuit, qui dépassaient.

— Je crois que j'avais fini par m'endormir quand le chat a sauté brusquement à bas de mon lit. C'est ce qui m'a réveillée. J'ai écouté. J'ai entendu du bruit dehors, comme quand vous êtes venu ce soir.

— Où était le revolver ?

— Dans ma table de nuit. C'est le revolver de mon mari. Il m'a donné l'habitude d'en avoir toujours un, la nuit, à portée de la main. Je crois vous l'avoir dit.

— Non. Peu importe.

— J'ai d'abord regardé par la fenêtre, mais il faisait trop noir. J'ai passé une robe et je suis descendue.

— Sans éclairer ?

— Oui. Je ne voyais rien, mais j'entendais quelqu'un qui essayait d'ouvrir la porte. J'ai demandé :

» — Qui est là ?

» On n'a pas répondu.

— Vous avez tiré tout de suite ?

— Je ne sais plus. J'ai dû poser la question plusieurs fois pendant qu'on tripotait toujours la serrure. J'ai tiré à travers les vitres. J'ai entendu l'homme s'écrouler, et je suis encore restée un certain temps sans oser sortir.

— Vous ne saviez pas qui il était ?

— Je ne m'en doutais pas. C'est alors seulement que l'idée m'est venue d'allumer dehors. À travers la vitre brisée, j'ai vu un corps et, tout près, un gros baluchon. Ma première idée a été que c'était un rôdeur. Je suis enfin sortie par la porte de la cuisine, et ce n'est qu'en m'approchant que j'ai reconnu Henri.

— Il était en vie ?

— Je ne sais pas. J'ai couru chez Mlle Seuret, toujours le revolver à la main. Je lui ai crié de se lever, que j'avais besoin de téléphoner tout de suite, et elle a fini par venir ouvrir. J'ai appelé le docteur Jolly et lui ai demandé de vous avertir, ou de vous prendre en passant.

— Et Théo ?

— Je l'ai trouvé devant la porte en revenant.

— Vous êtes revenue seule ?

— Non. J'ai attendu le docteur sur la route.

Le docteur venait de recouvrir d'un pan de drap le visage du mort et, tenant ses deux mains sanglantes devant lui, se dirigeait vers la salle de bains.

Maigret et Valentine étaient seuls près du corps, dans la chambre trop petite où ils ne pouvaient remuer, et le commissaire avait toujours sa pipe aux dents.

— Qu'est-ce que Théo vous a dit ?

— Je ne sais plus. Il n'a rien dit.

— Vous n'avez pas été surprise de le voir ici ?

— Probablement. Je ne sais pas. N'oubliez pas que je venais de tuer un homme. Pourquoi croyez-vous que Henri ait tenté de s'introduire chez moi ?

Il ne répondit pas, se dirigea vers le salon, où il trouva Castaing et Théo face à face, debout, aussi silencieux l'un que l'autre. Des deux, c'était l'inspecteur le plus anxieux, et c'est un regard désespéré qu'il lança au commissaire.

— C'est ma faute, n'est-ce pas ?

— Ce n'est pas sûr.

Théo Besson avait l'air ennuyé d'un homme du monde surpris dans une situation gênante.

— Vous vous trouviez par hasard dans les environs, je suppose ?

Il ne répondit pas, et il paraissait excuser Maigret de l'interpeller aussi grossièrement.

— Viens par ici, toi.

Il entraîna Castaing dehors, où il vit du sang sur les pavés, le sac de pêcheur resté où il était tombé.

— Tu vas filer à son hôtel. J'ai besoin de savoir si Théo a reçu un coup de téléphone pendant la soirée. Si, par hasard, on ne pouvait pas te répondre, fais le tour des bars où Henri a traîné.

— Ils sont fermés.

— Sonne !

— Qu'est-ce que je dois demander ?

— S'il a téléphoné.

Castaing ne comprenait pas, mais il avait à cœur de réparer sa bévue dans la mesure du possible, et il se précipita vers la Simca, qu'on entendit bientôt s'éloigner.

Le docteur Jolly et Valentine descendaient de la salle de bains, et les mains du médecin étaient blanches, sentaient encore le savon.

— C'est en vain que j'insiste pour qu'elle se couche et qu'elle se laisse faire une piqûre. Pour le moment, elle vit sur ses nerfs. Elle se croit forte. Je ne serai pas parti d'un quart d'heure qu'elle va s'écrouler. Je ne comprends d'ailleurs pas comment elle a pu faire tout ce qu'elle a fait.

— J'ai tué ce pauvre garçon, murmura Valentine en regardant tour à tour Maigret et Théo, qui restait immobile et silencieux dans son coin.

— Vous ne voulez pas insister ? Elle dormirait quelques heures d'un sommeil de plomb et, demain, serait d'attaque.

— Je ne pense pas que ce soit nécessaire.

Jolly fronça les sourcils, mais s'inclina, chercha son chapeau autour de lui.

— Je suppose que je téléphone au Havre, comme dimanche dernier, pour qu'on vienne prendre le corps ? Il y aura probablement autopsie ?

— Certainement.

— Vous ne voulez pas que je passe un message de votre part ?

— Merci.

Il alla s'incliner devant la vieille dame et on put croire qu'il allait lui baiser la main.

— Vous avez tort ! J'ai laissé à tout hasard quelques tablettes dans votre chambre. Vous pouvez en prendre une toutes les deux heures.

Il salua Théo de la tête, revint vers Maigret, ne sut que dire.

— Je suis, bien entendu, à votre disposition quand il vous plaira.

Il s'en alla, et ce fut le silence. Quand on cessa d'entendre le moteur de l'auto, Valentine, comme par contenance, ouvrit l'armoire et prit la carafe de calvados. Elle allait la poser sur la table quand Maigret la lui arracha brutalement des mains, d'un geste inattendu, et la lança violemment sur le sol.

— Asseyez-vous, vous deux ! dit-il alors d'une voix qui frémissait de colère.

Ils durent à peine se rendre compte qu'ils obéissaient, tandis qu'il restait debout, les mains derrière le dos, puis se mettait à marcher de long en large, comme il avait l'habitude de le faire dans son bureau du Quai des Orfèvres.

Castaing revenait déjà, et la sirène de brume commençait à lancer son appel lugubre dans la nuit.

9

Le crime de Théo

On entendait Castaing arrêter son moteur, descendre de voiture, rester un moment sur la route avant de pousser la barrière, et Maigret ne disait toujours rien. Théo, assis dans le fauteuil que le commissaire occupait quelques heures plus tôt, s'efforçait de ressembler malgré tout au duc de Windsor, tandis que Valentine regardait tour à tour les deux hommes, son regard allant si vivement de l'un à l'autre qu'il faisait penser à celui d'un jeune animal.

Castaing traversait le jardin, pénétrait dans la maison et, surpris par le silence, par la bouteille cassée, se demandait ce qu'il devait faire, où il devait se mettre. N'appartenant pas au Quai des Orfèvres, il n'avait jamais vu Maigret dans ces circonstances-là.

— Eh bien ! mon petit ?

— J'ai eu le patron de l'hôtel, qui était couché, mais qui m'a parlé au bout du fil. C'est lui qui, du bureau, a passé la communication à Théo, non pas dans la chambre, car il n'y a pas le téléphone dans les chambres, mais à l'appareil qui est au fond du corridor de chaque étage. Il était environ dix heures et demie. Celui qui parlait était ivre.

— Tu as du papier, un crayon ?

— J'ai mon carnet de notes.

— Assieds-toi devant cette table. Mets-toi à ton aise, car tu en as probablement pour un bout de temps. Tu enregistreras leurs réponses.

Il se remit en marche, toujours suivi par le regard de la vieille dame, tandis que Théo fixait le bout de ses chaussures.

C'est devant lui qu'il finit par se camper, non plus en colère, mais avec du mépris dans la voix.

— Vous vous attendiez à ce que Henri vînt à Étretat ce soir ?

— Non.

— S'il ne vous avait pas téléphoné, vous seriez venu à *La Bicoque* ?

— Je ne sais pas. C'est possible.

— Où étiez-vous quand il a été abattu ? Sur la route ? Dans le jardin ?

— Dans le jardin, près de la barrière.

Valentine sursauta en apprenant qu'elle était passée tout près de son beau-fils alors qu'elle courait chez la vieille Mlle Seuret pour téléphoner au docteur.

— Vous étiez fier de vous ?

— Cela me regarde.

— Vous saviez qu'elle possédait un revolver ?

— Je savais qu'elle avait gardé le revolver de mon père. Dites-moi, monsieur le commissaire, voulez-vous me dire si…

— Rien du tout ! Les questions, c'est moi qui les pose.

— Et si je refusais de répondre ?

— Cela ne changerait absolument rien, sauf que cela me déciderait peut-être à vous flanquer ma main sur la figure, comme j'en ai envie depuis un quart d'heure.

Malgré le tragique des circonstances, malgré le mort qui était encore dans la pièce voisine, Valentine ne put s'empêcher d'avoir un petit sourire satisfait, presque joyeux.

— Depuis quand savez-vous ?

— De quoi parlez-vous ?

— Écoutez, Besson. Je vous conseille de ne pas faire l'imbécile. Depuis quand savez-vous que les bijoux de votre belle-mère n'ont jamais été vendus et que ce sont les originaux qu'elle a conservés, et non pas des répliques, comme on a essayé de le faire croire ?

Elle tressaillit à son tour, regarda Maigret avec stupeur, avec une involontaire admiration, s'agita dans son fauteuil comme si elle voulait prendre la parole, mais il ne lui accorda pas la moindre attention.

— Je m'en suis toujours douté.

— Pourquoi ?

— Parce que je la connaissais et que je connaissais mon père.

— Vous voulez dire qu'elle avait peur de la misère et qu'elle n'était pas femme à ne pas prendre ses précautions ?

— Oui. Et mon père faisait toutes ses volontés.

— Ils étaient mariés sous le régime de la communauté des biens ?

— Oui.

— À combien évaluez-vous la valeur des bijoux ?

— Probablement à plusieurs millions au cours actuel. Il doit y en avoir dont nous ne connaissons pas l'existence, car mon père était gêné devant nous de tant dépenser pour elle.

— Lorsqu'il est mort et que l'on vous a dit que les bijoux étaient vendus depuis longtemps, vous n'en avez pas parlé à votre frère, ni à Arlette ?

— Non.

— Pourquoi ?

— Je n'étais pas sûr.

— N'est-ce pas, plus exactement, parce que vous comptiez vous arranger avec Valentine ?

Celle-ci ne perdait pas une des syllabes prononcées, pas un geste de Maigret, pas une expression de Théo. Elle enregistrait tout, beaucoup mieux que Castaing, dont la sténographie était rudimentaire.

— Je ne répondrai pas à cette question.

— Qui est indigne de vous, n'est-ce pas ? Vous en avez parlé à Valentine elle-même ?

— Pas davantage.

— Parce que vous la saviez plus fortiche que vous et que vous attendiez de posséder une preuve. Comment avez-vous obtenu cette preuve ? Depuis quand ?

— Je me suis renseigné auprès d'amis que j'ai dans le monde des diamantaires au sujet de certains des bijoux qui ne peuvent pas passer inaperçus, et c'est ainsi que j ai appris qu'ils n'avaient pas été remis dans le commerce, en tout cas pas en France, et probablement pas en Europe.

— Vous avez patiemment attendu cinq ans.

— J'avais encore un peu d'argent. J'ai réussi quelques affaires.

— Cette année, comme vous vous trouviez au bout de votre rouleau, vous êtes venu passer vos vacances à Étretat. Ce n'est pas par hasard que vous avez fait la connaissance de la Rose et que vous vous êtes mis à flatter ses manies ?

Silence. Valentine tendait le cou, comme un oiseau, et c'était la première fois que Maigret voyait à nu son cou de vieille femme, généralement caché par un large ruban de velours noir orné d'une perle.

— Maintenant, réfléchissez avant de répondre. Est-ce que, quand vous l'avez rencontrée, la Rose savait déjà, ou est-ce à votre instigation qu'elle s'est mise à fureter dans la maison ?

— Elle furetait avant de me connaître.

— Pourquoi ?

— Par curiosité, et parce qu'elle détestait ma belle-mère.

— Elle avait une raison de la détester ?

— Elle la trouvait dure et orgueilleuse. Elles vivaient toutes les deux, dans cette maison, pour ainsi dire sur le pied de guerre, et c'est à peine si elles se le cachaient, l'une et l'autre.

— Rose avait pensé aux bijoux ?

— Non. Elle a fait un trou, avec une vrille, dans la cloison qui sépare les deux chambres.

Valentine s'agita, indignée, et on aurait pu croire qu'elle allait monter tout de suite pour s'assurer de cette énormité.

— Quand était-ce ?

— Il y a une quinzaine de jours, un après-midi que Valentine prenait le thé chez Mlle Seuret.

— Qu'a-t-elle vu par le trou ?

— Rien tout de suite. Il a fallu attendre plusieurs jours. Un soir, après avoir fait semblant de dormir et de ronfler, elle s'est relevée sans bruit, et elle a vu Valentine ouvrir le bahut en face de son lit.

— Rose n'avait jamais regardé à l'intérieur ?

— Tous les tiroirs, toutes les armoires de la maison sont fermés à clef, et Valentine garde les clefs sur elle. Même pour prendre une boîte de sardines, Rose devait faire appel à elle.

— Comment, dans ce cas, a-t-elle pu s'emparer d'une des bagues ?

— Pendant que Valentine prenait son bain. Elle ne m'en avait pas parlé d'avance. Elle a dû préparer son coup avec soin, le minuter, pour ainsi dire.

— Vous avez vu la bague ?

— Oui.

— Que comptait-elle en faire ?

— Rien. Elle ne pouvait pas la porter sans se trahir. C'était plutôt, de sa part, une sorte de vengeance.

— Vous n'avez pas pensé que votre belle-mère s'en apercevrait ?

— Peut-être.

— Avouez que vous avez laissé faire, pour voir quelle serait sa réaction ?

— C'est possible.

— Vous vous seriez contenté de partager, n'est-ce pas, sans en parler à Charles et à Arlette ?

— Je ne répondrai pas.

— Je suppose que vous êtes persuadé que l'on n'a aucun recours contre vous ?

— Je n'ai tué personne.

Elle s'agita encore, avec l'envie de lever la main, comme à l'école pour avoir la parole.

— C'est tout ce que j'ai à vous demander.

— Je dois sortir ?

— Vous pouvez rester.

— Je suis libre ?

— Pas jusqu'à nouvel ordre.

Maigret se remit en marche, un peu rouge, à présent qu'il allait s'en prendre à la vieille dame.

— Vous avez entendu ?

— Tout ce qu'il a dit est faux.

Il tira la bague de la poche de son gilet, la lui montra.

— Vous niez que les véritables bijoux sont dans votre chambre ? Vous voulez que je prenne vos clefs et que j'aille les chercher ?

— C'était mon droit. Mon mari était d'accord. Il trouvait que ses fils étaient assez grands pour se débrouiller, et il ne voulait pas laisser une vieille femme comme moi sans ressources. Si les enfants avaient su, ils auraient fait vendre et, un an plus tard, se seraient quand même trouvés aussi mal en point.

Il évitait de la regarder.

— Pourquoi détestiez-vous la Rose ?

— Je ne la détestais pas. Je m'en méfiais, et les événements prouvent que j'avais raison. C'est elle qui m'avait prise en grippe, alors que j'avais tout fait pour elle.

— Quand avez-vous découvert que la bague manquait ?

Elle ouvrit la bouche, faillit répondre, puis son regard se durcit.

— Je ne répondrai plus à vos questions.

— Comme vous l'entendrez.

Il se tourna vers Castaing.

— Continue quand même à prendre note.

Et, arpentant lourdement la pièce, dont il faisait trembler les bibelots, il monologua :

— C'est probablement la semaine dernière, avant mercredi, que vous avez fait cette découverte. La Rose était la seule personne qui pouvait vous avoir vue et s'être emparée de la bague. Sans doute avez-vous fouillé ses affaires, sans rien trouver. Quand elle est sortie, mercredi, vous l'avez suivie et l'avez vue rejoindre Théo à Étretat.

» Vous avez commencé à avoir vraiment peur.

» Vous ne saviez pas si elle lui en avait parlé. Vous soupçonniez que c'était à cause des bijoux qu'il était ici.

Malgré sa résolution de se taire, elle ne put s'empêcher de lancer :

— Du jour où il aurait su, ma vie aurait été en danger.

— C'est fort possible. Remarquez que je ne vous ai rien demandé. Interrompez-moi si vous le désirez, mais je n'ai pas besoin de confirmation.

» Vous avez décidé de supprimer la Rose avant qu'elle ait le temps de vous trahir – tout au moins vous l'espériez – et vous avez profité d'une occasion unique qui vous était offerte. Le fameux 3 septembre ! Le seul jour de l'année où toute la famille se trouve réunie ici, cette famille que vous haïssez, y compris votre fille.

Elle ouvrit la bouche une fois encore, mais il ne lui laissa pas le temps d'intervenir.

— Vous connaissiez, vous, la passion de votre bonne pour les médicaments, quels qu'ils fussent. Sans doute l'aviez-vous vue en chiper dans votre pharmacie. Le soir, elle devait avoir l'habitude de finir votre verre quand vous laissiez un fond de somnifère.

» Voyez-vous, ce crime-là est un crime de femme, et même un crime de vieille femme solitaire. C'est un de ces crimes mijotés auxquels on pense amoureusement pendant des heures et des heures, en ajoutant sans cesse des fioritures.

» Comment vous soupçonner, alors que c'était à vous que le poison était apparemment destiné ?

» C'était sur votre fille, sur les autres que les soupçons retomberaient fatalement.

» Il vous suffisait de déclarer que vous aviez trouvé la potion amère, que vous l'aviez dit à votre servante. Or je suis sûr que vous vous en êtes bien gardée.

— Elle l'aurait bue quand même !

Elle n'était pas abattue, comme on aurait pu le croire. Elle restait là, tendue, sans perdre un mot de ce qui se disait, et sans doute préparait-elle d'avance sa riposte.

— Vous étiez persuadée que l'enquête serait faite par la police locale, qui n'y verrait que du feu. Vous n'avez commencé à avoir peur que quand vous avez appris que Charles Besson s'était arrangé pour que je sois envoyé de Paris.

— Vous êtes modeste, monsieur Maigret.

— Je ne sais pas si je suis modeste, mais vous avez commis la faute d'accourir au Quai des Orfèvres afin de vous donner le mérite de vous être adressée à moi.

— Et comment, voulez-vous me le dire, ai-je su que Charles avait pensé à vous ?

— Je l'ignore. C'est un détail qui s'éclairera par la suite.

— Il y aura beaucoup de détails à éclaircir, car vous n'avez aucune preuve de ce que vous avancez avec tant d'assurance.

Maigret ignora le défi.

— C'est comme pour les bijoux. Voici mes clefs. Elles sont devant vous sur la table. Montez là-haut et cherchez.

Il s'arrêta de marcher, la regarda dans les yeux, intrigué par ce nouveau problème, eut l'air de parler pour lui-même.

— Peut-être avez-vous profité de votre voyage à Paris pour les déposer quelque part ? Non ! Vous ne les auriez pas cachés si loin. Vous ne les avez pas déposés dans une banque, où cela laisse des traces.

Elle souriait d'un sourire narquois.

— Cherchez !

— Je trouverai.

— Si vous ne les trouvez pas, rien de ce que vous affirmez ne tient debout.

— Nous y reviendrons en temps voulu.

Il regrettait amèrement d'avoir brisé la bouteille d'alcool dans un mouvement de colère, car il en aurait bu volontiers une gorgée.

— Ce n'est pas par hasard que, tout à l'heure, quand je suis passé vous dire bonsoir, je vous ai parlé des relations entre la Rose et Théo Besson, ni de leur rencontre de mercredi. Je savais que cela amènerait une réaction de votre part et que, par crainte que je questionne Théo et qu'il parle, vous essaieriez de le voir, peut-être de le faire taire définitivement. Je me demandais comment vous vous y prendriez pour le rejoindre sans être vue. Je n'ai pas pensé au téléphone. Plus exactement, je n'ai pas pensé à la vieille Mlle Seuret qui habite à deux pas et à qui vous avez l'habitude de rendre visite.

Il se tourna vers Théo.

— Vous la connaissez ?

— Il y a plusieurs années que je ne l'ai vue.

— Elle est infirme ?

— Elle était déjà à moitié sourde et aveugle à cette époque-là.

— Dans ce cas, c'est chez elle que nous avons toutes les chances de trouver les bijoux.

— Vous êtes en train d'inventer une histoire de toutes pièces, dit-elle rageusement. Vous parlez, vous parlez, en vous disant qu'il vous arrivera bien une fois de tomber juste. Si vous croyez que c'est malin !

— C'est de chez elle que vous avez téléphoné à Théo, et sans doute avez-vous dû appeler plusieurs numéros, puisque c'est dans un bar que vous l'avez enfin trouvé. Vous lui avez dit que vous vouliez lui parler, et il a compris. Or vous n'aviez aucune intention de lui parler.

» Voyez-vous, vos deux crimes ne sont pas seulement des crimes de solitaire, mais des crimes de vieille femme.

» Vous êtes intelligente, Valentine !

Elle se rengorgea, sensible, malgré tout, au compliment.

— Il fallait faire taire Théo, et cependant éviter de me mettre la puce à l'oreille. Il y avait bien un moyen, qui aurait probablement marché, mais que vous répugniez à choisir : c'était de lui offrir de partager.

» Vous avez trop le sens de la propriété pour cela. L'idée de vous séparer d'une partie de ces fameux bijoux qui ne vous aident même pas à vivre, qui ne vous serviront jamais à rien, vous a paru tellement monstrueuse que vous avez préféré tuer une seconde fois.

» Vous avez demandé à Théo de venir vous voir à minuit sans en parler à personne.

» C'est bien ce qu'elle vous a demandé, monsieur Besson ?

— Vous comprendrez qu'il soit délicat pour moi de répondre à cette question. Un gentleman…

— Canaille ! Un gentleman mêle-t-il une boniche à ses affaires de famille et l'incite-t-il à commettre un vol parce que ça l'arrange ? Un gentleman envoie-t-il quelqu'un se faire tuer à sa place ?

» Au fond, monsieur Besson, après le coup de téléphone de Valentine, vous étiez à la fois triomphant et effrayé. Triomphant, parce que vous aviez gagné la partie, parce que son appel indiquait qu'elle était prête à composer. Effrayé, parce que vous la connaissiez, parce que vous vous êtes rendu compte que ce n'était pas de gaieté de cœur qu'elle allait acheter votre silence.

» Vous avez flairé un piège. Ce rendez-vous, ici à minuit, ne vous disait rien de bon.

» Vous êtes rentré à votre hôtel pour réfléchir. Vous avez eu la veine que ce pauvre Henri, qui avait bu, vous appelle au téléphone.

» Je venais d'avoir avec lui une conversation qui lui faisait travailler l'esprit. Il s'était mis à boire, et il avait envie de vous voir, je ne sais pas pourquoi au juste ; peut-être ne le savait-il pas trop lui-même.

» Alors vous l'avez envoyé en éclaireur, en lui disant de se trouver ici à minuit exactement.

» De sorte que c'est lui qui s'est fait prendre au piège de Valentine.

» Je vous tire mon chapeau, madame. Le meurtre de Rose était admirablement conçu, mais celui-ci est d'une habileté diabolique.

» Jusqu'au coup du commutateur, que vous m'avez fait ce soir, qui vous donnait l'excuse d'avoir, dans votre émoi, tiré sans allumer dehors.

» Seulement, c'est Henri qui est mort. Le frère et la sœur la même semaine !...

» Savez-vous ce que je ferais, si je n'appartenais pas à la police ?

» Je vous laisserais ici sous la garde de l'inspecteur, pendant que j'irais à Yport raconter cette histoire à un certain Trochu et à sa femme.

» Je leur dirais comment, pourquoi, pour quels intérêts sordides ils ont perdu deux enfants dans la force de l'âge, en l'espace de quelques jours.

» Je les ramènerais ici, eux et les frères et sœurs de vos victimes, avec leurs voisins et amis.

Il put voir Théo, devenu livide, serrer convulsivement les doigts sur les bras de son fauteuil. Quant à Valentine, elle bondit, affolée :

— Vous n'avez pas le droit de faire ça ! Qu'est-ce que vous attendez pour nous emmener au Havre ? Vous êtes obligé de nous arrêter, de m'arrêter en tout cas.

— Vous avouez ?

— Je n'avoue pas ; mais vous m'accusez, et vous n'avez pas le droit de me laisser ici.

Qui sait si les Trochu n'étaient pas déjà alertés et s'ils n'allaient pas accourir ?

— Nous sommes dans un pays civilisé, et tout le monde a le droit d'être jugé.

Elle tendait maintenant l'oreille aux bruits du dehors, faillit se jeter contre Maigret comme pour se protéger quand elle entendit le bruit d'une auto, puis des pas dans le jardin.

On la sentait tout près de la crise nerveuse. Son visage avait perdu sa joliesse et ses yeux exprimaient la panique, ses ongles s'enfonçaient dans les poignets du commissaire.

— Vous n'avez pas le droit ! Vous n'avez pas…

Ce n'étaient pas les Trochu, qui ne savaient rien encore, mais le fourgon qu'on envoyait du Havre, ainsi qu'une voiture de policiers et de spécialistes.

Pendant une demi-heure, la maison leur fut livrée. Le corps d'Henri fut emporté sur une civière, tandis qu'un expert prenait, par acquit de conscience, des photographies des lieux, y compris de la vitre que la balle avait fracassée.

— Vous pouvez aller vous habiller.

— Et moi ? questionna un Théo Besson dégonflé, qui ne savait où se mettre.

— Vous, je pense que c'est avec votre conscience qu'il faudra essayer de vous arranger.

Une autre auto s'arrêtait sur la route, et Charles Besson se précipita dans la maison.

— Que s'est-il passé ?

— Je vous attendais plus tôt, lui répondit sèchement Maigret.

Comme sans comprendre ce que cette phrase impliquait, le député s'excusa :

— J'ai crevé un pneu sur la route.

— Qu'est-ce qui vous a décidé à venir ?

— Quand vous m'avez parlé au téléphone de la bague, tout à l'heure.

— Je sais. Vous l'avez reconnue à sa description.

— J'ai compris que c'était Théo qui avait raison.

— Parce que vous saviez que Théo soupçonnait votre belle-mère d'avoir conservé les bijoux ? Il vous l'avait dit ?

Les deux frères se regardaient froidement.

— Il ne me l'a pas dit, mais je l'ai compris à son attitude quand on a effectué le partage.

— Vous êtes accouru pour avoir votre part ? Vous en avez oublié l'enterrement de votre belle-mère Montet, demain matin ?

— Pourquoi me parlez-vous durement ? Je ne sais rien. Qui vient-on de transporter dans le fourgon ?

— Dites-moi d'abord ce que vous êtes venu faire ?

— Je ne sais pas. Quand vous m'avez parlé de la bague, j'ai compris qu'il y aurait du vilain, que Théo tenterait quelque chose et que Valentine ne se laisserait pas faire.

— Eh bien ! il s'est passé quelque chose, en effet, mais votre aîné a eu soin d'envoyer quelqu'un se faire tuer à sa place.

— Qui ?

— Henri Trochu.

— Les parents savent ?

— Pas encore, et je me demande si je ne vais pas vous charger d'aller leur annoncer la nouvelle. Après tout, vous êtes leur député.

— Je ne le serai probablement plus après ce scandale. Et la Rose ? Qui est-ce... ?

— Vous ne l'avez pas deviné ?

— Quand vous m'avez parlé de la pierre, j'ai pensé...

— À votre belle-mère ! C'est elle. Vous expliquerez tout cela à vos électeurs.

— Mais je n'ai rien fait, moi !

Il y avait longtemps que Castaing, qui ne prenait plus de notes, regardait Maigret avec stupeur, tout en tendant l'oreille aux bruits du premier étage.

— Vous êtes prête ? cria le commissaire dans l'escalier.

Et, comme elle ne répondait pas tout de suite, il lut la crainte sur le visage de l'inspecteur.

— N'aie pas peur ! Ces femmes-là, ça ne se tue pas. Elle se défendra jusqu'au bout, avec bec et ongles, et trouvera le moyen de s'offrir les meilleurs avocats. Et elle sait qu'on ne coupe plus les têtes des vieilles femmes.

Valentine descendait, en effet, aussi petite marquise que quand il l'avait vue pour la première fois, avec ses cheveux immaculés, ses grands yeux clairs, sa robe noire sans un faux pli et un gros diamant à son corsage : une des « répliques », évidemment.

— Vous me passez les menottes ?

— Je commence à croire que vous en seriez enchantée, parce que ça ferait plus théâtral et que cela vous donnerait l'air d'une victime. Emmène-la, toi.

— Vous ne nous accompagnez pas au Havre ?

— Non.

— Vous rentrez à Paris ?

— Demain matin, quand je serai allé chercher les bijoux.

— Vous enverrez le rapport ?

— Tu le rédigeras toi-même. Tu en connais autant que moi.

Castaing ne savait plus trop bien où il en était.

— Et celui-là ?

Il désignait Théo, qui venait d'allumer une cigarette et qui évitait de s'approcher de son frère.

— Il n'a commis aucun crime qui tombe sous le coup de la loi. Il est trop lâche. Tu le retrouveras toujours quand tu en auras besoin.

— Je peux quitter Étretat ? fit Théo avec soulagement.

— Quand vous voudrez.

— Pouvez-vous me faire accompagner jusqu'à l'hôtel, afin que j'y prenne ma voiture et mes affaires ?

Comme Valentine, il avait une peur bleue des Trochu. Maigret désigna un des inspecteurs du Havre.

— Va avec monsieur. Je t'autorise, en guise d'adieu, à lui botter le derrière.

Au moment de quitter *La Bicoque*, Valentine se retourna vers Maigret et lui lança, la lèvre retroussée :

— Vous vous croyez malin, mais vous n'avez pas encore le dernier mot.

Quand il regarda sa montre, il était trois heures et demie du matin, et la sirène de brume hurlait toujours dans la nuit. Il n'avait plus avec lui qu'un inspecteur du Havre, qui achevait de mettre les scellés sur les portes, et Charles Besson, qui ne savait que faire de son grand corps.

— Je me demande pourquoi vous avez été si méchant avec moi, tout à l'heure, alors que je n'ai rien fait ?

C'était vrai, et Maigret eut presque un remords.

— Je vous jure que je ne me suis jamais imaginé que Valentine…

— Vous voulez m'accompagner ?

— Où ça ?

— À Yport.

— Vous y tenez vraiment ?

— Cela m'évitera d'aller chercher un taxi, ce qui ne doit pas être facile à cette heure-ci.

Il le regretta un peu, car Charles, nerveux, donnait des coups de volant alarmants. Il arrêta l'auto aussi loin que possible de la petite maison, qui n'était qu'une tache dans le brouillard.

— Il faut que je vous attende ?

— S'il vous plaît.

Besson, à l'abri dans l'obscurité de l'auto, entendit les coups frappés à la porte, la voix du commissaire qui disait :

— C'est moi, Maigret.

Charles vit une lampe s'allumer, la porte s'ouvrir et il coupa du bout des dents la pointe d'un cigare.

Une demi-heure s'écoula, pendant laquelle il fut plus d'une fois tenté de partir. Puis la porte s'ouvrit à nouveau. Trois personnages se dirigèrent lentement vers la voiture. Maigret ouvrit la portière, parla d'une voix basse, feutrée :

— Vous me laisserez tomber à Étretat en passant, et vous les conduirez au Havre.

De temps en temps, la mère, qui portait ses voiles du jour de l'enterrement, étouffait un sanglot dans son mouchoir.

Quant au père, il ne prononça pas un mot. Maigret ne dit rien non plus.

Lorsqu'il descendit de l'auto, à Étretat, devant son hôtel, il se retourna vers l'intérieur, ouvrit la bouche, ne trouva pas de paroles et tira lentement son chapeau.

Il ne se déshabilla pas, ne se coucha pas. À sept heures du matin, il se faisait conduire en taxi chez la vieille demoiselle Seuret, et le même taxi le déposa à la gare, à temps, pour le train de huit heures. Outre ses valises, il avait à la main un petit sac en maroquin, recouvert d'une housse du même bleu candide que les yeux de Valentine.

Carmel by the Sea (Californie),
le 8 décembre 1949.

Table

Le Livre de Poche s'engage pour l'environnement en réduisant l'empreinte carbone de ses livres. Celle de cet exemplaire est de :
700 g éq. CO_2
Rendez-vous sur
www.livredepoche-durable.fr

Composition réalisée par FACOMPO, Lisieux

Achevé d'imprimer en France par
CPI BUSSIÈRE (18200 Saint-Amand-Montrond)
en janvier 2020
N° d'impression : 2049186
Dépôt légal 1re publication : avril 2012
Édition 04 - janvier 2020
LIBRAIRIE GÉNÉRALE FRANÇAISE
21, rue du Montparnasse – 75298 Paris Cedex 06

31/6642/8